suhrkamp taschenbuch 4930

In einem volkstümlichen Viertel Neapels wachsen sie auf, derbes Fluchen auf den Straßen, Familien, die sich seit Generationen befehden, das Silvesterfeuerwerk artet in eine Schießerei aus. Hier gehen sie gemeinsam in die Schule, die unangepasste, draufgängerische Lila und die schüchterne, beflissene Elena, beide darum wetteifernd, besser zu sein als die andere. Bis Lilas Vater sein brillantes Kind zwingt, in der Schusterei mitzuarbeiten, und Elena mit dem bohrenden Verdacht zurückbleibt, das Leben zu leben, das eigentlich ihrer besten, ihrer so unberechenbaren Freundin zugestanden hätte.

Elena Ferrante ist die große Unbekannte der Gegenwartsliteratur. In Neapel geboren, hat sie sich mit dem Erscheinen ihres Debütromans im Jahr 1992 für die Anonymität entschieden. *Meine geniale Freundin*, der erste Band der Neapolitanischen Saga, ist ein weltweiter Bestseller und hat sich millionenfach verkauft.

Karin Krieger übersetzt aus dem Italienischen und Französischen, darunter Bücher von Claudio Magris, Anna Banti, Armando Massarenti, Margaret Mazzantini, Ugo Riccarelli, Andrea Camilleri, Alessandro Barico und Giorgio Fontana.

Band 2: Die Geschichte eines neuen Namens
Band 3: Die Geschichte der getrennten Wege
Band 4: Die Geschichte des verlorenen Kindes

#FerranteFever
www.elenaferrante.de

Elena Ferrante
Meine geniale Freundin
Kindheit und frühe Jugend

Band 1
der Neapolitanischen Saga

Roman

Aus dem Italienischen von
Karin Krieger

Suhrkamp

Die Originalausgabe erschien 2011 unter dem Titel
L'amica geniale
bei Edizioni e/o, Rom.

Dieses Buch ist dank einer Übersetzungsförderung
seitens des Italienischen Außenministeriums und der
Cooperazione Internationale Italiana erschienen.

Erste Auflage 2018
suhrkamp taschenbuch 4930
© der deutschen Ausgabe Suhrkamp Verlag Berlin 2016
© 2011 by Edizioni e/o
Suhrkamp Taschenbuch Verlag
Alle Rechte vorbehalten, insbesondere das des
öffentlichen Vortrags sowie der Übertragung durch
Rundfunk und Fernsehen, auch einzelner Teile.
Kein Teil des Werkes darf in irgendeiner Form
(durch Fotografie, Mikrofilm oder andere Verfahren)
ohne schriftliche Genehmigung des Verlages reproduziert
oder unter Verwendung elektronischer Systeme verarbeitet,
vervielfältigt oder verbreitet werden.
Umschlagillustration: © Emiliano Ponzi/2agenten
Umschlaggestaltung: Schimmelpenninck.Gestaltung, Berlin
Satz: Hümmer, Waldbüttelbrunn
Druck und Bindung: CPI – Ebner & Spiegel, Ulm
Printed in Germany
ISBN 978-3-518-46930-9

Die Personen und die Handlung des vorliegenden Werkes sowie die darin vorkommenden Namen und Dialoge sind sämtlich erfunden und Ausdruck der künstlerischen Freiheit der Autorin. Jede Ähnlichkeit mit realen Begebenheiten, Personen, Namen und Orten wäre rein zufällig und ist nicht beabsichtigt.

DER HERR. Du darfst auch da nur frei erscheinen;
Ich habe deinesgleichen nie gehaßt.
Von allen Geistern, die verneinen,
Ist mir der Schalk am wenigsten zur Last.
Des Menschen Tätigkeit kann allzuleicht erschlaffen,
Er liebt sich bald die unbedingte Ruh;
Drum geb' ich gern ihm den Gesellen zu,
Der reizt und wirkt und muß als Teufel schaffen. –

                        J.W. Goethe, *Faust*

Die handelnden Personen

Familie Cerullo
(die Familie des Schuhmachers)

Fernando Cerullo, Schuster
Nunzia Cerullo, seine Frau
Ihre Kinder:
Raffaella Cerullo, von allen *Lina* gerufen, nur Elena nennt sie *Lila*
Rino Cerullo, Lilas großer Bruder, ebenfalls Schuster
(*Rino* wird später auch eines von Lilas Kindern heißen.)
Weitere Kinder

Familie Greco
(die Familie des Pförtners)

Elena Greco, *Lenuccia* oder *Lenù* genannt
Sie ist das älteste von vier Kindern, nach ihr kommen
Peppe, *Gianni* und *Elisa*.
Ihr *Vater* ist Pförtner in der Stadtverwaltung.
Ihre *Mutter* ist Hausfrau.

Familie Carracci
(die Familie von Don Achille)

Don Achille Carracci, der Unhold aus den Märchen
Maria Carracci, seine Frau
Ihre Kinder:
Stefano Carracci, Lebensmittelhändler in der Salumeria der Familie
Pinuccia Carracci
Alfonso Carracci

Familie Peluso
(die Familie des Tischlers)

Alfredo Peluso, Tischler
Giuseppina Peluso, seine Frau
Ihre Kinder:
Pasquale Peluso, der älteste Sohn, Maurer
Carmela Peluso, die sich auch *Carmen* nennt, Kurzwarenverkäuferin
Weitere Kinder

Familie Cappuccio
(die Familie der verrückten Witwe)

Melina Cappuccio, die verrückte Witwe, mit Lilas Mutter verwandt
Melinas *Mann*, schleppte Kisten auf dem Obst- und Gemüsemarkt.
Ihre Kinder:
Ada Cappuccio
Antonio Cappuccio, Automechaniker
Weitere Kinder

Familie Sarratore
(die Familie des dichtenden Eisenbahners)

Donato Sarratore, Zugschaffner
Lidia Sarratore, seine Frau
Ihre Kinder:
Nino Sarratore, der Älteste
Marisa Sarratore
Pino Sarratore
Clelia Sarratore
Ciro Sarratore

Familie Scanno
(die Familie des Gemüsehändlers)

Nicola Scanno, Gemüsehändler
Assunta Scanno, seine Frau
Ihre Kinder:
Enzo Scanno, ebenfalls Gemüsehändler
Weitere Kinder

Familie Solara
*(die Familie des Besitzers der gleichnamigen
Bar-Pasticceria)*

Silvio Solara, Padrone der Solara-Bar
Manuela Solara, seine Frau
Ihre Kinder:
Marcello Solara
Michele Solara

Familie Spagnuolo
(die Familie des Konditors)

Signor Spagnuolo, Konditor in der Solara-Bar
Rosa Spagnuolo, seine Frau
Ihre Kinder:
Gigliola Spagnuolo
Weitere Kinder

Gino, der Sohn des Apothekers

Die Lehrer

Maestro Ferraro, Grundschullehrer und Bibliothekar
Maestra Oliviero, Grundschullehrerin

Professor Gerace, Gymnasiallehrer in der Unterstufe
Professoressa Galiani, Gymnasiallehrerin in
der Oberstufe

Nella Incardo, Maestra Olivieros Cousine,
wohnt auf Ischia

PROLOG
Die Spuren verwischen

1

Heute Morgen hat mich Rino angerufen, ich dachte, er wollte wieder einmal Geld, und wappnete mich, es ihm zu verweigern. Doch der Grund seines Anrufs war ein anderer. Seine Mutter war unauffindbar.

»Seit wann?«

»Seit zwei Wochen.«

»Und da rufst du mich erst jetzt an?«

Mein Tonfall muss ihm feindselig vorgekommen sein, obwohl ich weder verärgert noch aufgebracht war, es lag nur eine Spur von Sarkasmus in meiner Stimme. Er versuchte dagegenzuhalten, tat es jedoch unbeholfen, verlegen, halb im Dialekt, halb auf Italienisch. Er sagte, er sei fest davon überzeugt, dass seine Mutter irgendwo in Neapel herumstreife, wie immer.

»Auch nachts?«

»Du weißt doch, wie sie ist.«

»Ich weiß es, aber findest du zwei Wochen ohne ein Lebenszeichen normal?«

»Ja. Du hast sie lange nicht gesehen, ihr Zustand hat sich verschlechtert. Sie schläft überhaupt nicht mehr, kommt, geht, macht, was sie will.«

Immerhin war er am Ende doch besorgt. Er hatte

überall herumgefragt, hatte die Runde durch die Krankenhäuser gemacht und sich sogar an die Polizei gewandt. Nichts, seine Mutter war nirgends zu finden. Was für ein reizender Sohn: ein dicker Kerl um die vierzig, der noch nie in seinem Leben gearbeitet hat, immer nur krumme Geschäfte und ein Leben auf großem Fuß. Ich konnte mir denken, mit welcher Gründlichkeit er seine Nachforschungen angestellt hatte. Mit keiner. Er hatte nichts im Kopf, und am Herzen lag ihm nur er selbst.

»Sie ist nicht zufällig bei dir?«, fragte er mich unvermittelt.

Seine Mutter? Hier in Turin? Er wusste genau, wie die Dinge lagen, und redete nur, um irgendwas zu sagen. Er, ja, er war viel unterwegs, mindestens ein Dutzend Mal ist er schon uneingeladen bei mir aufgetaucht. Aber seine Mutter, die ich gern willkommen geheißen hätte, war zeit ihres Lebens nicht aus Neapel herausgekommen. Ich antwortete:

»Nein, zufällig nicht.«

»Bist du sicher?«

»Rino, also bitte: Ich habe gesagt, sie ist nicht hier.«

»Und wo ist sie dann?«

Er brach in Tränen aus, und ich ließ ihm seinen Auftritt, verzweifelte Schluchzer, die unecht begannen und echt weitergingen. Als er fertig war, sagte ich:

»Benimm dich bitte endlich mal, wie sie es gern hätte: Lass sie in Ruhe.«

»Was redest du denn da?«

»Ich meine es ernst. Es hat keinen Zweck. Lerne, auf eigenen Füßen zu stehen, und lass auch mich in Ruhe.«
Ich legte auf.

2

Rinos Mutter heißt Raffaella Cerullo, wurde aber von allen schon immer Lina gerufen. Von mir nicht, ich habe sie nie so genannt. Für mich ist sie seit mehr als sechzig Jahren Lila. Wenn ich plötzlich Lina oder Raffaella zu ihr sagte, würde sie denken, mit unserer Freundschaft wäre es vorbei.

Seit mindestens drei Jahrzehnten erzählt sie mir, dass sie spurlos verschwinden möchte, und nur ich weiß, was sie damit meint. Sie hat nie eine Flucht im Sinn gehabt, einen Identitätswechsel, den Traum, anderswo ein neues Leben zu beginnen. Sie hat auch nie an Selbstmord gedacht, ist ihr doch die Vorstellung zuwider, Rino könnte mit ihrem toten Körper zu tun haben und müsste sich um ihn kümmern. Nein, ihr schwebte etwas anderes vor: Sie wollte sich in Luft auflösen, wollte, dass sich jede ihrer Zellen verflüchtigte, nichts von ihr sollte mehr zu finden sein. Und da ich sie gut kenne oder zumindest glaube, sie zu kennen, bin ich fest davon überzeugt, dass sie einen Weg gefunden hat, nicht einmal ein Haar auf dieser Welt zurückzulassen, nirgendwo.

3

Die Tage vergingen. Ich sah meine E-Mails durch, auch meine Papierpost, aber ohne viel Hoffnung. Ich hatte ihr oft geschrieben, sie hatte mir fast nie geantwortet. So ist es immer gewesen. Sie zog das Telefon vor oder die langen nächtlichen Gespräche, wenn ich in Neapel war.

Ich öffnete meine Schubladen und die Blechschachteln, in denen ich alles Mögliche aufbewahre. Nur Weniges. Vieles hatte ich weggeworfen, vornehmlich Dinge, die mit ihr zu tun hatten, sie weiß das. Ich stellte fest, dass ich rein gar nichts von ihr habe, nicht ein Bild, nicht einen Zettel, nicht das kleinste Geschenk. Ich wunderte mich über mich selbst. War es möglich, dass sie mir in all den Jahren nichts von sich gegeben hatte oder, schlimmer noch, dass ich nicht das Geringste von ihr hatte aufbewahren wollen? Möglich.

Diesmal rief ich Rino an, allerdings widerstrebend. Er antwortete weder auf dem Festnetz noch auf dem Handy. Erst am Abend rief er zurück, er hatte die Ruhe weg. Er schlug den Ton an, mit dem er gern Schuldgefühle auslöst.

»Du hast angerufen, wie ich sehe. Hast du Neuigkeiten?«

»Nein. Du?«

»Nein.«

Er redete wirres Zeug. Wollte sich ans Fernsehen wenden, an eine »Bitte melde dich«-Sendung, einen Aufruf starten, seine Mutter für alles um Verzeihung bitten, sie anflehen, nach Hause zu kommen.

Ich hörte ihm geduldig zu, dann fragte ich:

»Hast du mal einen Blick in ihren Schrank geworfen?«

»Wozu denn?«

Das Naheliegendste war ihm natürlich nicht eingefallen.

»Sieh nach.«

Er ging zum Schrank und entdeckte, dass nichts darin war, kein einziges Kleid seiner Mutter, weder für den Sommer noch für den Winter, nichts als alte Kleiderbügel. Ich schickte ihn auf eine Suchaktion durch die Wohnung. Ihre Schuhe, weg. Die wenigen Bücher, weg. Sämtliche Fotos, weg. Die Filme, weg. Ihr Rechner, weg, und auch die alten Disketten, die man früher benutzte, einfach alles; alles, was mit ihrer Tüftelei eines Computerfans zu tun hatte, der schon Ende der sechziger Jahre, noch in der Lochstreifen-Ära, mit Rechenmaschinen herumexperimentiert hatte. Rino staunte. Ich sagte:

»Lass dir so viel Zeit, wie du willst, doch dann ruf mich an und sag mir, ob du auch nur eine Stecknadel gefunden hast, die ihr gehört.«

Er meldete sich am nächsten Tag, in höchster Aufregung.

»Da ist nichts!«

»Gar nichts?«

»Nein! Sie hat sich aus allen Fotos herausgeschnitten, auf denen wir gemeinsam waren, auch aus denen meiner Kindheit.«

»Hast du auch wirklich gründlich nachgesehen?«

»Überall.«

»Auch im Keller?«

»Ich sag' doch, überall. Sogar der Karton mit den alten Papieren ist verschwunden, mit, was weiß ich, Geburtsurkunden, Telefonverträgen, Quittungen. Was hat das zu bedeuten? Waren das Einbrecher? Und was haben die gesucht? Was wollen die von mir und meiner Mutter?«

Ich beruhigte ihn, riet ihm, sich nicht aufzuregen. Es sei unwahrscheinlich, dass jemand ausgerechnet von ihm etwas wolle.

»Kann ich eine Weile bei dir wohnen?«

»Ausgeschlossen.«

»Bitte, ich kann nicht schlafen.«

»Du musst allein klarkommen, Rino, ich kann da auch nichts machen.«

Ich legte auf, und als er wieder anrief, reagierte ich nicht. Ich setzte mich an meinen Schreibtisch.

Lila will wie immer zu weit gehen, dachte ich.

Sie übertrieb die Sache mit den Spuren maßlos. Sie wollte nicht nur verschwinden, jetzt, mit sechsundsechzig Jahren, sondern auch das ganze Leben auslöschen, das hinter ihr lag.

Ich war unglaublich wütend.

Mal sehen, wer diesmal das letzte Wort behält, sagte ich mir. Ich schaltete den Computer ein und begann unsere Geschichte aufzuschreiben, in allen Einzelheiten, mit allem, was mir in Erinnerung geblieben ist.

KINDHEIT
Die Geschichte von Don Achille

I

Als Lila und ich uns entschlossen, die dunkle Treppe nach oben zu steigen, die, Stufe für Stufe, Absatz für Absatz, zu Don Achilles Wohnungstür führte, begann unsere Freundschaft.

Ich erinnere mich noch an das violette Licht im Hof, an die Gerüche dieses lauen Frühlingsabends. Unsere Mütter kochten das Abendessen, es war Zeit, nach Hause zu gehen, doch wir trödelten und stachelten uns zu Mutproben an, ohne dabei auch nur ein Wort zu wechseln. Seit einer Weile taten wir nichts anderes, in der Schule und außerhalb. Lila steckte ihre Hand und den ganzen Arm in den schwarzen Schlund eines Gullylochs, und ich tat es kurz darauf auch, mit Herzklopfen und in der Hoffnung, dass die Kakerlaken nicht auf meiner Haut hochkrabbelten und die Ratten mich nicht bissen. Lila kletterte bei Signora Spagnuolo im Erdgeschoss am Fenster hoch, hängte sich an die Eisenstange für die Wäscheleine, schaukelte und ließ sich auf den Gehsteig fallen, und ich tat es kurz darauf auch, voller Angst, herunterzufallen und mir wehzutun. Lila nahm eine rostige Sicherheitsnadel, die sie irgendwann auf der Straße gefunden hatte und in ihrer Tasche mit sich herumtrug wie das Geschenk einer guten Fee, schob sie sich unter die Haut, und ich sah zu, wie die Metallspitze einen weißlichen Tunnel in ihre Handfläche grub. Als sie die Nadel herauszog und sie mir gab, tat ich es ihr nach.

Eines Tages warf sie mir ihren typischen Blick zu, diesen entschlossenen, mit zusammengekniffenen Augen, und steuerte auf das Haus zu, in dem Don Achille wohnte. Ich war starr vor Schreck. Don Achille war der Unhold aus den Märchen, ich hatte das strikte Verbot, mich ihm zu nähern, mit ihm zu sprechen, ihn anzusehen oder ihm nachzuspionieren, wir sollten so tun, als gäbe es weder ihn noch seine Familie. Bei mir zu Hause, aber nicht nur dort, löste er Angst und Hass aus, ohne dass ich den Grund dafür kannte. Mein Vater sprach in einer Weise von ihm, dass ich ihn mir plump vorstellte, mit rotblauen Pusteln übersät, ein Wüterich trotz des »Don«, das ich sonst immer mit einer ruhigen Autorität verband. Er war ein Wesen aus einem unergründlichen Stoff, Eisen, Glas, Brennnesseln, doch feurig, mit einem glühend heißen Atem, der ihm aus Mund und Nase drang. Ich glaubte, selbst wenn ich ihn nur aus der Ferne sähe, würde mir etwas Scharfes, Brennendes in die Augen fahren. Und wäre ich so verrückt, mich seiner Tür zu nähern, würde er mich töten.

Ich wartete eine Weile, um zu sehen, ob Lila es sich anders überlegte und umkehrte. Ich wusste, was sie vorhatte, vergeblich hatte ich gehofft, sie würde es vergessen, doch nein. Die Straßenlaternen brannten noch nicht und auch das Treppenlicht nicht. Aus den Wohnungen drangen gereizte Stimmen. Um Lila zu folgen, musste ich den bläulichen Schimmer des Hofes verlassen und in das Schwarz des Hauseingangs tauchen. Als ich mich endlich dazu entschloss, sah ich zunächst nichts. Ich spürte nur den Geruch nach altem Plunder und DDT. Dann gewöhnte ich mich an die Dunkelheit und sah Lila auf der ersten Stufe des untersten Treppenabschnitts sitzen. Sie stand auf, und wir begannen mit unserem Aufstieg.

Wir hielten uns an der Wandseite, ich zwei Stufen hinter ihr und unschlüssig, ob ich den Abstand verringern oder vergrößern sollte. Ich erinnere mich noch an das Gefühl an meiner Schulter, als ich die Wand mit dem abblätternden Putz streifte, und an den Eindruck, dass die Stufen sehr hoch waren, höher als die des Hauses, in dem ich wohnte. Ich zitterte. Jedes Geräusch – Schritte oder Stimmen – war Don Achille, der uns einholte oder uns entgegenkam, mit einem großen Messer, so einem, mit dem man Hühnern die Brust aufschlitzt. Es roch nach frittiertem Knoblauch. Maria, Don Achilles Frau, würde mich mit siedendem Öl in der Pfanne braten, seine Kinder würden mich verschlingen, und er würde meinen Kopf auslutschen, wie mein Vater es mit den Meerbarben tat.

Wir blieben oft stehen, und jedes Mal hoffte ich, dass Lila sich zur Umkehr entschloss. Ich war vollkommen durchgeschwitzt, ob sie auch, weiß ich nicht. Manchmal schaute sie nach oben, doch wohin genau, konnte ich nicht erkennen, nur das Grau der großen Fenster auf jedem Absatz war zu sehen. Plötzlich ging das Licht an. Es war funzlig, staubig und ließ weite Bereiche voller Gefahr im Schatten liegen. Wir warteten, um zu ergründen, ob es Don Achille gewesen war, der am Lichtschalter gedreht hatte, doch wir hörten nichts, weder Schritte noch eine Tür, die sich öffnete oder schloss. Lila ging weiter und ich hinterher.

Sie war davon überzeugt, etwas Richtiges und Notwendiges zu tun. Ich hatte jeden guten Grund vergessen und war garantiert nur dort, weil sie dort war. Langsam gingen wir dem größten unserer damaligen Schrecken entgegen. Wir stellten uns der Angst und spürten ihr nach.

Auf der vierten Treppe tat Lila etwas Überraschendes. Sie blieb stehen, wartete auf mich, und als ich zu ihr kam, griff sie nach meiner Hand. Das änderte alles zwischen uns, für immer.

2

Es war ihre Schuld. Nicht lange zuvor – zehn Tage, ein Monat, wer weiß, wir hatten keine Vorstellung von Zeit damals – hatte sie mir hinterrücks meine Puppe weggenommen und sie in ein Kellerloch geworfen. Nun stiegen wir nach oben, der Angst entgegen. Vorher hatten wir, noch dazu in aller Eile, nach unten steigen müssen, dem Unbekannten entgegen. Ob nach oben oder nach unten, immer war uns, als gingen wir auf etwas Schreckliches zu, das, obwohl es schon vor uns da gewesen war, stets auf uns und nur auf uns wartete. Wenn man noch nicht lange auf der Welt ist, fällt es schwer, zu verstehen, welche Katastrophen dem Gefühl des Unheils zugrunde liegen, und vielleicht hält man dieses Verständnis nicht einmal für nötig. Erwachsene bewegen sich mit Blick auf das Morgen in einer Gegenwart, hinter der das Gestern und das Vorgestern liegt, bestenfalls noch die vergangene Woche. An den Rest wollen sie nicht denken. Kinder kennen die Bedeutung von gestern, vorgestern und auch von morgen nicht. Alles ist hier und jetzt: Hier ist die Straße, hier ist der Hauseingang, hier ist die Treppe, hier ist Mama, hier ist Papa, hier ist der Tag, hier ist die Nacht. Ich war noch klein, und im Grunde wusste meine Puppe mehr als ich. Ich sprach mit ihr, sie sprach mit mir. Sie hatte ein Zelluloidgesicht mit Zelluloidhaaren und Zelluloidaugen. Sie trug ein blaues Kleid, das ihr meine Mutter in einem seltenen Moment des Glücks genäht hatte, und war wunderschön. Lilas Puppe dagegen hatte einen mit Sägespänen ausgestopften, gelblichen Stoffkörper, ich fand sie hässlich und abstoßend. Die beiden schauten sich neugierig an, taxierten sich und waren drauf und dran, in unsere Arme zu flüchten, sobald ein Gewitter losbrach, sobald es donnerte, sobald irgendwas, das größer und stärker war, mit spitzen Zähnen nach ihnen schnappte.

Wir spielten im Hof, doch so, als spielten wir nicht zusammen. Lila saß auf dem Boden, auf der einen Seite eines kleinen Kellerfensters, und ich auf der anderen. Dieser Platz gefiel uns, vor allem deshalb, weil wir sowohl die Sachen meiner Puppe Tina als auch die von Lilas Puppe Nu auf den Beton zwischen die Gitterstäbe des Fensters legen konnten, hinter dem sich ein Metallrost befand. Wir drapierten dort Steine, Kronkorken von Limonadenflaschen, Blümchen, Nägel und Glasscherben. Was Lila zu Nu sagte, griff ich auf und sagte es in leicht abgewandelter Form leise zu Tina. Wenn sie einen Kronkorken nahm und ihn ihrer Puppe als Hut auf den Kopf setzte, sagte ich im Dialekt zu meiner Puppe: »Tina, setz deine Königskrone auf, sonst erkältest du dich noch.« Wenn Nu auf Lilas Arm »Himmel und Hölle« spielte, ließ ich Tina kurz darauf das Gleiche tun. Aber noch war es nicht so weit, dass wir uns absprachen und zusammen spielten. Sogar diesen Platz suchten wir ohne Verabredung aus. Lila steuerte darauf zu, und ich schlenderte herum, als hätte ich ein anderes Ziel. Dann, wie zufällig, ließ auch ich mich an der Lüftungsöffnung nieder, doch auf der anderen Seite.

Am meisten gefiel uns der kalte Hauch aus dem Keller, ein Luftzug, der uns im Frühling und im Sommer Abkühlung brachte. Außerdem mochten wir die Gitter mit den Spinnweben, die Dunkelheit und das engmaschige, rötlich verrostete Metallnetz, das sich sowohl auf meiner als auch auf Lilas Seite aufbog und zwei parallele Spalte aufwies, durch die wir Steine in die Finsternis fallen lassen konnten, um dann auf das Geräusch ihres Aufpralls zu horchen. Damals war alles schön und beängstigend zugleich. Durch diese Öffnungen konnte uns die Finsternis unversehens unsere Puppen wegnehmen, die manchmal sicher in unseren Armen lagen, doch viel öfter absichtlich neben den verbogenen Metallrost gelegt und so dem kalten Hauch des Kellers ausgesetzt wurden und den bedrohlichen Geräuschen, die von dort heraufdrangen, dem Rascheln, Knistern und Kratzen.

Nu und Tina waren nicht glücklich. Die Schrecken, die wir Tag für Tag erlebten, waren auch ihre. Wir trauten dem Licht auf den Steinen nicht und auch nicht dem auf den Häusern, auf dem Umland und auf den Menschen draußen und in den Wohnungen. Wir ahnten die dunklen Winkel, die unterdrückten Gefühle, die immer kurz vor dem Ausbruch standen. Und diesen schwarzen Löchern, diesen Abgründen, die sich dahinter unter den Wohnblocks unseres Viertels auftaten, schrieben wir alles zu, was uns am helllichten Tag erschreckte. Don Achille, zum Beispiel, befand sich nicht nur in seiner Wohnung im obersten Stockwerk, sondern auch darunter, er war eine Spinne unter Spinnen, eine Ratte unter Ratten, eine Gestalt, die jede Gestalt annahm. Ich stellte mir vor, dass sein Mund wegen seiner langen Hauer offen stand, dass er einen glasierten Steinkörper hatte, auf dem Giftpflanzen wuchsen, und dass er ständig darauf lauerte, alles, was wir durch die kaputten Ränder des Metallrosts fallen ließen, mit einer riesigen schwarzen Markttasche aufzufangen. Diese Tasche war Don Achilles Markenzeichen, er trug sie ständig bei sich, auch zu Hause, und verstaute lebende und tote Sachen darin.

Lila wusste um meine Angst, meine Puppe sprach laut davon. Deshalb schob sie Tina, kaum dass sie sie bekommen hatte, gerade an dem Tag, als wir ohne ein einziges Wort, nur mit Blicken und Gesten, zum ersten Mal unsere Puppen getauscht hatten, durch den Spalt im Metallrost und warf sie in die Finsternis.

3

Lila trat in der ersten Grundschulklasse in mein Leben und beeindruckte mich sofort, weil sie ausgesprochen frech war. Wir Mädchen in dieser Klasse waren alle ein bisschen frech, doch nur, wenn Maestra Oliviero es nicht sah. Sie dagegen war immer frech. Einmal riss sie Löschpapier in kleine Stücke, tauchte sie eines nach dem anderen ins Tintenfass in der Bank, fischte sie mit dem Federhalter wieder heraus und bewarf uns damit. Sie traf zweimal meine Haare und einmal meinen weißen Kragen. Die Lehrerin gellte, wie nur sie es konnte, mit einer uns erschreckenden Nadelstimme, lang und spitz, und befahl Lila, sich zur Strafe sofort hinter die Tafel zu stellen. Lila gehorchte nicht, sie war nicht einmal eingeschüchtert und warf stattdessen weiter mit den tintengetränkten Papierkügelchen. Maestra Oliviero, eine schwerfällige Frau, die uns uralt vorkam, obwohl sie kaum über vierzig gewesen sein dürfte, kam drohend von ihrem Pult herunter, stolperte, verlor das Gleichgewicht und schlug mit dem Gesicht gegen die Kante einer Bank. Wie leblos blieb sie auf dem Boden liegen.

Was dann geschah, weiß ich nicht mehr, ich erinnere mich nur noch an den reglosen Körper der Maestra, ein dunkles Bündel, und an Lila, die sie mit ernster Miene betrachtete.

Ich habe zahllose Unfälle dieser Art in Erinnerung. Wir lebten in einer Welt, in der Kinder und Erwachsene sich häufig verletzten; die Wunden bluteten, eiterten, und manchmal starb jemand daran. Eine Tochter von Signora Assunta, der Gemüsehändlerin, hatte sich an einem Nagel verletzt und war an Tetanus gestorben. Signora Spagnuolos jüngster Sohn war an Krupp gestorben. Ein Cousin von mir, zwanzig Jahre alt, ging eines Morgens Trümmer wegräumen und war am Abend tot, zerquetscht, das Blut lief ihm aus Mund und Ohren. Der Vater meiner Mutter starb, als er beim Bau eines Hochhauses in die Tiefe stürzte. Signor Pelusos Vater fehlte ein Arm, er war versehentlich in eine Drehbank geraten. Die Schwester von Signor Pelusos Frau Giuseppina war mit zweiundzwanzig Jahren an Tuberkulose gestorben. Don Achilles ältester Sohn – ich hatte ihn nie gesehen, glaubte aber trotzdem, mich an ihn zu erinnern – war in den Krieg gezogen und zweimal gestorben, zunächst im Pazifik ertrunken, dann von den Haien gefressen. Alle Mitglieder der Familie Melchiorre starben aneinandergeklammert und vor Entsetzen schreiend bei einem Luftangriff. Die alte Signorina Clorinda starb, als sie Gas statt Luft einatmete. Giannino, der in die vierte Klasse ging, als wir in der ersten waren, starb, weil er eine Bombe gefunden und sie angefasst hatte. Luigina, mit der wir auf dem Hof gespielt hatten oder vielleicht auch nicht, vielleicht war sie nur ein Name, Luigina war an Flecktyphus gestorben. So war unsere Welt, voller Wörter, die töteten: Krupp, Tetanus, Flecktyphus, Gas, Krieg, Drehbank, Trümmer, Arbeit, Luftangriff, Bombe, Tuberkulose, Vereiterung. Mit diesen Wörtern und diesen Jahren rufe ich die vielen Ängste wieder wach, die mich mein Leben lang begleitet haben.

Man konnte auch an scheinbar normalen Dingen sterben. Man konnte, zum Beispiel, sterben, wenn man schwitzte und dann kaltes Leitungswasser trank, ohne dass man sich zuvor auch Wasser über die Handgelenke hatte laufen lassen. Dann konnte es passieren, dass man mit roten Pünktchen übersät war, Husten bekam und nicht mehr atmen konnte. Man konnte sterben, wenn man Schwarzkirschen aß, ohne den Kern auszuspucken. Man konnte sterben, wenn man Kaugummi kaute und ihn versehentlich verschluckte. Vor allem konnte man sterben, wenn man einen Schlag gegen die Schläfe bekam. Die Schläfe war eine hochempfindliche Stelle, wir gaben alle sehr auf sie acht. Es genügte schon ein Steinwurf, und Steinwürfe waren an der Tagesordnung. Nach der Schule warf eine Bande von Jungen aus dem Umland, angeführt von einem, der Enzo oder Enzuccio genannt wurde und der Sohn der Gemüsehändlerin Assunta war, mit Steinen nach uns. Sie waren sauer, weil wir Mädchen besser in der Schule waren als sie. Als die Steine flogen, liefen wir alle weg, nur Lila nicht, sie ging mit ruhigen Schritten weiter und blieb manchmal sogar stehen. Sie konnte die Flugbahn der Steine genau abschätzen und wich ihnen gelassen – heute möchte ich sagen: elegant – aus. Sie hatte einen großen Bruder, und vielleicht hatte sie das ja von ihm gelernt, keine Ahnung. Auch ich hatte Geschwister, allerdings jüngere, und von denen hatte ich rein gar nichts gelernt. Jedenfalls blieb ich trotz meiner großen Angst stehen, als ich sah, dass sie zurückgeblieben war, und wartete auf sie.

Schon damals war da etwas, das mich davon abhielt, sie im Stich zu lassen. Ich kannte sie nicht gut, wir hatten nie ein Wort miteinander gewechselt, obwohl wir ständig im Wettstreit miteinander standen, in der Schule und außerhalb. Doch ich hatte das dunkle Gefühl, dass ich ihr etwas von mir überlassen hätte, was sie mir nie zurückgegeben hätte, wenn ich mit den anderen weggelaufen wäre.

Zunächst versteckte ich mich hinter einer Ecke und beugte mich vor, um nach Lila Ausschau zu halten. Als ich sah, dass sie sich nicht von der Stelle rührte, überwand ich mich und ging zu ihr, versorgte sie mit Steinen und warf selbst auch welche. Doch ohne Überzeugung. Ich habe in meinem Leben vieles getan, doch nie mit Überzeugung, stets fühlte ich mich etwas losgelöst von meinen Handlungen. Lila dagegen zeichnete sich schon von klein auf durch eine absolute Entschlossenheit aus – heute kann ich nicht mehr sagen, ob bereits mit sechs, sieben Jahren oder erst seit wir im Alter von acht, fast neun Jahren zusammen die Treppe zu Don Achilles Wohnung hinaufgestiegen waren. Egal ob sie nach dem Federhalter in den Farben der Tricolore griff oder nach einem Stein oder nach dem Handlauf der dunklen Treppe, immer vermittelte sie den Eindruck, dass sie das, was darauf folgte – die Feder mit gezieltem Schwung ins Holz der Schulbank rammen, tintegetränkte Kügelchen durch die Gegend schießen, die Jungen aus dem Umland angreifen, zu Don Achilles Tür hinaufgehen –, ohne mit der Wimper zu zucken, tun würde.

Die Bande kam vom Eisenbahndamm, sie deckte sich zwischen den Gleisen mit Steinen ein. Enzo, der Anführer, war ein gefährlicher Junge, mindestens drei Jahre älter als wir, ein Sitzenbleiber, mit extrem kurzen, blonden Haaren und hellen Augen. Treffsicher warf er mit kleinen, scharfkantigen Steinen, und Lila wartete seine Würfe ab, um ihm zu zeigen, wie sie ihnen auswich, um ihn noch weiter zu reizen und um sofort mit nicht minder gefährlichen Angriffen zu antworten. Einmal trafen wir ihn am rechten Fußknöchel, und ich sage »wir«, weil ich es war, die Lila den flachen, an den Rändern abgesplitterten Stein gegeben hatte. Er schnitt in Enzos Haut wie ein Rasiermesser und hinterließ eine rote Stelle, die sofort zu bluten begann. Der Junge starrte auf sein verletztes Bein, ich sehe ihn noch vor mir: Er hielt den Stein, den er gerade hatte werfen wollen, zwischen Daumen und Zeigefinger, er hatte schon weit ausgeholt, hielt jedoch verblüfft inne. Auch die Jungen unter seinem Kommando starrten ungläubig auf das Blut. Lila zeigte nicht die geringste Genugtuung über diesen Treffer, sie bückte sich nur nach einem weiteren Stein. Ich packte sie am Arm, es war unsere erste Berührung, schroff und ängstlich. Ich ahnte, dass die Bande noch brutaler reagieren würde, und wollte, dass wir uns zurückzogen. Doch dafür blieb keine Zeit mehr. Enzo fasste sich wieder und warf ungeachtet seines blutenden Knöchels den Stein, den er in der Hand hatte. Ich hielt Lila noch immer fest, als der Stein sie an der Stirn traf und sie von mir riss. Einen Augenblick später lag sie mit einem Loch im Kopf auf dem Gehweg.

4

Blut. Meistens floss es erst, nachdem fürchterliche Flüche und dreckige Unflätigkeiten ausgetauscht worden waren. Es folgte immer diesem Muster. Mein Vater, den ich trotzdem für einen anständigen Mann hielt, stieß in einem fort Beschimpfungen und Drohungen aus, wenn jemand, wie er meinte, es nicht wert war, auf dieser Welt zu sein. Besonders auf Don Achille hatte er es abgesehen. Ständig hatte er ihm etwas vorzuwerfen, und manchmal hielt ich mir die Ohren zu, damit mich seine

Flüche nicht zu sehr niederdrückten. Wenn er mit meiner Mutter über ihn sprach, nannte er ihn »dein Cousin«, aber meine Mutter verwahrte sich sofort gegen diese Blutsbande (sie war nur sehr entfernt mit ihm verwandt) und steigerte das Maß der Beschimpfungen noch. Die Wutausbrüche der beiden erschreckten mich, und vor allem erschreckte mich der Gedanke, Don Achille könnte so feine Ohren haben, dass er auch die in großer Entfernung ausgestoßenen Beleidigungen hörte. Ich fürchtete, er würde kommen und meine Eltern umbringen.

Don Achilles erklärter Feind war aber nicht mein Vater, sondern Signor Peluso, ein ausgezeichneter Tischler, der nie Geld hatte, weil er alles, was er verdiente, im Hinterzimmer der Solara-Bar verspielte. Peluso war der Vater unserer Klassenkameradin Carmela, ihres großen Bruders Pasquale und von zwei weiteren, kleinen Kindern, die ärmer waren als wir und mit denen Lila und ich manchmal spielten, die aber in der Schule und draußen ständig versuchten, unsere Sachen mitgehen zu lassen, einen Federhalter, einen Radiergummi, ein Stückchen Quittenkuchen, so dass sie von den Prügeln, die sie von uns bezogen, mit blauen Flecken übersät nach Hause gingen.

Immer wenn wir Signor Peluso sahen, erschien er uns wie der Inbegriff der Verzweiflung. Einerseits verspielte er alles, andererseits ohrfeigte er sich vor aller Augen, weil er nicht mehr wusste, wie er seine Familie ernähren sollte. Aus undurchsichtigen Gründen gab er

Don Achille die Schuld an seinem Ruin. Er beschuldigte ihn, hinterhältig das gesamte Tischlerwerkzeug an sich gezogen zu haben, als wäre sein düsterer Körper ein Magnet, und so die Werkstatt kaputtgemacht zu haben. Er warf ihm vor, sich auch diese unter den Nagel gerissen und sie zu einer Salumeria umfunktioniert zu haben, wo er Wurst und andere Lebensmittel verkaufte. Jahrelang stellte ich mir vor, wie die Kombizange, die Säge, die Kneifzange, der Hammer, der Schraubstock und tausend und abertausend Nägel in Form eines metallischen Schwarms von Don Achilles Körper aufgesogen wurden. Jahrelang sah ich vor mir, wie sein aus verschiedenen Stoffen zusammengesetzter, vierschrötiger, schwerer Körper ebenfalls schwarmartig Salami, Provolone, Mortadella, Schweineschmalz und Schinken absonderte.

Geschichten aus dunklen Zeiten. Don Achille musste sich früher, bevor wir geboren waren, in seinem ganzen abscheulichen Wesen offenbart haben. *Früher.* Lila gebrauchte dieses Wort damals oft, in der Schule und außerhalb. Doch es hatte den Anschein, als interessierte sie nicht so sehr, was vor unserer Zeit geschehen war – in der Regel undurchsichtige Dinge, zu denen die Erwachsenen entweder schwiegen oder sich nur mit größter Zurückhaltung äußerten –, sondern eher die Tatsache, dass es überhaupt ein Früher gegeben hatte. Gerade das verblüffte sie und machte sie zuweilen nervös. Als wir Freundinnen wurden, sprach sie so oft über diese absurde Sache – dieses *Vor uns* –, dass sie ihre

Nervosität schließlich auch auf mich übertrug. Es ging um die lange, sehr lange Zeit, in der es uns noch nicht gegeben hatte; die Zeit, in der Don Achille sich allen gegenüber als das entpuppt hatte, was er war: eine niederträchtige Kreatur mit einem unbestimmten animalisch-mineralischen Äußeren, die – so schien es – anderen das Blut aussaugte, während sie selbst nie welches verlor. Vielleicht war es gar nicht möglich, ihm auch nur einen Kratzer zuzufügen.

Wir mochten in der zweiten Klasse gewesen sein und sprachen noch nicht miteinander, als das Gerücht die Runde machte, Signor Peluso habe nach der Messe ausgerechnet vor der Chiesa della Sacra Famiglia angefangen, lauthals gegen Don Achille zu wettern, und Don Achille habe seinen ältesten Sohn Stefano, Pinuccia, Alfonso, der so alt war wie wir, und seine Frau stehenlassen, um sich für einen Augenblick von seiner schrecklichsten Seite zu zeigen, sich auf Peluso zu stürzen, ihn hochzuheben, ihn in dem kleinen Stadtpark gegen einen Baum zu schmettern und dort liegen zu lassen, bewusstlos, aus unzähligen Wunden am Kopf und am ganzen Körper blutend, ohne dass der Ärmste auch nur »Hilfe« hätte sagen können.

5

Ich sehne mich nicht nach unserer Kindheit zurück, sie war voller Gewalt. Es passierte alles Mögliche, zu Hause und draußen, Tag für Tag, doch ich kann mich nicht erinnern, jemals gedacht zu haben, dass unser Leben besonders schlimm sei. Das Leben war eben so, und damit basta, wir waren gezwungen, es anderen schwerzumachen, bevor sie es uns schwermachten. Gewiss, mir wären die freundlichen Umgangsformen, die unsere Lehrerin und der Pfarrer predigten, auch lieber gewesen, doch ich merkte, dass sie für den Rione, für unser Viertel, nicht geeignet waren, auch für die Mädchen nicht. Die Frauen bekämpften sich untereinander noch heftiger als die Männer, zogen sich an den Haaren, fügten sich gegenseitig Leid zu. Leid zuzufügen war eine Krankheit. Als ich klein war, stellte ich mir winzige, unsichtbare Tierchen vor, die nachts im Rione einfielen, sie kamen aus den Teichen, aus den ausrangierten Eisenbahnwaggons hinter dem Bahndamm, aus den stinkenden Pflanzen, die bei uns *fetienti* genannt werden, aus den Fröschen, den Salamandern, den Fliegen, den Steinen, dem Staub, sie gelangten ins Wasser, ins Essen, in die Luft und machten unsere Mütter und Großmütter rasend wie durstige Hündinnen. Die Frauen waren schlimmer infiziert als die Männer, denn die Männer regten sich zwar ständig auf, beruhigten sich am Ende aber immer, während die Frauen scheinbar still und umgänglich waren, doch wenn sie in Fahrt kamen, fuchsteufelswild wurden und kein Halten mehr kannten.

Lila war sehr betroffen von dem, was Melina Cappuccio, einer Verwandten ihrer Mutter, zugestoßen war. Und ich auch. Melina wohnte im selben Haus wie meine Eltern, wir im zweiten Stock, sie im dritten. Sie war knapp über dreißig und hatte sechs Kinder, aber uns kam sie vor wie eine alte Frau. Ihr Mann war so alt wie sie, er schleppte Kisten auf dem Gemüsemarkt. Ich habe ihn klein und breit in Erinnerung, doch gutaussehend, mit einem stolzen Gesicht. Eines Nachts ging er wie gewöhnlich aus dem Haus und starb, vielleicht durch einen Mord, vielleicht vor Erschöpfung. Es gab ein todtrauriges Begräbnis, zu dem der ganze Rione kam, meine Eltern auch, Lilas Eltern auch. Dann verging einige Zeit, und wer weiß, was da mit Melina geschah. Nach außen war sie wie immer, eine schroffe Frau mit einer großen Nase, die Haare bereits grau, die Stimme schrill, wenn sie in wütender Verzweiflung mit langgezogenen Silben abends am Fenster ihre Kinder beim Namen rief: Aaa-daaa, Miii-chè. Anfangs erhielt sie sehr viel Unterstützung von Donato Sarratore, der direkt über ihr wohnte, im vierten und obersten Stockwerk. Donato war ein eifriger Kirchgänger in der Gemeinde der Sacra Famiglia, und als guter Christ kümmerte er sich sehr um sie, sammelte Geld, gebrauchte Kleidung und Schuhe für sie und verschaffte ihrem ältesten Sohn Antonio Arbeit in der Werkstatt eines Bekannten, bei Gorresio. Melina war ihm so dankbar, dass dies in ihrer verzweifelten Seele in Liebe umschlug, in Leidenschaft. Man erfuhr nicht, ob Sarratore das je bemerkte. Er war ein sehr herzlicher, doch grundsolider Mann, Heim, Kirche, Arbeit. Er gehörte zum fahrenden Personal der staatlichen Eisenbahn und hatte ein festes Gehalt, mit dem er seine Frau Lidia und die fünf Kinder rechtschaffen ernährte, sein Ältester hieß Nino. Wenn er nicht unterwegs war, auf der Strecke Neapel–Paola und zurück, reparierte er dies und das in der Wohnung, ging einkaufen und fuhr das Kleinste im Kinderwagen spazieren. Alles sehr unüblich in unserem Rione. Niemandem kam es in den Sinn, dass Donato sich in dieser Weise aufopferte, um seiner Frau Arbeit abzunehmen. Nein. Sämtliche Männer der Nachbarschaft, allen voran mein Vater, hielten ihn für einen Pantoffelhelden, der noch dazu Gedichte schrieb und sie gern jedem x-Beliebigen vorlas. Auch Melina war das nie in den Sinn gekommen. Die Witwe glaubte lieber, dass er sich von seiner Frau aus Gutmütigkeit herumkommandieren ließ, und beschloss, Lidia Sarratore unerbittlich den Kampf anzusagen, um ihn zu befreien und es ihm zu ermöglichen, sich dauerhaft mit ihr zu verbinden. Den Krieg, der daraus folgte, fand ich zunächst amüsant, sorgte er doch bei mir zu Hause und anderswo für Gesprächsstoff, begleitet von schadenfrohem Gelächter. Lidia hängte frisch gewaschene Laken auf, und Melina stieg aufs Fensterbrett, um sie mit der Spitze eines eigens dafür im Feuer geschwärzten Stocks zu beschmutzen; Lidia ging unterm Fenster vorbei, und Melina spuckte ihr auf den Kopf oder schüttete einen Eimer Schmutzwasser über ihr aus; Lidia machte tagsüber Lärm, da sie zusammen mit ihren ungestümen Kindern über Melinas Kopf herumtrampelte, und Melina schlug die ganze Nacht wie besessen mit dem Schrubber gegen die Zimmerdecke. Sarratore versuchte auf jede erdenkliche Weise, Frieden zu stiften, doch er war zu empfindsam, zu liebenswürdig. Eine Gemeinheit folgte auf die andere, und so feindeten sich die zwei Frauen mit harten, scharfen Tönen an, sobald sie sich auf der Straße oder auf der Treppe begegneten. Von nun an machten sie mir Angst. Eine der zahllosen schrecklichen Szenen aus meiner Kindheit beginnt mit Melinas und Lidias Geschrei, mit den Beschimpfungen, mit denen sie sich vom Fenster aus und dann im Treppenhaus überhäufen. Sie setzt sich fort mit meiner Mutter, die zur Wohnungstür läuft, sie öffnet und sich, gefolgt von uns Kindern, auf den Treppenabsatz stellt. Und sie endet mit dem für mich noch heute unerträglichen Bild der beiden Nachbarinnen, die aneinandergeklammert die Stufen herunterrollen, und mit Melinas Kopf, der nur wenige Zentimeter neben meinen Füßen auf dem Boden aufschlägt wie eine Honigmelone, die jemandem aus der Hand gerutscht ist.

Ich kann nicht sagen, warum wir Mädchen damals auf Lidia Sarratores Seite waren. Vielleicht weil sie ein ebenmäßiges Gesicht und blonde Haare hatte. Oder weil Donato zu ihr gehörte und wir verstanden hatten, dass Melina ihn ihr wegnehmen wollte. Oder weil Melinas Kinder zerlumpt und dreckig waren, während Lidias gewaschen und sorgfältig gekämmt waren, und weil ihr Erstgeborener, Nino, der einige Jahre älter war als wir, so gut aussah und uns gefiel. Nur Lila fühlte sich zu Melina hingezogen, erklärte uns aber nie warum. Einmal sagte sie nur, dass es Lidia Sarratore ganz recht geschähe, wenn man sie umbrächte, und ich dachte, Lila sah sie so, weil sie eben einen schlechten Charakter hatte und weil sie und Melina entfernt miteinander verwandt waren.

Eines Tages kamen wir aus der Schule, wir waren vier oder fünf Mädchen. Darunter auch Marisa Sarratore, die für gewöhnlich nicht deshalb bei uns sein durfte, weil wir sie so gut leiden konnten, sondern weil wir hofften, durch sie an ihren großen Bruder Nino heranzukommen. Sie entdeckte Melina als Erste. Die Witwe ging mit langsamen Schritten auf der anderen Seite des Stradone, der großen Verkehrsstraße, die durch unser Viertel führte, und hielt eine Papiertüte in der Hand, aus der sie etwas aß. Marisa zeigte sie uns und bezeichnete sie als »die Nutte«, doch ohne Verachtung, sie wiederholte ganz einfach den Ausdruck, den ihre Mutter zu Hause verwendete. Sofort gab ihr Lila, obwohl sie kleiner war und spindeldürr, eine so heftige Ohrfeige, dass sie sie zu Boden schickte, und das tat sie ungerührt wie immer, wenn Gewalt im Spiel war, ohne Geschrei vorher und ohne Geschrei nachher, ohne ein warnendes Wort und ohne die Augen aufzureißen, eiskalt und bestimmt.

Ich half zunächst Marisa auf, die nun weinte, und drehte mich dann zu Lila um. Sie hatte den Gehsteig verlassen und ging über die Straße auf Melina zu, ohne auf die vorbeifahrenden Lastwagen zu achten. Ich sah – mehr in ihrer Haltung als in ihrem Gesicht – etwas, was mich verstörte und was ich bis heute nur schwer benennen kann, weshalb ich mich vorerst mit dem folgenden Bild begnügen möchte: Obwohl sie beim Überqueren der Straße in Bewegung war, und dies mit der üblichen Entschlossenheit, eine kleine, schwarze, markante Gestalt, war sie erstarrt. Erstarrt wegen dem, was die Verwandte ihrer Mutter da tat, erstarrt vor Schmerz, erstarrt wie eine Salzsäule. Teilnehmend. Vollkommen verschmolzen mit Melina, die die soeben in Don Carlos Keller gekaufte dunkle Schmierseife in einer Hand hielt, sich mit der anderen Hand davon nahm und sie aß.

6

Am Tag als Maestra Oliviero vom Pult fiel und mit dem Jochbein gegen eine Schulbank schlug, hielt ich sie, wie gesagt, für tot, bei der Arbeit verunglückt wie mein Großvater oder wie Melinas Mann, und ich glaubte, dass auch Lila, wegen der schrecklichen Strafe, die sie erhalten würde, sterben müsse. Eine Weile, deren Dauer ich nicht näher bestimmen kann – kurz, lang –, geschah jedoch nichts. Beide, Lehrerin und Schülerin, verschwanden lediglich aus unseren Tagen und aus unserem Gedächtnis.

Damals kam ich aus dem Staunen nicht heraus. Maestra Oliviero kehrte lebendig in die Schule zurück und fing an, sich um Lila zu kümmern, doch nicht zur Strafe, wie es uns eingeleuchtet hätte, sondern um sie lobend hervorzuheben.

Diese neue Phase begann, als Lilas Mutter, Signora Cerullo, in die Schule bestellt wurde. Eines Morgens klopfte der Schuldiener an die Tür und kündigte sie an. Kurz darauf trat Nunzia Cerullo ein und war nicht wiederzuerkennen. Sie, die wie die meisten Frauen im Rione stets ungepflegt herumlief, in Latschen und alten, verschlissenen Kleidern, erschien in Festgarderobe (für Hochzeit, Kommunion, Firmung, Begräbnis), ganz in Schwarz, mit einer schwarzen Lacktasche und in Schuhen mit leichtem Absatz, die ihre geschwollenen Füße malträtierten, und überreichte der Maestra zwei kleine Papiertüten, eine mit Zucker und eine mit Kaffee.

Die Maestra nahm die Geschenke gern an und sagte an sie und die ganze Klasse gewandt mit einem Blick zu Lila, die vor sich auf die Bank starrte, Sätze, deren Inhalt mich im Großen und Ganzen verwirrte. Wir waren in der ersten Klasse. Lernten gerade das Alphabet und die Zahlen von eins bis zehn. Die Klassenbeste war ich, denn ich kannte schon alle Buchstaben, konnte eins, zwei, drei, vier und so weiter sagen, wurde ständig für meine Schrift gelobt und gewann die von der

Lehrerin genähten Kokarden in den drei Landesfarben. Trotzdem sagte Maestra Oliviero zu meiner Überraschung, obwohl sie durch Lilas Schuld gestürzt und im Krankenhaus gelandet war, dass Lila die Beste von uns sei. Zwar sei sie die Unartigste. Zwar habe sie sich schrecklich danebenbenommen und uns mit tintengetränkten Löschpapierkugeln beworfen. Zwar wäre sie, unsere Lehrerin, nicht vom Pult gestürzt und hätte sich nicht das Jochbein verletzt, wenn dieses Mädchen nicht so undiszipliniert gewesen wäre. Zwar sei sie in einem fort gezwungen, sie mit dem Stock zu bestrafen oder sie auf dem harten Boden hinter der Tafel knien zu lassen. Doch es gebe etwas, das sie als Lehrerin und auch als Mensch mit Freude erfülle, etwas Wunderbares, das sie einige Tage zuvor zufällig entdeckt habe.

An dieser Stelle redete sie nicht weiter, ganz als fehlten ihr die Worte oder als wollte sie Lilas Mutter und uns lehren, dass Tatsachen fast immer mehr als Worte zählten. Sie nahm ein Stück Kreide und schrieb etwas an die Tafel, was, weiß ich nicht mehr, ich konnte noch nicht lesen, daher denke ich mir jetzt ein Wort aus: *Sonne*. Dann fragte sie Lila:

»Cerullo, was steht hier?«

Im Klassenraum breitete sich eine neugierige Stille aus. Lila verzog den Mund zu einem leichten Lächeln, fast schon zu einer Grimasse, und warf sich zur Seite gegen ihre Banknachbarin, die das sichtlich störte. Dann las sie mürrisch:

»Sonne.«

Nunzia Cerullo schaute die Lehrerin an, ihr Blick war unsicher, fast erschrocken. Maestra Oliviero schien nicht sofort zu begreifen, warum ihre eigene Begeisterung sich in den Augen der Mutter nicht widerspiegelte. Doch dann muss ihr klargeworden sein, dass Nunzia nicht lesen konnte oder sich zumindest nicht sicher war, ob an der Tafel wirklich *Sonne* stand, und sie runzelte die Brauen. Dann sagte sie zu Lila, teils, um Nunzia Klarheit zu verschaffen, und teils, um unsere Schulkameradin zu loben:

»Sehr gut, hier steht wirklich Sonne.«

Dann forderte sie sie auf:

»Komm her, Cerullo, komm an die Tafel.«

Widerstrebend ging Lila nach vorn, die Maestra gab ihr die Kreide.

Sie sagte: »Schreib *Kreide*.«

Hochkonzentriert und mit zitternder Schrift, wobei mancher Buchstabe zu hoch und mancher zu tief geriet, schrieb sie: *Kraide*.

Maestra Oliviero tauschte das A gegen ein E aus, und Signora Cerullo, die die Korrektur sah, sagte enttäuscht zu ihrer Tochter:

»Du hast einen Fehler gemacht.«

Doch die Lehrerin beruhigte sie sogleich:

»Nein, nein, ganz und gar nicht: Lila muss zwar noch üben, aber sie kann schon lesen, und sie kann schon schreiben. Wer hat ihr das beigebracht?«

Signora Cerullo sagte mit gesenktem Blick:

»Ich nicht.«

»Gibt es vielleicht jemanden bei Ihnen zu Hause oder in der Nachbarschaft, der das getan haben könnte?«

Nunzia schüttelte energisch den Kopf.

Da wandte sich die Lehrerin an Lila und fragte sie mit aufrichtiger Bewunderung vor uns allen:

»Wer hat dir Lesen und Schreiben beigebracht, Cerullo?«

Die kleine Cerullo, mit dunklem Haar, dunklen Augen und dunklem Schulkittel, mit einer rosa Schleife um den Hals und mit ihren nur sechs Jahren antwortete:

»Ich.«

7

Lilas großem Bruder Rino zufolge hatte sie mit etwa drei Jahren lesen gelernt, als sie sich die Buchstaben und Bilder in seiner Fibel angeschaut hatte. Sie hatte sich in der Küche neben ihn gesetzt, wenn er Hausaufgaben machte, und hatte mehr gelernt, als zu lernen ihm vergönnt gewesen war.

Rino war etwa sechs Jahre älter als Lila, ein beherzter Junge, der in allen Spielen auf dem Hof und auf der Straße glänzte, besonders im Kreiseltreiben. Doch lesen, schreiben, rechnen, Gedichte auswendig lernen, das war nichts für ihn. Er war noch keine zehn Jahre alt, als sein Vater Fernando begann, ihn jeden Tag in seine kleine

Schusterbude in einer Gasse auf der anderen Seite des Stradone mitzunehmen, damit er das Handwerk des Schuhebesohlens lernte. Wenn wir Mädchen ihm begegneten, fiel uns der Geruch nach ungewaschenen Füßen, nach altem Oberleder, nach Leim an ihm auf, und wir machten uns über ihn lustig, riefen ihn Pantoffelflicker. Vielleicht brüstete er sich deshalb damit, dass seine Schwester ihre Fähigkeiten ihm zu verdanken habe. In Wahrheit hatte er nie eine Fibel besessen, und keinesfalls, nie im Leben, hat er sich auch nur eine Minute hingesetzt, um Hausaufgaben zu machen. Unmöglich also, dass Lila von seinen Bemühungen für die Schule profitiert hatte. Wahrscheinlicher war, dass sie die Funktionsweise des Alphabets so früh anhand der Zeitungsseiten gelernt hatte, in die die Kunden ihre alten Schuhe einwickelten und die der Vater manchmal mit nach Hause nahm, um der Familie die interessantesten Meldungen aus dem Lokalteil vorzulesen.

Doch ob so oder so, fest stand jedenfalls: Lila konnte lesen und schreiben, und von jenem grauen Morgen, an dem unsere Lehrerin uns dies offenbarte, ist mir vor allem das Gefühl der Schwäche in Erinnerung geblieben, das diese Nachricht bei mir auslöste. Für mich war es in der Schule vom ersten Tag an viel schöner als zu Hause gewesen. Sie war der Ort im Rione, wo ich mich am sichersten fühlte, ich ging sehr eifrig dorthin. Im Unterricht war ich aufmerksam, mit größter Sorgfalt erledigte ich alles, was mir aufgetragen wurde, ich lernte. Doch besonders gefiel es mir, der Lehrerin zu gefallen, es gefiel mir, allen zu gefallen. Zu Hause war ich das Lieblingskind meines Vaters, und auch meine Geschwister hatten mich gern. Das Problem war meine Mutter, mit ihr lief es nie so, wie es laufen sollte. Mir schien, dass sie schon damals, als ich kaum älter als sechs war, alles tat, um mir zu zeigen, dass ich in ihrem Leben überflüssig war. Sie konnte mich nicht leiden, und ich konnte sie nicht leiden. Ihr Körper stieß mich ab, was sie wahrscheinlich ahnte. Sie war aschblond, hatte blaue Augen und war füllig. Bei ihrem rechten Auge wusste man nie, wohin es schaute. Und auch ihr rechtes Bein gehorchte ihr nicht, sie nannte es das schlimme Bein. Sie hinkte, und ihr Gang machte mir Angst, vor allem nachts, wenn sie nicht schlafen konnte und auf dem Flur herumgeisterte, sie ging bis zur Küche, kam zurück und begann wieder von vorn. Manchmal hörte ich, wie sie mit wütenden Tritten die Küchenschaben zerstampfte, die unter der Wohnungstür hereinkamen, und ich stellte sie mir mit zornigen Augen vor, wie wenn sie sich über mich ärgerte.

Sie war bestimmt nicht glücklich, die Hausarbeit zermürbte sie, und das Geld reichte nie. Häufig regte sie sich über meinen Vater auf, der Pförtner bei der Stadtverwaltung war, sie schrie ihn an, er solle sich etwas einfallen lassen, so könne es nicht weitergehen. Sie stritten sich. Doch da mein Vater nicht laut wurde, auch dann nicht, wenn er die Geduld verlor, stellte ich mich immer auf seine Seite, selbst wenn er meine Mutter manchmal schlug und er mir Angst einjagen konnte.

Er, nicht meine Mutter, hatte am ersten Schultag zu mir gesagt: »Lenuccia, sei schön artig zur Lehrerin, dann lassen wir dich zur Schule gehen. Aber wenn du nicht gut bist, wenn du nicht die Beste bist, musst du arbeiten gehen, dein Papà braucht Hilfe.« Diese Worte hatten mich erschreckt, und obwohl er es war, der sie ausgesprochen hatte, klangen sie für mich, als hätte meine Mutter sie ihm eingeflüstert, sie ihm aufgezwungen. Ich hatte beiden versprochen, artig zu sein. Und alles lief auf Anhieb so problemlos, dass die Lehrerin oft zu mir sagte:

»Greco, komm, setz dich zu mir.«

Das war eine große Ehre. Maestra Oliviero hatte stets einen leeren Stuhl neben sich stehen, auf den sich zur Belohnung die Besten setzen durften. Ich saß in der ersten Zeit ständig neben ihr. Sie redete mir mit vielen ermutigenden Worten zu, lobte meine blonden Locken und bestärkte mich so in meinem Wunsch, alles richtig zu machen. Ganz anders als meine Mutter, die mich zu Hause so oft mit Vorwürfen, manchmal auch mit Schimpfwörtern traktierte, dass ich mich nur noch in eine dunkle Ecke verkriechen wollte, in der Hoffnung, sie würde mich nicht finden. Dann kam Signora Cerullo in unser Klassenzimmer, und Maestra Oliviero eröffnete uns, Lila sei uns weit voraus. Und nicht nur das: Sie ließ sie öfter neben sich sitzen als mich. Ich weiß nicht, was diese Degradierung in mir auslöste, es ist schwierig, heute klar und wahrheitsgemäß zu schildern, was ich empfand. Zunächst vielleicht nichts, ein bisschen

Eifersucht, wie alle. Doch mit Sicherheit keimte damals eine bestimmte Sorge in mir auf. Obwohl meine Beine gut funktionierten, glaubte ich, dass ich ständig in Gefahr sei, lahm zu werden. Mit diesem Gedanken wachte ich morgens auf und sprang sofort aus dem Bett, um zu überprüfen, ob meine Beine noch in Ordnung waren. Vielleicht hielt ich mich deshalb an Lila mit ihren klapperdürren, flinken Beinen, die sie nie still hielt, sie zappelte sogar, wenn sie neben der Lehrerin saß, so dass diese nervös wurde und sie schon bald auf ihren Platz zurückschickte. Irgendetwas veranlasste mich damals, zu glauben, dass die Schritte meiner Mutter, die mir in den Kopf gedrungen waren und nicht wieder verschwanden, aufhören würden, mich zu bedrohen, wenn ich nur immer Lila folgte, ihrem Gang. Ich beschloss, mir an diesem Mädchen ein Beispiel zu nehmen und sie nie aus den Augen zu verlieren, auch dann nicht, wenn sie ärgerlich werden und mich wegjagen sollte.

8

Wahrscheinlich war das meine Art, mit Neid und Hass umzugehen und beides zu unterdrücken. Oder vielleicht verschleierte ich auf diese Weise mein Gefühl der Unterlegenheit, die Faszination, der ich unterworfen war. Auf jeden Fall übte ich mich darin, Lilas Überlegenheit auf allen Gebieten bereitwillig zu akzeptieren, und auch ihre Schikanen.

Zudem verhielt sich unsere Lehrerin sehr umsichtig. Zwar ließ sie Lila oft neben sich sitzen, doch sie schien das eher zu tun, um sie ruhigzustellen, als um sie zu belohnen. Eigentlich lobte sie fortwährend Marisa Sarratore, Carmela Peluso und vor allem mich. Sie ließ mich in einem hellen Licht erstrahlen, spornte mich an, immer disziplinierter, immer fleißiger, immer scharfsinniger zu werden. Wenn Lila ihre Aufsässigkeit aufgab und mich mühelos überholte, zollte Maestra Oliviero zunächst mir eine maßvolle Anerkennung und lobte dann sie in den höchsten Tönen. Die Bitterkeit der Niederlage empfand ich am stärksten, wenn Marisa oder Carmela mich überflügelten. Wenn ich dagegen die Zweite hinter Lila wurde, zog ich eine Miene milden Einverständnisses. Ich glaube, in jenen Jahren fürchtete ich nur eines: in der von Maestra Oliviero aufgestellten Hierarchie nicht mehr mit Lila in Verbindung gebracht zu werden, die Lehrerin nicht mehr mit Stolz sagen zu hören: Cerullo und Greco sind die Besten. Hätte sie eines Tages gesagt: Cerullo und Sarratore sind die Besten, oder Cerullo und Peluso, ich wäre auf der Stelle tot umgefallen. Daher verwendete ich alle meine Kräfte eines kleinen Mädchens nicht darauf, Klassenbeste zu werden – dieses Ziel hielt ich für unerreichbar –, sondern darauf, nicht auf den dritten, auf den vierten oder auf den letzten Platz abzurutschen. Ich widmete mich dem Lernen und vielen anderen schwierigen Dingen, die mir fernlagen, nur um mit diesem schrecklichen, strahlenden Mädchen Schritt halten zu können.

Strahlend war sie für mich. Für alle anderen Schüler war Lila nur schrecklich. Von der ersten bis zur fünften Grundschulklasse war sie durch die Schuld des Direktors und ein wenig auch wegen Maestra Oliviero das unbeliebteste Mädchen in der Schule und im Rione.

Mindestens zweimal im Jahr ordnete der Direktor einen Wettstreit der Klassen untereinander an, um die besten Schüler und damit auch die fähigsten Lehrer zu ermitteln. Maestra Oliviero gefiel dieser Wettbewerb. Im ständigen Streit mit ihren Kollegen, bei denen sie manchmal offenbar kurz davor war, handgreiflich zu werden, benutzte unsere Lehrerin Lila und mich als leuchtendes Beispiel dafür, wie gut sie war, die beste Lehrerin in der Grundschule unseres Viertels. So kam es oft vor, dass sie uns auch außerhalb der vom Direktor angeordneten Termine in andere Klassen brachte, damit wir gegen andere Kinder antraten, Mädchen und Jungen. Ich wurde für gewöhnlich vorgeschickt, um den Leistungsstand des Feindes zu sondieren. Im Allgemeinen gewann ich, doch ohne zu übertreiben, ich beschämte weder die Lehrer noch die Schüler. Ich war ein blondlockiges, niedliches Mädchen und froh darüber, zu zeigen, was ich konnte, doch ich war nicht dreist, ich vermittelte den Eindruck rührender Zartheit. Wenn ich dann die Beste darin war, Gedichte und das Einmaleins aufzusagen, Division und Multiplikation anzuwenden und die Seealpen, die Kottischen Alpen, die Grajischen Alpen, die Penninischen Alpen und so weiter aufzuzählen, strichen mir die anderen Lehrer trotzdem übers

Haar, und die Schüler merkten, wie viel Mühe es mich gekostet hatte, dieses ganze Zeug auswendig zu lernen, weshalb sie mich nicht hassten.

Anders verhielt es sich mit Lila. Schon in der ersten Klasse stand sie außerhalb jeder möglichen Konkurrenz. Unsere Lehrerin sagte sogar, mit ein bisschen Anstrengung könnte sie sofort die Prüfungen der zweiten Klasse ablegen und mit nicht einmal sieben Jahren in die dritte Klasse gehen. In der Folgezeit vergrößerte sich der Abstand noch. Lila löste hochkomplizierte Rechenaufgaben im Kopf, in ihren Diktaten war nicht der kleinste Fehler, sie sprach immer Dialekt wie wir alle, doch bei Bedarf holte sie ein papierenes Italienisch hervor und griff auch zu Wörtern wie *gewohnt*, *üppig* und *herzlich gern*. Wenn also unsere Lehrerin sie ins Feld schickte, um die Modi und Tempora der Verben aufzusagen oder Denkaufgaben zu lösen, wurde jede Möglichkeit wegkatapultiert, gute Miene zu bösem Spiel zu machen, die Gemüter verfinsterten sich. Lila war für jeden zu viel.

Sie ließ keinerlei Raum für Sympathie. Ihr großes Können anzuerkennen, hieß für uns Kinder zuzugeben, dass wir es nie schaffen würden und jeder Kampf zwecklos war, und für die Lehrer und Lehrerinnen bedeutete es, sich einzugestehen, dass sie nur durchschnittliche Kinder gewesen waren. Lilas geistige Behendigkeit hatte etwas von einem Zischen, einem Vorschnellen, einem tödlichen Biss. Und nichts in ihrer Erscheinung wirkte als Ausgleich dagegen. Sie war ungepflegt, schmutzig und hatte von Verletzungen, die nie rechtzeitig heilten, stets verschorfte Knie und Ellbogen. Ihre großen, äußerst lebhaften Augen konnten zu schmalen Schlitzen werden, aus denen vor jeder glänzenden Antwort ein Blick hervorblitzte, der nicht nur wenig kindlich wirkte, sondern vielleicht nicht einmal menschlich. Jede ihrer Bewegungen verriet, dass es nicht ratsam war, ihr wehzutun, denn egal, wie die Dinge sich dann entwickeln mochten, sie würde eine Möglichkeit finden, dir noch mehr wehzutun.

Der Hass war deutlich spürbar, ich fühlte ihn. Sowohl die Mädchen als auch die Jungen waren sauer auf sie, die Jungen allerdings unverhohlener. Maestra Oliviero genoss es nämlich aus Gründen, die nur ihr bekannt waren, uns vor allem in die Klassen zu bringen, in denen man nicht so sehr Schülerinnen und Lehrerinnen als vielmehr Schüler und Lehrer besiegen konnte. Auch der Direktor hatte aus Gründen, die nun wiederum nur ihm bekannt waren, eine Vorliebe für Wettkämpfe dieser Art. Später argwöhnte ich, dass in der Schule bei unseren Wettkämpfen um Geld gewettet wurde, vielleicht sogar um viel Geld. Doch das war zu hoch gegriffen. Vielleicht waren sie nur ein Mittel, alten Verstimmungen freien Lauf zu lassen oder es dem Direktor zu ermöglichen, die weniger guten oder weniger gehorsamen Lehrer im Zaum zu halten. Jedenfalls wurden wir zwei, die wir damals erst in die zweite Klasse gingen, eines Morgens in eine vierte Klasse gebracht, in die Vierte von Maestro Ferraro, in die Enzo Scanno, der freche Sohn der Gemüsehändlerin, ging und auch Nino Sarratore, Marisas Bruder, den ich liebte.

Enzo kannte jeder. Er war ein Sitzenbleiber und mehrmals mit einem Schild um den Hals durch die Klassen geschleift worden, auf das Maestro Ferraro, ein langer, dürrer Mann mit grauem Bürstenhaar, einem scharf geschnittenen Gesichtchen und unruhigen Augen, *Esel* geschrieben hatte. Nino dagegen war so gut, so sanft und so still, dass fast nur ich ihn kannte. Natürlich war Enzo unter null, schulisch betrachtet, und wir behielten ihn nur im Auge, weil er schnell handgreiflich wurde. Unsere Gegner auf dem Gebiet der Intelligenz waren Nino und – das entdeckten wir erst jetzt – Alfonso Carracci, Don Achilles dritter Sohn, ein sehr gepflegter Junge, aus der Zweiten wie wir, der für seine sieben Jahre ausgesprochen klein war. Es war offensichtlich, dass der Lehrer ihn in die vierte Klasse geholt hatte, weil er ihm mehr zutraute als dem fast zwei Jahre älteren Nino.

Wegen Alfonso Carraccis unvorhergesehener Beteiligung gab es einige Spannungen zwischen Maestra Oliviero und Maestro Ferraro, dann begann der Wettstreit vor den in einem Raum versammelten Klassen. Man fragte die Verben ab, man fragte das Einmaleins ab, man fragte die vier Grundrechenarten ab, zunächst an der Tafel, dann im Kopf. Von diesem außergewöhnlichen Ereignis sind mir drei Dinge im Gedächtnis geblieben. Erstens schlug mich der kleine Alfonso Carracci sofort aus dem Feld, er war ruhig und treffsicher, doch es tat gut, dass er nicht schadenfroh war. Zweitens beantwortete Nino Sarratore zu unserer Überraschung fast keine der Fragen, er wirkte verstört, als verstünde er nicht, was die zwei Lehrer von ihm wollten. Drittens hielt Lila Don Achilles Sohn gelangweilt stand, als interessierte es sie nicht, dass er sie besiegen könnte. Es kam erst Leben in die Szene, als man zum Kopfrechnen überging, Additionen, Subtraktionen, Multiplikationen, Divisionen. Trotz der Lustlosigkeit Lilas, die manchmal schwieg, als hätte sie die Frage nicht gehört, begann Alfonso zurückzufallen, vor allem bei der Multiplikation und bei der Division machte er Fehler. Doch obwohl er nachließ, war auch Lila ihm nicht gewachsen, und so stand es mehr oder weniger unentschieden. Da geschah etwas Unerwartetes. Mindestens zweimal, als Lila nicht antwortete oder Alfonso einen Fehler machte, ertönte aus den hinteren Bankreihen verächtlich die Stimme von Enzo Scanno, der das richtige Ergebnis sagte.

Die Schüler, die Lehrer, der Direktor, Lila und ich waren sprachlos. Wie war es möglich, dass einer wie Enzo, ein lustloser Taugenichts und Rabauke, komplizierte Rechenaufgaben im Kopf besser lösen konnte als ich, als Alfonso Carracci, als Nino Sarratore? Jetzt schien Lila aufzuwachen. Alfonso war nun schnell aus dem Spiel, und mit dem stolzen Einverständnis des Lehrers, der prompt seinen Spieler auswechselte, begann ein Duell zwischen Lila und Enzo.

Die beiden lieferten sich ein langes Kopf-an-Kopf-

Rennen. Irgendwann rief der Direktor, der damit den Lehrer überging, den Sohn der Gemüsehändlerin nach vorn ans Pult, neben Lila. Unter nervösem Gekicher, in das seine Kumpane einstimmten, verließ Enzo die hinterste Bank, er stellte sich zu Lila an die Tafel, düster und verlegen. Das Duell wurde mit immer komplizierteren Aufgaben im Kopfrechnen fortgesetzt. Der Junge sagte das Ergebnis im Dialekt, als wäre er auf der Straße und nicht in der Schule, und der Lehrer korrigierte seine Ausdrucksweise, doch die Zahl war immer richtig. Enzo sonnte sich in diesem Augenblick des Ruhms, selbst erstaunt darüber, wie gut er war. Dann begann er zurückzufallen, denn Lila war endgültig munter geworden und hatte nun diese vor Entschlossenheit zu Schlitzen verengten Augen, sie antwortete fehlerfrei. Am Ende verlor Enzo. Verlor ohne Anstand. Er fluchte fürchterlich und schrie die schlimmsten Schimpfwörter. Der Lehrer befahl ihm, sich hinter der Tafel hinzuknien, doch er weigerte sich. Er erhielt Stockschläge auf die Fingerknöchel und wurde an den Ohren in die Strafecke geschleift. So ging der Schultag zu Ende.

Doch von nun an bewarf uns die Jungsbande mit Steinen.

9

Der Tag des Duells zwischen Lila und Enzo ist wichtig in unserer langen Geschichte. Viele schwer zu entschlüsselnde Verhaltensweisen nahmen hier ihren Anfang. So wurde beispielsweise klar, dass Lila den Einsatz ihrer Fähigkeiten gezielt dosieren konnte. Genau das hatte sie bei Don Achilles Sohn Alfonso getan. Nicht genug damit, dass sie ihn nicht besiegen wollte, nein, sie hatte ihr Schweigen und ihre Antworten auch so abgewogen, dass sie nicht besiegt werden konnte. Damals waren wir noch nicht befreundet, und ich hatte keine Gelegenheit, sie zu fragen, warum sie sich so verhalten hatte. Doch eigentlich waren solche Fragen überflüssig, ich konnte mir den Grund schon denken. Wie mir, so war es auch ihr verboten, Don Achille und seine Familie zu kränken.

So standen die Dinge. Wir wussten nicht, woher diese verbitterte, hasserfüllte, gefügige Angst herrührte, die unsere Eltern vor den Carraccis hatten und die sie auf uns übertrugen, doch es gab sie, sie war eine Tatsache wie der Rione, wie seine schmutzig weißen Häuser, wie der Geruch der Armut auf den Treppenabsätzen, wie der Staub auf den Straßen. Mit großer Wahrscheinlichkeit war auch Nino Sarratore verstummt, weil er Alfonso die Gelegenheit geben wollte, ihn zu besiegen. Er hatte nur wenige Worte gestammelt, hübsch wie er war, sorgfältig gekämmt und mit seinen langen Wimpern, zart und empfindlich, und hatte am Ende geschwiegen.

Um ihn weiter lieben zu können, wollte ich glauben, dass sich die Dinge so verhalten hatten. Doch tief in meinem Inneren hatte ich Zweifel. Hatte er eine bewusste Entscheidung getroffen, so wie Lila? Da war ich mir nicht so sicher. Ich hatte das Feld geräumt, weil Alfonso wirklich besser gewesen war als ich. Lila hätte ihn sofort schlagen können, hatte sich jedoch entschlossen, auf unentschieden zu spielen. Und Nino? Etwas an ihm hatte mich verwirrt, mich vielleicht sogar betrübt: keine Unfähigkeit seinerseits, auch kein Verzicht, sondern, wie ich heute sagen möchte, ein Einknicken. Dieses Stammeln, diese Blässe, dieses dunkle Rot, das plötzlich in seine Augen stieg: So schön er auch war in seiner Weichheit, so wenig hatte mir diese Weichheit gefallen.

Auch Lila war mir wunderschön erschienen. Für gewöhnlich war ich die Hübsche, sie dagegen war dürr wie eine gesalzene Sardelle, verströmte einen Geruch nach Wild und hatte ein langes, an den Schläfen schmales Gesicht, umschlossen von zwei Strähnen glatter, tiefschwarzer Haare. Doch als sie beschlossen hatte, sowohl Alfonso als auch Enzo wegzufegen, erstrahlte sie wie eine heilige Kriegerin. Ihr stieg eine Röte in die Wangen, die eine aus jedem Winkel ihres Körpers hervorbrechende Glut verriet, so dass ich zum ersten Mal dachte: ›Lila ist schöner als ich.‹ Demnach war ich nun in allem die Zweite. Und ich wünschte mir, dass niemand es je bemerkte.

Doch das Wichtigste an diesem Vormittag war die

Entdeckung, dass eine Formel, die wir häufig verwendeten, um uns einer Strafe zu entziehen, etwas Wahres in sich barg, also etwas Unlenkbares, also etwas Gefährliches. Diese Formel lautete: *Das habe ich nicht mit Absicht gemacht.* Enzo hatte sich in der Tat nicht absichtlich in den laufenden Wettstreit eingemischt, und er hatte Alfonso nicht absichtlich geschlagen. Lila hatte Enzo absichtlich geschlagen, aber Alfonso nicht absichtlich besiegt und ihn auch nicht mit Absicht gekränkt, es war nur eine zwangsläufige Folge. Die Dinge, die sich daraus ergaben, überzeugten uns davon, dass es besser war, alles mit Absicht zu tun, vorsätzlich, damit man wusste, worauf man sich gefasst machen musste.

Denn was im Folgenden geschah, traf uns unerwartet. Da fast nichts absichtlich getan worden war, brachen nacheinander viele überraschende Ereignisse über uns herein. Alfonso ging wegen seiner Niederlage in Tränen aufgelöst nach Hause. Sein Bruder Stefano, vierzehn Jahre alt und Lehrling in der Salumeria (der ehemaligen Werkstatt des Tischlers Peluso), die seinem Vater gehörte, ohne dass dieser jemals einen Fuß hineingesetzt hätte, Stefano also, kam am nächsten Tag zur Schule, sagte die schlimmsten Dinge zu Lila und bedrohte sie schließlich. Daraufhin schleuderte sie ihm ein unflätiges Schimpfwort entgegen, er schubste sie gegen eine Mauer, versuchte, ihre Zunge zu packen, und schrie, er wolle sie mit einer Nadel durchstechen. Lila lief nach Hause und erzählte alles ihrem Bruder Rino, der, je mehr sie erzählte, einen immer röteren Kopf und immer blitzendere Augen bekam. Unterdessen wurde Enzo, der abends ohne seine Vorortbande auf dem Weg nach Hause war, von Stefano angehalten, der ihm Ohrfeigen, Fausthiebe und Fußtritte verpasste. Am nächsten Morgen spürte Rino Stefano auf, und die beiden verprügelten sich nach Strich und Faden, ohne dass einer dem anderen etwas schuldig blieb. Einige Tage darauf klopfte Don Achilles Frau, Donna Maria, an die Tür der Cerullos und machte Nunzia laut zeternd und schimpfend eine Szene. Wenig später, an einem Sonntag, gesellte sich Lilas und Rinos Vater, der Schuster Fernando Cerullo, ein kleiner, klapperdürrer Mann, nach der Messe schüchtern zu Don Achille und bat ihn um Entschuldigung, ohne zu sagen, wofür er sich denn entschuldigte. Ich war nicht dabei, zumindest erinnere ich mich nicht daran, doch es hieß, die Entschuldigungen seien mit lauter Stimme vorgebracht worden, so dass alle sie hören konnten, auch wenn Don Achille weitergegangen sei, als redete der Schuster gar nicht mit ihm. Kurz darauf verletzten Lila und ich Enzo mit einem Stein am Fußgelenk, und Enzo traf Lila mit einem Stein am Kopf. Während ich vor Angst schrie und Lila wieder aufstand, mit all dem Blut, das unter ihren Haaren hervorquoll, kam Enzo, ebenfalls blutend, vom Bahndamm herunter, und als er Lila in diesem Zustand sah, brach er vollkommen unerwartet und für uns alle unverständlich in Tränen aus. Kurze Zeit später erschien Rino, Lilas geliebter Bruder, vor der Schule und verpasste Enzo, der sich kaum wehrte, eine gehörige Tracht

Prügel. Rino war größer, stämmiger und energischer. Aber da war noch etwas: Enzo erzählte kein Sterbenswort von den erhaltenen Prügeln, weder seiner Bande noch seiner Mutter, noch seinem Vater, noch seinen Brüdern, noch seinen Cousins, die allesamt auf dem Feld arbeiteten und mit dem Pferdekarren Obst und Gemüse verkauften. Enzo war es zu verdanken, dass die Vendetta an dieser Stelle ein Ende fand.

10

Lila lief eine Weile stolz mit verbundenem Kopf herum. Dann nahm sie den Verband ab und zeigte jedem, der sie darum bat, die schwarze, an den Rändern gerötete Wunde, die auf ihrer Stirn am Haaransatz hervorstach. Schließlich vergaß sie, was ihr geschehen war, und wenn jemand die weißliche Stelle anstarrte, die auf ihrer Haut zurückgeblieben war, bedachte sie ihn mit einer aggressiven Geste, die bedeutete: Was guckst du denn so, kümmere dich gefälligst um deinen eigenen Mist. Zu mir sagte sie kein Wort, auch nicht des Dankes für die Steine, die ich ihr gebracht hatte, oder dafür, dass ich ihr das Blut mit dem Schürzenzipfel abgewischt hatte. Doch zu jener Zeit begann sie mit den Mutproben und unterzog mich Prüfungen, die nichts mehr mit der Schule zu tun hatten.

Wir trafen uns immer öfter auf dem Hof. Wir zeigten uns unsere Puppen, allerdings unauffällig, eine in der

Nähe der anderen, aber als wären wir jeweils allein. Irgendwann ließen wir sie zusammenkommen, um zu testen, ob sie sich vertrugen. Und so kam der Tag, an dem wir am Kellerfenster mit dem abgelösten Metallgitter saßen, tauschten – sie nahm kurz meine Puppe und ich ihre – und Lila Tina plötzlich durch den Spalt am Gitterrost schob und fallen ließ.

Ich war untröstlich. Ich hing sehr an meiner Zelluloidpuppe, sie war mein größter Schatz. Ich wusste, dass Lila sehr gemein sein konnte, doch nie hätte ich erwartet, dass sie mir etwas derart Niederträchtiges antat. Für mich war meine Puppe ein Lebewesen, sie unten im Keller zu wissen, zwischen den unzähligen Tieren, die dort hausten, stürzte mich in tiefe Verzweiflung. In dieser Lage nun lernte ich eine Kunst, die ich später perfekt beherrschte. Ich unterdrückte meine Verzweiflung, ich hielt sie am Rand meiner blanken Augen zurück, daher fragte mich Lila im Dialekt:

»Macht dir das denn gar nichts aus?«

Ich antwortete nicht. Mein Schmerz war heftig, doch ich spürte, dass es noch schmerzhafter gewesen wäre, mit ihr zu streiten. Ich war wie eingeklemmt zwischen zwei Traurigkeiten, einer schon bestehenden, dem Verlust meiner Puppe, und einer möglichen, dem Verlust von Lila. Ich sagte nichts und winkte nur unverdrossen ab, als wäre alles normal, auch wenn es normal gerade nicht war und ich wusste, dass ich viel riskierte. Ich beschränkte mich darauf, Nu ins Kellerloch zu werfen, die Puppe, die sie mir gerade gegeben hatte.

Lila starrte mich ungläubig an.

»Wie du mir, so ich dir«, dozierte ich rasch mit erhobener Stimme und äußerst erschrocken.

»Jetzt geh und hol sie mir wieder.«

»Wenn du mir meine holst.«

Wir gingen zusammen. Links am Hauseingang war die Kellertür, wir kannten sie gut. Da sie schief in den Angeln hing – einer der Flügel steckte auf nur einem Zapfen –, war sie mit einem Riegel verschlossen, der die beiden Flügel notdürftig zusammenhielt. Die Möglichkeit, die Tür ein Stückchen aufzudrücken und auf die andere Seite zu gelangen, war für jedes Kind verlockend und erschreckend zugleich. Wir taten es. Wir erkämpften uns einen Spalt, der breit genug war, um unsere schmächtigen, biegsamen Körper in den Keller schlüpfen zu lassen.

Als wir drin waren, gingen wir über fünf Steinstufen in einen feuchten Raum hinunter, der von den kleinen Fensteröffnungen auf Höhe der Straße nur spärlich erhellt wurde. Ich hatte Angst und versuchte, mit Lila Schritt zu halten, die jedoch wütend zu sein schien und darauf aus war, unverzüglich ihre Puppe wiederzufinden. Ich tastete mich vorwärts. Unter meinen Sandalen knirschte es von Glas, Schotter, Insekten. Ringsumher standen kaum erkennbare Gegenstände, dunkle Formen, spitz, eckig oder abgerundet. Das schwache Licht, das die Dunkelheit durchdrang, fiel zuweilen auf Dinge, die zu erkennen waren: das Skelett eines Stuhls, der Stab einer Deckenlampe, Obstkisten, Schrankböden, Seitenteile, Eisenscharniere. Ich erschrak fürchterlich vor einem Etwas, das wie ein schlaffes Gesicht mit großen Glasaugen aussah und in einem kastenförmigen Kinn auslief. Es hing mit einem verzweifelten Ausdruck an einem Holzgestell, und ich schrie auf, als ich es entdeckte; ich zeigte es Lila. Sie machte abrupt kehrt, ging langsam darauf zu, wobei sie mir den Rücken zuwandte, streckte vorsichtig eine Hand aus und nahm es vom Gestell. Dann drehte sie sich um. Sie hatte sich die Fratze mit den Glasaugen aufgesetzt, und ihr Gesicht war nun riesig, mit runden Augen ohne Pupillen, ohne Mund, nur mit diesem schwarzen Kinn, das auf ihrer Brust baumelte.

Dieser Moment hat sich mir tief ins Gedächtnis gegraben. Ich bin mir nicht sicher, aber mir muss ein Schrei des Entsetzens entfahren sein, denn schnell erklärte sie mir mit einer hohlen Stimme, dass dies nur eine Maske sei, eine Gasmaske, ihr Vater habe sie so genannt, er habe genau die gleiche zu Hause in der Abstellkammer. Ich zitterte und wimmerte noch immer vor Angst, was sie offenbar dazu veranlasste, sich die Maske vom Gesicht zu reißen und sie in eine Ecke zu werfen, mit großem Gepolter und viel Staub, der sich in den Lichtzungen der Fenster verdichtete.

Ich beruhigte mich wieder. Lila sah sich um, sie entdeckte die Öffnung, durch die wir Tina und Nu hinuntergeworfen hatten. Wir gingen zu der rauhen, schuppigen Wand, schauten ins Dunkel. Die Puppen waren weg. Lila wiederholte im Dialekt: »Sie sind nicht da, sie sind nicht da, sie sind nicht da«, und wühlte mit den Händen auf dem Boden, was ich mich nicht traute.

Lange Minuten vergingen. Einmal nur glaubte ich, Tina zu sehen, und bückte mich mit klopfendem Herzen, um sie aufzuheben, doch es war nur ein altes, zerknülltes Stück Zeitungspapier. »Sie sind nicht da«, wiederholte Lila und steuerte auf den Ausgang zu. Ich fühlte mich verloren, unfähig, allein dortzubleiben und weiterzusuchen, unfähig, mit ihr zu gehen, solange ich meine Puppe nicht gefunden hatte.

Auf der obersten Stufe sagte sie:

»Don Achille hat sie weggenommen, er hat sie in seine schwarze Tasche gesteckt.«

In diesem Moment spürte ich ihn, Don Achille: Er strich und schlich zwischen den undeutlichen Formen der Dinge umher. Da überließ ich Tina ihrem Schicksal und rannte los, um Lila nicht zu verlieren, die sich bereits geschickt an der in den Angeln hängenden Tür vorbeiwand und hinausschlüpfte.

11

Ich glaubte alles, was sie mir erzählte. Ich erinnere mich noch an die unförmige, massige Gestalt Don Achilles, der mit hängenden Armen durch unterirdische Gänge huscht und mit seinen langen Fingern auf der einen Seite Nus Kopf hält und auf der anderen den von Tina. Ich litt Höllenqualen. Bekam Wachstumsfieber, wurde wieder gesund, erkrankte erneut. Mein Tastsinn war irgendwie gestört. Während jedes Lebewesen um mich her den Rhythmus seines Lebens beschleunigte, hatte ich manchmal den Eindruck, dass feste Dinge unter meinen Fingern weich wurden oder sich aufblähten, so dass sie einen Hohlraum unter ihrer Oberfläche bildeten. Auch mein Körper fühlte sich geschwollen an, und das deprimierte mich. Ich war davon überzeugt, Wangen wie Luftballons zu haben, mit Sägemehl gefüllte Hände, Ohrläppchen wie reife Vogelbeeren und Füße wie runde Brote. Wenn ich durch die Straßen nach Hause oder zur Schule ging, war mir, als hätte sich auch die Gegend verändert. Sie schien zwischen zwei dunklen Polen festzuklemmen, auf der einen Seite die unterirdische Luftblase, die gegen die Wurzeln der Häuser drückte, die finstere Höhle, in die unsere Puppen gefallen waren, und auf der anderen Seite die obere Sphäre, im vierten Stock des Häuserblocks, in dem Don Achille wohnte, der uns die Puppen gestohlen hatte. Die beiden Kugeln waren wie an die beiden Enden einer Eisenstange geschraubt, die in meiner Phantasie quer durch die Wohnungen, die Straßen, das Umland, die Tunnel, die Gleise lief und sie fest zusammenhielt. Ich fühlte mich eingezwängt wie in einem Schraubstock, zusammen mit den vielen alltäglichen Dingen und Menschen, und hatte einen grässlichen Geschmack im Mund, mir war in einem fort schlecht, was mich erschöpfte, so als würde mich das immer mehr zusammengepresste Ganze zermalmen und einen ekelhaften Brei aus mir machen.

Es war ein hartnäckiges Unwohlsein, es hielt wohl Jahre an, bis über meine frühe Jugend hinaus. Kaum hatte es begonnen, erhielt ich unverhofft meine erste Liebeserklärung.

Lila und ich hatten noch nicht versucht, zu Don Achille hinaufzusteigen, meine Trauer um Tina war noch immer unerträglich. Widerwillig war ich Brot kaufen gegangen. Meine Mutter hatte mich geschickt, und ich war auf dem Heimweg, mit dem Restgeld fest in der Hand, damit ich es nicht verlor, und mit dem noch warmen Laib an meiner Brust, als ich bemerkte, dass Nino Sarratore hinter mir herstiefelte, mit seinem kleinen Bruder an der Hand. Seine Mutter Lidia schickte ihn im Sommer oft zusammen mit dem damals höchstens fünfjährigen Pino raus, mit der strikten Anweisung, ihn unter keinen Umständen allein zu lassen. An einer Straßenecke, kurz hinter der Salumeria der Carraccis, überholte mich Nino, doch anstatt weiterzugehen, versperrte er mir den Weg, drängte mich gegen die Hauswand, stützte sich mit seiner freien Hand an der Mauer ab, wie um eine Schranke zu schaffen, die mich daran hindern sollte, wegzulaufen, und zog mit der anderen Hand seinen Bruder an sich, den stillen Zeugen seiner Unternehmung. Vollkommen atemlos sagte er etwas, was ich nicht verstand. Er war blass, lächelte zunächst, wurde dann ernst und lächelte erneut. Schließlich sagte er klar und deutlich auf Schulitalienisch:

»Wenn wir groß sind, will ich dich heiraten.«

Dann fragte er mich, ob ich bis dahin mit ihm gehen

wolle. Er war etwas größer als ich, sehr dünn, hatte einen langen Hals und leicht abstehende Ohren. Dazu widerspenstiges Haar und eindringliche Augen mit langen Wimpern. Es war rührend, wie angestrengt er sich bemühte, seine Schüchternheit zurückzudrängen. Obwohl auch ich ihn heiraten wollte, antwortete ich unwillkürlich:

»Nein, ich kann nicht.«

Ihm blieb der Mund offen stehen, Pino zog heftig an ihm. Ich lief weg.

Von nun an verdrückte ich mich jedes Mal, wenn ich ihn sah. Dabei fand ich ihn wunderschön. Wie oft war ich bei seiner Schwester Marisa geblieben, nur um in seine Nähe zu kommen und mit ihnen zusammen nach Hause zu gehen! Doch offensichtlich hatte er mir seine Liebeserklärung zur falschen Zeit gemacht. Er konnte nicht wissen, wie sehr ich aus der Bahn geworfen war und unter Tinas Verschwinden litt, wie sehr es mich zermürbte, mit Lila Schritt zu halten, und wie sehr mir der zusammengepresste Raum des Hofes, der Häuser, des Rione die Luft abschnürte. Nach vielen langen, erschreckten Blicken, die er mir von Weitem zuwarf, begann auch er mich zu meiden. Eine Zeitlang wird er wohl befürchtet haben, ich könnte den anderen Mädchen und vor allem seiner Schwester von seinem Antrag erzählen. Es war bekannt, dass Gigliola Spagnuolo, die Tochter des Konditors, dies getan hatte, nachdem Enzo sie gefragt hatte, ob sie ihn zum Freund haben wolle. Enzo hatte es erfahren und war wütend geworden, er hatte sie vor der Schule angeschrien, sie sei eine Lügnerin, und ihr sogar gedroht, sie zu erstechen. Auch ich hätte am liebsten alles weitererzählt, aber ich ließ es bleiben, ich sagte es niemandem, nicht einmal Lila, als wir uns anfreundeten. Und mit der Zeit vergaß ich es.

Die Sache fiel mir erst wieder ein, als Familie Sarratore eine Weile später umzog. Eines Morgens erschienen der Karren und der Klepper von Assunta Scannos Mann Nicola auf dem Hof. Mit diesem Karren und dem alten Pferd zog er sonst gemeinsam mit seiner Frau durch die Straßen unseres Rione und verkaufte Obst und Gemüse. Nicola hatte ein schönes, breites Gesicht und die gleichen blauen Augen, die gleichen blonden Haare wie sein Sohn Enzo. Neben dem Verkauf von Obst und Gemüse erledigte er auch Umzüge. Tatsächlich begannen er, Donato Sarratore, Nino und auch Lidia Hausrat herunterzutragen, allen möglichen Plunder, Matratzen und Möbel, und alles auf den Karren zu laden.

Kaum hörten die Nachbarinnen das Rumpeln der Räder auf dem Hof, schauten sie aus dem Fenster, auch meine Mutter, auch ich. Es herrschte eine große Neugier. Offenbar hatte Donato von der staatlichen Eisenbahn eine neue Wohnung bekommen, in der Gegend der Piazza Nazionale. Oder – so sagte meine Mutter – seine Frau hatte ihn zu dem Umzug gezwungen, um den Verfolgungen Melinas zu entgehen, die ihr den Mann abspenstig machen wollte. Gut möglich. Meine Mutter sah stets dort Schlechtes, wo es, wie sich zu meinem großen Verdruss früher oder später herausstellte, wirklich etwas Schlechtes gab, und ihr schielendes Auge schien wie geschaffen dafür, die heimlichen Bewegungen im Rione aufzuspüren. Wie würde Melina reagieren? Stimmte es, dass sie ein Kind mit Sarratore gemacht und es dann getötet hatte, wie ich es hatte munkeln hören? Und war es denkbar, dass sie anfangen würde, die schlimmsten Dinge zu schreien, darunter auch das? Alle standen wir an den Fenstern, Frauen und Mädchen, vielleicht, um der Familie zum Abschied zu winken, vielleicht, um das Spektakel mitanzusehen, das diese unsympathische, verdorrte, verwitwete Frau in ihrer Wut bieten würde. Ich sah, dass auch Lila und ihre Mutter sich neugierig hinausbeugten.

Ich suchte Ninos Blick, aber er schien anderweitig beschäftigt zu sein. So überfiel mich, wie üblich ohne einen konkreten Grund, eine Mattigkeit, die alles ringsum dämpfte. Mir ging durch den Kopf, dass er mir diese Liebeserklärung vielleicht gemacht hatte, weil er schon wusste, dass er wegziehen würde, und mir vorher noch sagen wollte, was er für mich empfand. Ich sah ihm zu, wie er vollgepackte Kisten schleppte, hatte ein schlechtes Gewissen und war traurig, weil ich ihn abgewiesen hatte. Nun stob er davon wie ein kleiner Vogel.

Schließlich hatte die Prozession von Möbeln und Hausrat ein Ende. Nicola und Donato reichten sich Stricke zu, um alles auf dem Karren festzubinden. Lidia Sarratore erschien in einer Aufmachung, als wollte sie zu einem Fest gehen, sogar einen Sommerhut aus blauem Stroh hatte sie sich aufgesetzt. Sie schob den Kinderwagen mit dem kleinen Sohn und hatte die beiden Mädchen an ihrer Seite, Marisa, die in meinem Alter war, acht, neun Jahre alt, und die sechsjährige Clelia. Plötzlich ertönte im zweiten Stockwerk das Geschepper zerberstender Gegenstände. Fast gleichzeitig begann Melina zu schreien. Diese Schreie waren so herzzerreißend, dass Lila sich die Ohren zuhielt, wie ich sah. Auch die gequälte Stimme von Melinas großer Tochter Ada war zu hören, die rief: »Mama, nicht, Mama!« Nach kurzem Zögern hielt auch ich mir die Ohren zu. Nun flogen Gegenstände aus dem Fenster, und meine Neugier war so groß, dass ich die Hände wieder von den Ohren nahm, als fehlten mir deutliche Töne, um zu verstehen. Melina schrie jedoch keine Wörter, sondern immer nur »Aah, aah!«, als wäre sie verwundet. Sie war nicht zu sehen, von ihr erschien nicht einmal ein Arm oder eine Hand, die die Gegenstände warf. Kupfertöpfe, Gläser, Flaschen, Teller schienen aus eigenem Antrieb aus dem Fenster zu fliegen, und unten auf der Straße machte Lidia Sarratore, dass sie wegkam, mit gesenktem Kopf und über den Kinderwagen gebeugt, die Mädchen hinterdrein, und Donato kletterte auf den Karren zu seinen Sachen, Don Nicola hielt das Pferd am Zaum, und unterdessen schlugen die Dinge auf dem Asphalt auf, prallten ab und zersprangen, so dass die Splitter zwischen die nervösen Hufe des Tieres spritzten.

Ich suchte Lila mit meinen Blicken. Und sah nun ein

anderes Gesicht, ein Gesicht voller Bestürzung. Sie musste bemerkt haben, dass ich sie anschaute, denn sie verschwand unverzüglich vom Fenster. Der Karren setzte sich in Bewegung. Auch Lidia und die vier kleinen Kinder schlüpften Richtung Tor davon, hart an der Hauswand entlang und ohne irgendwen zu grüßen, während Nino nur widerwillig aufzubrechen schien, wie hypnotisiert von den Unmengen zerbrechlicher Dinge auf dem Asphalt.

Als Letztes flog so etwas wie ein schwarzer Fleck aus dem Fenster. Es war ein Bügeleisen, aus reinem Eisen: der Griff aus Eisen, der Körper aus Eisen. Als ich Tina noch hatte, nahm ich, wenn ich zu Hause mit ihr spielte, immer das Bügeleisen meiner Mutter, das mit seiner bugähnlichen Form genauso aussah wie dieses, und tat so, als wäre es ein Boot im Sturm. Das Gerät kam im Sturzflug herunter und schlug mit einem dumpfen Aufprall nur wenige Zentimeter neben Nino ein Loch in den Boden. Um ein Haar – wirklich um ein Haar – hätte es ihn umgebracht.

12

Kein einziger Junge machte Lila eine Liebeserklärung, und sie hat mir nie gesagt, ob sie darunter gelitten hatte. Gigliola Spagnuolo erhielt ständig Anträge, und auch ich war sehr begehrt. Aber Lila gefiel niemandem, vor allem weil sie eine Bohnenstange war, schmutzig und immer irgendwo verschorft, doch auch weil sie eine scharfe Zunge hatte, sich erniedrigende Spitznamen ausdachte und, obwohl sie vor unserer Lehrerin mit Wörtern der italienischen Sprache protzte, die keiner kannte, mit uns nur in einem beißenden, mit Schimpfwörtern gespickten Dialekt sprach, der jede Zuneigung im Keim erstickte. Nur Enzo tat etwas, das, wenn es auch nicht direkt ein Antrag war, so doch von Bewunderung und Respekt zeugte. Eine ganze Weile nachdem er sie mit einem Steinwurf am Kopf verletzt hatte und, so scheint mir, bevor er von Gigliola Spagnuolo abgewiesen worden war, lief er uns auf dem Stradone nach und gab Lila unter meinen ungläubigen Blicken einen Kranz aus Vogelbeeren.

»Was soll ich damit?«

»Sie essen.«

»So unreif?«

»Warte, bis sie reif sind.«

»Ich will sie nicht.«

»Dann schmeiß sie weg.«

Das war alles. Enzo drehte sich um und lief zur Arbeit. Lila und ich prusteten los. Wir redeten nicht viel, doch für alles, was uns geschah, hatten wir ein Kichern. Ich sagte nur amüsiert zu ihr:

»Ich mag Vogelbeeren.«

Das war gelogen, ich mochte diese Früchte nicht. Mir gefiel ihre rötlich gelbe Farbe, solange sie unreif waren, ihre Festigkeit, mit der sie an Sonnentagen glänzten. Aber wenn sie auf den Balkonen reif wurden, braun und weich wie kleine, welke Birnen, und ihre Haut sich leicht ablöste, so dass das kernige Fruchtfleisch zum Vorschein kam, das zwar nicht schlecht schmeckte, doch auf eine Art matschig war, die mich an die toten Ratten entlang dem Stradone erinnerte, dann rührte ich sie nicht an. Ich hatte das gewissermaßen zur Probe gesagt, darauf hoffend, dass Lila mir die Beeren gab: »Hier, nimm du sie.« Hätte sie mir Enzos Geschenk gegeben, hätte ich mich mehr darüber gefreut, als wenn sie mir etwas von sich gegeben hätte. Doch das tat sie nicht, und ich erinnere mich noch an das Gefühl von Verrat, als sie sie mit nach Hause nahm. Sie schlug eigenhändig einen Nagel in den Fensterrahmen. Und ich sah, wie sie den Kranz daran aufhängte.

13

Enzo machte ihr nie wieder ein Geschenk. Nach dem Streit mit Gigliola, die überall herumerzählt hatte, dass er ihr einen Antrag gemacht hatte, sahen wir ihn immer seltener. Obgleich er sich im Kopfrechnen hervorgetan hatte, war er doch zu lustlos, so dass sein Lehrer ihn nicht für die Aufnahmeprüfung zur Mittelschule vorschlug, was Enzo nicht weiter bedauerte, er freute sich sogar darüber. Er wurde an der berufsvorbereitenden Schule angemeldet, obwohl er längst bei seinen Eltern arbeitete. In aller Frühe stand er auf, um gemeinsam mit seinem Vater zum Gemüsemarkt zu fahren oder mit dem Karren durch den Rione zu ziehen und Obst und Gemüse zu verkaufen, und so schloss er schon bald mit der Schule ab.

Uns dagegen teilte man kurz vor dem Ende der fünften Klasse mit, dass wir geeignet seien, weiter zur Schule zu gehen. Unsere Lehrerin bestellte zunächst meine Eltern, dann die von Gigliola und dann die von Lila in die Schule, um ihnen mitzuteilen, dass wir nach der Abschlussprüfung in der Grundschule unbedingt auch die Aufnahmeprüfung für die Mittelschule ablegen müssten. Ich ließ nichts unversucht, um zu erreichen, dass mein Vater nicht meine Mutter in die Schule schickte, mit ihrem Hinkebein, ihrem schielenden Auge und vor allem mit ihrem ständigen Groll, sondern dass er selbst vorsprach, weil er Pförtner war und wusste, wie man sich höflich benahm. Vergebens. Sie ging hin, sprach mit der Lehrerin und kam mit düsterer Miene wieder nach Hause.

»Die Lehrerin will Geld. Sie sagt, sie muss ihr Nachhilfe geben, weil die Prüfung so schwer ist.«

»Und wozu soll diese Prüfung gut sein?«, fragte mein Vater.

»Dazu, dass sie Latein lernen kann.«

»Und warum?«

»Weil sie gesagt haben, dass sie gut in der Schule ist.«

»Aber wenn sie gut in der Schule ist, warum muss die Lehrerin ihr dann Nachhilfestunden gegen Bezahlung geben?«

»Damit es ihr besser geht und uns schlechter.«

Sie debattierten lange. Anfangs war meine Mutter dagegen und mein Vater unentschlossen. Dann begann mein Vater vorsichtig, dafür zu sein, und meine Mutter beschränkte sich darauf, etwas weniger dagegen zu sein. Am Ende beschlossen sie, mich zu der Prüfung zu schicken, aber immer noch unter der Bedingung, dass sie mich sofort aus der Schule nehmen würden, falls ich nicht sehr gut abschneiden sollte.

Lilas Eltern dagegen sagten nein. Nunzia Cerullo unternahm zwar ein, zwei schwache Versuche, doch Lilas Vater duldete keine Diskussion, ja, er gab Rino sogar eine Ohrfeige, weil der zu ihm gesagt hatte, dass er einen Fehler mache. Die Eltern spielten mit dem Gedanken, gar nicht erst zur Lehrerin zu gehen, die sie allerdings vom Direktor herbeizitieren ließ, und so blieb Nunzia nichts anderes übrig, als in der Schule zu erscheinen. Angesichts der schüchternen, doch klaren Ablehnung dieser verängstigten Frau führte die mürrische, aber ruhige Maestra Oliviero Lilas wunderbare Aufsätze ins Feld, ihre brillanten Lösungen schwierigster Probleme und auch ihre farbenprächtigen Zeichnungen, die, wenn sie sich Mühe gab, uns alle in der Klasse begeisterten, denn mit Hilfe von stibitzten *Giotto*-Buntstiften malte Lila sehr realistisch Prinzessinnen mit Frisuren, Juwelen, Kleidern und Schuhen, wie wir sie in noch keinem Buch gesehen hatten und auch nicht im Gemeindekino. Als die Weigerung jedoch wiederholt wurde, verlor Maestra Oliviero die Geduld und schleifte Lilas Mutter wie eine ungezogene Schülerin zum Direktor. Aber Nunzia konnte nicht zurück, sie hatte das Einverständnis ihres Mannes nicht. Daher sagte sie bis zur Erschöpfung – zu ihrer eigenen, zu der der Maestra und zu der des Direktors – wieder und wieder nein.

Tags darauf erklärte Lila auf unserem Weg zur Schule in ihrem typischen Tonfall: »Jedenfalls mache ich die Prüfung trotzdem.« Ich glaubte ihr. Es war zwecklos, ihr etwas zu verbieten, das wusste jeder. Sie schien die Stärkste von uns Mädchen zu sein, aber auch stärker als Enzo, Alfonso und Stefano, stärker als ihr Bruder Rino, stärker als unsere Eltern, stärker als alle Erwachsenen einschließlich unserer Lehrerin und der Carabinieri, die einen ins Gefängnis stecken konnten. Obwohl sie eine zarte Erscheinung war, verlor jedes Verbot vor ihr an Gewicht. Sie wusste, wie man Grenzen überschritt, ohne je wirklich die Konsequenzen dafür zu tragen. Am Ende gaben die Leute nach und mussten sie, wenn auch widerstrebend, sogar loben.

14

Auch zu Don Achille zu gehen, war verboten, doch sie beschloss, es trotzdem zu tun, und ich lief hinter ihr her. Bei dieser Gelegenheit wurde mir klar, dass nichts sie aufhalten konnte und dass auch jeder Ungehorsam von ihr einen so erstaunlichen Ausgang nahm, dass es einem den Atem verschlug.

Wir wollten, dass Don Achille uns unsere Puppen

wiedergab. Deshalb stiegen wir die Treppe hoch. Auf jeder Stufe war ich im Begriff, umzukehren und auf den Hof zurückzulaufen. Noch heute spüre ich Lilas Hand, die meine umklammerte, und mir gefällt der Gedanke, dass sie dies zwar zum einen tat, weil sie ahnte, dass ich nicht den Mut haben würde, bis zum obersten Stockwerk durchzuhalten, aber zum anderen auch, weil sie selbst aus dieser Geste die Kraft zum Weitergehen zog. So, eine neben der anderen, ich an der Wand und sie am Geländer, uns fest an den verschwitzten Händen haltend, brachten wir die letzten Absätze hinter uns. Vor Don Achilles Tür schlug mein Herz zum Zerspringen, es pochte in meinen Ohren, doch ich tröstete mich mit dem Gedanken, dass dieses Pochen auch von Lilas Herz kam. Aus der Wohnung drangen Stimmen, vielleicht von Alfonso oder Stefano oder Pinuccia. Nach einer sehr langen, stummen Pause vor der Tür drehte Lila an der Klingel. Stille, dann ein Schlurfen. Donna Maria öffnete uns, sie trug einen blassgrünen Morgenrock. Als sie redete, sah ich einen blitzenden Goldzahn in ihrem Mund. Sie dachte, wir wollten zu Alfonso, und war etwas erstaunt. Lila sagte im Dialekt:

»Nein, wir wollen zu Don Achille.«

»Was gibt's denn?«

»Wir müssen mit ihm sprechen.«

Die Frau rief:

»Achì!«

Erneutes Schlurfen. Aus dem Halbdunkel tauchte eine plumpe Gestalt auf. Er hatte einen langen Oberkörper, kurze Beine, Arme, die bis zu den Knien reichten, und im Mund eine Zigarette, man sah die Glut. Er fragte heiser:

»Wer ist denn da?«

»Die Tochter des Schusters mit der Großen von Greco.«

Don Achille trat ins Licht, und zum ersten Mal sahen wir ihn klar und deutlich. Nichts von Mineralien, nichts von glitzerndem Glas. Sein längliches Gesicht war aus Fleisch, sein Haar bauschte sich nur über den Ohren, die Mitte seines Schädels war vollkommen blank. Er hatte glänzende Augen, deren Weiß mit roten Rinnsalen geädert war, einen breiten Mund mit dünnen Lippen und ein kräftiges Kinn mit einem Grübchen in der Mitte. Ich fand ihn hässlich, doch nicht so hässlich, wie ich ihn mir vorgestellt hatte.

»Und?«

»Die Puppen«, sagte Lila.

»Was für Puppen?«

»Na, unsere.«

»Wir brauchen eure Puppen hier nicht.«

»Sie haben sie sich unten im Keller genommen.«

Don Achille drehte sich um und rief in die Wohnung hinein:

»Pinù, hast du der Schusterstochter ihre Puppe weggenommen?«

»Ich, nein.«

»Alfò, hast du sie genommen?«

Gelächter.

Lila sagte energisch, und mir ist ein Rätsel, woher sie diesen Mut nahm:

»Sie haben sie weggenommen, wir haben Sie gesehen.«

Für einen kurzen Moment herrschte Schweigen.

»Ihr mich?«, fragte Don Achille.

»Jawohl, und Sie haben sie in Ihre schwarze Markttasche gesteckt.«

Als der Mann diese Worte hörte, runzelte er ärgerlich die Stirn.

Ich konnte es nicht fassen, dass wir dort standen, vor Don Achille, dass Lila auf diese Weise mit ihm sprach und er sie verblüfft anstarrte, während im Hintergrund Alfonso, Stefano und Pinuccia zu sehen waren und auch Donna Maria, die den Tisch fürs Abendbrot deckte. Ich konnte nicht fassen, dass er ein gewöhnlicher Mensch war, ein bisschen klein, ein bisschen kahlköpfig, ein bisschen unförmig, doch gewöhnlich. Darum wartete ich darauf, dass er sich jeden Augenblick verwandelte.

Don Achille wiederholte, wie um richtig zu verstehen:

»Ich habe euch eure Puppen weggenommen und sie in die schwarze Markttasche gesteckt?«

Ich bemerkte, dass er nicht wütend war, sondern unerwartet geduldig, als wäre ihm gerade etwas bestätigt worden, was er bereits wusste. Er sagte etwas im Dialekt, was ich nicht verstand, Maria rief:

»Achì, Essen ist fertig!«

»Ich komme.«

Don Achille fuhr mit seiner großen, breiten Hand zu seiner hinteren Hosentasche. Wir hielten uns noch fester an den Händen, darauf gefasst, dass er ein Messer zückte. Stattdessen zog er seine Brieftasche hervor, klappte sie auf, schaute hinein und gab Lila Geld, wie viel, weiß ich nicht mehr.

»Da, kauft euch eure Puppen«, sagte er.

Lila raffte das Geld an sich und zog mich die Treppe hinunter. Er trat ans Geländer und knurrte:

»Und vergesst nicht, dass ich es war, der sie euch geschenkt hat.«

Darauf konzentriert, nicht die Treppe hinunterzufallen, sagte ich auf Italienisch:

»Guten Abend und guten Appetit.«

15

Gigliola Spagnuolo und ich begannen kurz nach Ostern zu unserer Lehrerin zu gehen, um uns auf die Aufnahmeprüfung vorzubereiten. Die Lehrerin wohnte unmittelbar an der Kirche, der Chiesa della Sacra Famiglia, die Fenster ihrer Wohnung gingen auf den Stadtpark, und man sah von dort aus hinter dem dichtbewachsenen Umland die Gittermasten der Eisenbahn. Gigliola stellte sich unter mein Fenster und rief mich. Ich war schon fertig und lief aus dem Haus. Mir gefielen diese Privatstunden, zwei pro Woche, glaube ich. Nach dem Unterricht bot unsere Lehrerin uns trockene, herzförmige Kekse und eine Brauselimonade an.

Lila kam nie mit, ihre Eltern hatten sich geweigert, die Lehrerin zu bezahlen. Aber sie erzählte mir unentwegt – wir waren mittlerweile enge Freundinnen –, dass sie die Prüfung ablegen und in die erste Klasse der Mittelschule kommen werde, in dieselbe Klasse wie ich.

»Und die Bücher?«

»Die leihst du mir.«

In der Zwischenzeit kaufte sie mit dem Geld von Don Achille einen Roman: *Betty und ihre Schwestern*. Dazu entschloss sie sich, weil sie ihn schon kannte und er ihr so gut gefallen hatte. Maestra Oliviero hatte den Besten von uns in der vierten Klasse Bücher zum Lesen gegeben. Lila hatte mit dem folgenden Kommentar *Betty und ihre Schwestern* erhalten: »Das ist für Erwachsene, aber für dich wird es schon gehen«, und ich hatte *Herz* bekommen, ohne auch nur ein Wort der Erklärung, worum es sich dabei handelte. Lila hatte sowohl *Betty und ihre Schwestern* als auch *Herz* in kürzester Zeit verschlungen und erklärte, ihrer Ansicht nach seien sie gar nicht zu vergleichen, *Betty und ihre Schwestern* sei wunderbar. Ich hatte es nicht geschafft, es zu lesen, mit Mühe hatte ich innerhalb der von unserer Lehrerin gesetzten Rückgabefrist *Herz* beendet. Ich war eine langsame Leserin, das bin ich noch heute. Als Lila der Maestra das Buch zurückgeben musste, beklagte sie zum einen, dass sie *Betty und ihre Schwestern* nicht ständig wiederlesen konnte, und zum anderen, dass sie sich nicht mit mir darüber unterhalten konnte. Darum fasste sie eines Morgens einen Entschluss. Sie rief mich von der Straße aus herunter, und wir gingen zu den Teichen, dorthin, wo wir in einer Blechbüchse Don Achilles Geld vergraben hatten, wir holten es heraus, gingen zu Iolanda, der Schreibwarenhändlerin, die wer weiß wie lange schon eine von der Sonne vergilbte Ausgabe von *Betty und ihre Schwestern* im Schaufenster stehen hatte, und fragten sie, ob das Geld reiche. Es reichte. Kaum waren wir die Besitzerinnen dieses Buches, begannen wir uns im Hof zu treffen, um es entweder leise, eine neben der anderen, oder laut zu lesen. Wir lasen es monatelang, so oft, dass das Buch schmutzig wurde, sich abnutzte, seinen Rücken einbüßte, Fäden verlor und seine Lagen auseinanderfielen. Doch es war unser Buch, wir liebten es. Ich war sein Hüter, bewahrte es zu Hause zwischen meinen Schulbüchern auf, denn Lila wollte es lieber nicht bei sich haben. In letzter Zeit regte sich ihr Vater schon auf, wenn er sie beim bloßen Lesen erwischte.

Rino dagegen beschützte sie. Als die Aufnahmeprüfung zur Debatte stand, lagen sich sein Vater und er ständig in den Haaren. Rino war damals etwa sechzehn Jahre alt, er war ein sehr reizbarer Junge und hatte einen eigenen Kampf begonnen, um für die Arbeit, die er leistete, bezahlt zu werden. Er argumentierte folgendermaßen: »Ich stehe um sechs auf, ich gehe in den Laden und arbeite bis abends um acht, ich will einen Lohn.« Doch diese Worte empörten sowohl seinen Vater als auch seine Mutter. Rino hatte ein Bett zum Schlafen, er hatte zu essen, wozu wollte er Geld? Seine Aufgabe war es, die Familie zu unterstützen, und nicht, sie arm zu machen. Aber der Junge ließ nicht locker, er fand es ungerecht, so zu schuften wie sein Vater und nicht einen Centesimo zu erhalten. Da antwortete ihm Fernando Cerullo scheinbar geduldig: »Rino, ich bezahle dich bereits, ich bezahle dich reichlich, indem ich dir das ganze Handwerk beibringe. Du wirst schon bald nicht mehr nur Absätze oder einen Steppsaum reparieren können oder eine Halbsohle ersetzen. Dein Vater gibt all sein Wissen an dich weiter, und bald wirst du in der Lage sein, nach allen Regeln der Kunst einen ganzen Schuh herzustellen.« Doch diese Bezahlung in Form einer Ausbildung genügte Rino nicht, und so stritten sie sich, besonders beim Abendessen. Zunächst wurde über Geld geredet, und am Ende gerieten sie wegen Lila aneinander.

»Wenn du mich bezahlst, kümmere ich mich darum, dass sie weiter zur Schule gehen kann«, sagte Rino.

»Zur Schule gehen? Wieso, bin ich vielleicht zur Schule gegangen?«

»Nein.«

»Und bist du zur Schule gegangen?«

»Nein.«

»Also warum soll dann deine Schwester zur Schule gehen, die noch dazu ein Mädchen ist?«

Die Sache endete fast immer mit einer Ohrfeige für Rino, der es unabsichtlich in dieser oder jener Form an

Respekt vor seinem Vater hatte fehlen lassen. Er entschuldigte sich ohne Tränen in einem ruppigen Ton.

Lila schwieg bei diesen Streitereien. Sie hat es mir nie gesagt, doch ich hatte stets den Eindruck, dass sie ihrem Vater trotz allem nicht böse war, während ich meine Mutter hasste, und ich hasste sie wirklich, aus tiefstem Herzen. Lila sagte, er überhäufe sie mit Liebenswürdigkeiten, sie sagte, wenn er rechnen müsse, lasse er sie das machen, sie sagte, sie habe gehört, wie er seinen Freunden erzählt habe, seine Tochter sei der klügste Mensch im ganzen Rione, sie sagte, an ihrem Namenstag bringe er ihr heiße Schokolade und vier Kekse ans Bett. Aber da sei nicht viel zu machen, es passe nicht zu seinen Ansichten, dass sie weiter zur Schule ging. Und es passe auch nicht zu seinen finanziellen Möglichkeiten: Die Familie sei groß, sie lebten alle schlecht und recht von der kleinen Schusterbude, auch zwei unverheiratete Schwestern Fernandos, auch Nunzias Eltern. Darum sei es, als redete man gegen eine Wand, wenn es um diese Geschichte mit der Schule ging, und ihre Mutter sei mehr oder weniger derselben Meinung wie er. Nur ihr Bruder denke ganz anders darüber und kämpfe mutig gegen seinen Vater. Und aus Gründen, die ich nicht verstand, äußerte Lila sich überzeugt, dass Rino sich durchsetzen werde. Er werde seinen Lohn erhalten und sie mit seinem Geld weiter zur Schule gehen lassen.

»Falls wir Gebühren zahlen müssen, wird er sie für mich bezahlen«, sagte sie zu mir. Sie war sich sicher, dass ihr Bruder ihr auch das Geld für die Schulbücher geben werde und für die Federn, den Federhalter, die Buntstifte, den Globus, den Schulkittel und die Schleife. Sie vergötterte ihn. Sie sagte, nach der Schule wolle sie viel Geld verdienen, nur um ihren Bruder zum reichsten Mann im Rione zu machen.

Reichtum wurde in diesem letzten Grundschuljahr für uns zur fixen Idee. Wir sprachen darüber, wie man in Romanen über eine Schatzsuche spricht. Wir sagten: Wenn wir reich sind, tun wir dies und tun wir das. Wenn man uns so hörte, hatte es den Anschein, als wäre der Reichtum irgendwo in unserem Rione verborgen, in Schatztruhen, von denen ein Funkeln ausging, sobald man sie öffnete, und als wartete er nur darauf, dass wir ihn fanden. Dann änderten sich die Dinge, warum, weiß ich nicht, und wir begannen Lernen und Geld miteinander in Verbindung zu bringen. Wir dachten, wenn wir viel lernten, könnten wir Bücher schreiben und die Bücher würden uns reich machen. Reichtum war nach wie vor ein Funkeln von Goldmünzen, die in unzähligen Kisten verschlossen waren, doch um zu ihm zu gelangen, brauchte man nur zu lernen und ein Buch zu schreiben.

»Wir schreiben eins zusammen«, sagte Lila irgendwann, und das machte mich froh.

Vielleicht war ihr diese Idee gekommen, als sie entdeckt hatte, dass die Autorin von *Betty und ihre Schwestern* so viel Geld damit gemacht hatte, dass sie ihrer Familie etwas von ihrem Reichtum abgeben konnte. Doch beschwören würde ich das nicht. Wir redeten viel darüber, ich sagte, wir könnten gleich nach der Aufnahmeprüfung anfangen. Sie stimmte mir zu, konnte jedoch nicht widerstehen. Während ich viel lernen musste, auch nachmittags in den Nachhilfestunden mit Gigliola Spagnuolo bei der Maestra, hatte sie mehr Freizeit, sie setzte sich an die Arbeit und schrieb einen Roman ohne mich.

Ich war betroffen, als sie ihn mir zu lesen gab, sagte aber nichts, ich verbarg meine Enttäuschung und gratulierte ihr herzlich. Er bestand aus etwa zehn gefalteten, karierten Seiten, zusammengehalten mit einer Stecknadel. Ein mit Buntstiften bemaltes Deckblatt hatte er auch, ich erinnere mich noch an seinen Titel, *Die blaue Fee*, und daran, wie spannend er war, wie viele schwere Wörter er enthielt. Ich riet ihr, ihn unserer Lehrerin zu zeigen. Sie wollte nicht. Ich beschwor sie, bot mich an, ihn ihr selbst zu geben. Nicht besonders überzeugt nickte sie.

Als ich wieder einmal zur Nachhilfe bei Maestra Oliviero war, nutzte ich die Gelegenheit, während Gigliola im Bad war, und zog *Die blaue Fee* hervor. Ich sagte, das sei ein wunderbarer Roman, den Lila geschrieben habe und den sie ihr zu lesen geben möchte. Aber unsere Lehrerin, die in den letzten fünf Jahren stets von allem begeistert gewesen war, was Lila abgesehen von ihren Frechheiten getan hatte, erwiderte kalt:

»Sag Cerullo, sie täte gut daran, für die Abschlussprüfung zu lernen, anstatt ihre Zeit zu vergeuden.« Sie behielt Lilas Roman zwar, ließ ihn aber auf dem Tisch liegen, ohne ihn eines Blickes zu würdigen.

Diese Reaktion verwirrte mich. Was war geschehen? Hatte sie sich über Lilas Mutter geärgert? Hatte sie diesen Ärger auf Lila übertragen? War sie pikiert wegen des Geldes, das die Eltern meiner Freundin ihr nicht hatten geben wollen? Ich begriff das nicht. Einige Tage später fragte ich sie vorsichtig, ob sie *Die blaue Fee* inzwischen gelesen habe. Sie antwortete mir dunkel, in einem ungewöhnlichen Ton, ganz als könnten nur sie und ich uns wirklich verstehen.

»Weißt du, was die Plebs ist, Greco?«

»Ja, die Plebs, die Volkstribunen, die Gracchen.«

»Die Plebs, der Pöbel, ist etwas sehr Schlimmes.«

»Ja.«

»Und wenn einer Pöbel bleiben will, dann verdienen er, seine Kinder und seine Kindeskinder es nicht besser. Vergiss Cerullo und denk lieber an dich.«

Maestra Oliviero verlor nie ein Wort über die *Blaue Fee*. Lila fragte einige Male bei mir nach, dann ließ sie es bleiben. Sie sagte düster:

»Wenn ich Zeit habe, schreibe ich noch eins, das hier war nicht gut.«

»Es war wunderbar.«

»Es war zum Kotzen.«

Sie war nun weniger lebhaft, besonders im Unterricht, wahrscheinlich weil Maestra Oliviero sie nicht mehr lobte und manchmal sogar gereizt auf ihre extremen Bravourstücke reagierte. Beim Wettstreit zum

Schuljahresende war sie trotzdem die Beste, doch ohne ihre frühere Unverschämtheit. Zum Abschluss des Tages stellte der Direktor denen, die noch im Rennen waren – also Lila, Gigliola und mir –, eine äußerst kniffligeAufgabe, die er sich persönlich ausgedacht hatte. Gigliola und ich mühten uns vergeblich ab. Lila kniff wie üblich die Augen zusammen, sie strengte sich an. Und war die Letzte, die kapitulierte. In einem für sie untypischen schüchternen Ton sagte sie, das Problem sei unlösbar, weil ein Fehler in der Aufgabenstellung sei, sie wisse nur nicht, welcher. Du lieber Himmel, Maestra Oliviero wusch ihr gründlich den Kopf. Ich sah Lila an der Tafel stehen, schmächtig, mit der Kreide in der Hand, leichenblass und unter einem Hagel grober Worte. Ich spürte ihr Leid, konnte das Zittern ihrer Unterlippe nicht ertragen und wäre fast in Tränen ausgebrochen.

»Wenn man ein Problem nicht lösen kann«, sagte Maestra Oliviero zum Schluss eiskalt, »sagt man nicht: Das Problem ist falsch, man sagt: Ich bin nicht in der Lage, es zu lösen.«

Der Direktor schwieg. Soweit ich mich erinnere, war der Tag damit zu Ende.

16

Kurz vor der Abschlussprüfung an der Grundschule trieb Lila mich dazu, wieder eine von den vielen Sachen zu tun, die ich mich allein niemals getraut hätte. Wir beschlossen, die Schule zu schwänzen, und überschritten die Grenzen des Rione.

Das war noch nie vorgekommen. Soweit ich zurückdenken konnte, hatte ich mich nie von den weißen, vierstöckigen Häusern entfernt, von unserem Hof, von der Kirche, vom Park, und ich hatte auch nie den Impuls verspürt, es zu tun. Ständig fuhren Züge im umliegenden Brachland vorbei, Autos und Lastwagen fuhren den Stradone hinauf und hinunter, und doch kann ich mich nicht entsinnen, mich selbst, meinen Vater oder unsere Lehrerin nur ein einziges Mal gefragt zu haben: »Wohin fahren die Autos, die Lastwagen, die Züge, in welche Stadt, in welche Welt?«

Auch Lila schien sich nie besonders dafür interessiert zu haben, aber diesmal organisierte sie alles. Sie sagte, ich solle meiner Mutter erzählen, wir würden nach dem Unterricht alle zu einem Schuljahresabschlussfest zur Maestra nach Hause gehen, und als ich sie daran erinnerte, dass noch nie eine Lehrerin alle Mädchen zu einem Fest eingeladen hatte, entgegnete sie, dass wir das genau deshalb behaupten müssten. Es werde so außergewöhnlich klingen, dass unsere Eltern nicht die Unverfrorenheit besitzen würden, in der Schule nachzufragen, ob das auch wahr sei. Wie immer vertraute ich ihr, und es lief genau so, wie sie es vorhergesagt hatte. Bei mir zu Hause glaubten es alle, nicht nur mein Vater und meine Geschwister, sondern auch meine Mutter.

In der Nacht davor tat ich kein Auge zu. Was war jenseits des Rione, jenseits seiner nur allzu bekannten Grenzen? Hinter uns ragten ein dicht bewaldeter Hügel und ein paar vereinzelte Gebäude direkt an den glänzenden Gleisen auf. Vor uns, jenseits des Stradone, erstreckte sich eine Straße voller Schlaglöcher, die an den Teichen entlangführte. Trat man aus dem Tor, dehnte sich rechts ein Streifen baumlosen Brachlands unter einem riesigen Himmel. Links lag ein Tunnel mit drei Eingängen, und wenn man zu den Bahngleisen hinaufkletterte, sah man hinter einigen niedrigen Häusern, hinter Tuffsteinmauern und dichtem Grün, einen himmelblauen Berg mit einem kleineren und einem höheren Gipfel, der Vesuv hieß und ein Vulkan war.

Aber nichts von dem, was wir Tag für Tag vor Augen hatten oder was zu sehen war, wenn wir auf den Hügel stiegen, beeindruckte uns. Wir waren durch die Schulbücher daran gewöhnt, mit großer Sachkenntnis über Dinge zu sprechen, die wir nie gesehen hatten, und so war es das Unsichtbare, das uns begeisterte. Lila sagte, genau in Richtung des Vesuvs liege das Meer. Rino, der schon dort gewesen war, hatte ihr erzählt, es sei aus blauem, glitzerndem Wasser, ein wunderbarer Anblick. Sonntags, vor allem im Sommer, doch oft auch im Winter, ging er mit seinen Freunden dort baden, und er hatte ihr versprochen, sie einmal mitzunehmen. Natürlich war er nicht der Einzige, der am Meer gewesen war, auch andere, die wir kannten, hatten es gesehen. Einmal hatten Nino Sarratore und seine Schwester Marisa darüber gesprochen, im Tonfall von Leuten, die es normal finden, dass man dort manchmal hinging und Taralli knabberte oder Frutti di Mare aß. Auch Gigliola Spagnuolo war dort gewesen. Sie, Nino und Marisa hatten das Glück, Eltern zu haben, die mit ihren Kindern ausgedehnte Spaziergänge machten, nicht nur die wenigen Schritte bis zum Park an der Kirche. Unsere Eltern waren nicht so, es fehlte an Zeit, es fehlte an Geld, es fehlte an Lust. Eigentlich war mir, als hätte ich eine vage, bläuliche Erinnerung ans Meer, meine Mutter behauptete, mich dorthin mitgenommen zu haben, als ich klein war und sie Sandbäder für ihr schlimmes Bein nehmen musste. Doch meiner Mutter glaubte ich selten, und zu Lila, die das Meer überhaupt nicht kannte, sagte ich, dass ich es auch nicht kenne. Daher fasste sie den Entschluss, es Rino gleichzutun, sich auf den Weg zu machen und allein ans Meer zu gehen. Sie überredete mich, mitzukommen. Morgen.

Ich stand früh auf und verhielt mich so, als müsste ich zur Schule gehen. Brotsuppe mit heißer Milch, Ranzen, Schulkittel. Wie immer wartete ich am Tor auf Lila, nur dass wir, anstatt nach rechts zu gehen, den Stradone überquerten und uns nach links wandten, zum Tunnel.

Es war früh am Morgen und schon heiß. In der Luft lag ein starker Geruch nach in der Sonne vertrocknender Erde und Gras. Wir kletterten zwischen hohen Sträuchern auf unübersichtlichen Wegen zu den Schienen hinauf. An einem Strommast zogen wir uns die Schulkittel aus und stopften sie in unsere Ranzen, die wir im Gebüsch versteckten. Dann liefen wir durch das Brachland, wir kannten es gut, und sausten wie im Flug einen Abhang hinunter, der uns direkt zum Tunnelanfang führte. Der rechte Eingang war pechschwarz, noch nie hatten wir diese Finsternis betreten. Wir nahmen uns bei der Hand und gingen los. Es war ein langer Weg, die lichte Rundung des Ausgangs schien weit weg zu sein. Wir waren verstört vom Widerhall unserer Schritte, und als wir uns an die Dunkelheit gewöhnt hatten, entdeckten wir die Rinnsale silbrigen Wassers an den Wänden, die großen Pfützen. Äußerst angespannt setzten wir unseren Weg fort. Dann stieß Lila einen Schrei aus und lachte darüber, wie laut er explodierte. Sofort schrie auch ich und lachte ebenfalls. Nun schrien wir in einem fort, zusammen und einzeln: Lachen und Schreie, Schreie und Lachen, aus purem Spaß daran, sie dermaßen verstärkt zu hören. Die Anspannung ließ nach, die Reise begann.

Vor uns lagen viele Stunden, in denen niemand aus unseren Familien uns suchen würde. Wenn ich an das Vergnügen denke, frei zu sein, denke ich an den Beginn dieses Tages, an den Moment, als wir aus dem Tunnel kamen und uns auf einer bis zum Horizont schnurgerade verlaufenden Straße befanden, auf der Straße, auf der man nach dem, was Rino Lila erzählt hatte, ans

Meer gelangte, wenn man ihr bis zum Ende folgte. Mit Freude fühlte ich mich dem Unbekannten ausgesetzt. Kein Vergleich mit unserem Abstieg in den Keller oder unserem Aufstieg zu Don Achilles Wohnung. Die Sonne war verhangen, und ein starker brenzliger Geruch lag in der Luft. Lange wanderten wir an eingestürzten, von Unkraut überwucherten Mauern entlang, an niedrigen Häusern, aus denen Stimmen im Dialekt drangen und manchmal Geschrei. Wir sahen ein Pferd, das vorsichtig eine Böschung hinunterstieg und wiehernd die Straße überquerte. Wir sahen eine junge Frau auf einem kleinen Balkon, die sich mit einem Läusekamm durchs Haar fuhr. Wir sahen viele rotznäsige Kinder, die aufhörten zu spielen und uns drohende Blicke zuwarfen. Wir sahen auch einen dicken Mann im Unterhemd, der aus einem verfallenen Haus auftauchte, seine Hosen aufknöpfte und uns seinen Penis zeigte. Aber nichts davon erschreckte uns. Enzos Vater, Don Nicola, ließ uns manchmal sein Pferd streicheln, die Kinder waren auch auf unserem Hof bedrohlich, und der alte Don Mimì zeigte uns sein widerliches Ding jedes Mal, wenn wir aus der Schule kamen. Wenigstens drei Stunden lang unterschied sich die Straße, auf der wir gingen, nicht von dem Teilstück, auf das wir jeden Tag schauten. Ich fühlte mich keinen Augenblick dafür verantwortlich, den richtigen Weg zu finden. Wir hielten uns bei der Hand und gingen nebeneinanderher, aber für mich war es wie üblich so, als wäre Lila mir zehn Schritte voraus und wüsste genau, was zu tun war und wohin wir gehen mussten. Ich war es gewohnt, mich in allem als Zweite zu fühlen, und so war ich mir sicher, dass sie, die seit jeher die Erste war, über alles Bescheid wusste: das Tempo, die veranschlagte Zeit, die uns für Hin- und Rückweg zur Verfügung stand, die Route, die uns ans Meer führte. Sie schien alles wohlsortiert im Kopf zu haben, so dass es der Welt ringsumher nicht gelingen konnte, Unordnung zu schaffen. Fröhlich überließ ich mich ihrer Obhut. Ich erinnere mich an ein diffuses Licht, das nicht vom Himmel, sondern aus den Tiefen der Erde zu kommen schien, die allerdings, wenn man sich die Oberfläche anschaute, arm und schmutzig war.

Allmählich wurden wir müde, bekamen Durst und Hunger. Daran hatten wir nicht gedacht. Lila wurde langsamer, ich auch. Zwei-, dreimal ertappte ich sie dabei, dass sie mich reuevoll ansah, als würde sie mir etwas Schlimmes antun. Was war los? Ich bemerkte, dass sie sich häufig umdrehte, und so fing auch ich an mich umzudrehen. Ihre Hand begann zu schwitzen. Schon seit geraumer Zeit sahen wir den Tunnel, der die Grenze zu unserem Rione bildete, nicht mehr hinter uns. Der zurückgelegte Weg war uns kaum vertraut, noch weniger der noch vor uns liegende. Die Leute schienen sich nicht für unser Schicksal zu interessieren. Und inzwischen wuchs um uns her eine Landschaft der Verwahrlosung. Verbeulte Kanister, angekohltes Holz, Autowracks, Wagenräder mit kaputten Speichen, lädierte Möbel, rostiger Schrott. Weshalb schaute Lila zurück? Weshalb sagte sie nichts mehr? Was stimmte nicht?

Ich sah mich genauer um. Der Himmel, der anfangs sehr hoch gewesen war, schien sich herabgesenkt zu haben. Hinter uns wurde alles schwarz, dicke, schwere Wolken lasteten auf den Bäumen und Lichtmasten. Vor uns war das Licht noch gleißend, doch an den Seiten von einem violetten Grau bedrängt, das es zu ersticken drohte. Fernes Donnergrollen war zu hören. Ich bekam Angst, doch am meisten erschreckte mich Lilas Miene, die für mich neu war. Ihr Mund stand offen, ihre Augen waren weit aufgerissen, nervös schaute sie nach vorn, nach hinten, zur Seite und umklammerte mit aller Kraft meine Hand. Konnte es sein, fragte ich mich, dass auch sie Angst hatte? Was war los mit ihr?

Die ersten dicken Tropfen fielen, sie trafen auf den Straßenstaub und hinterließen kleine, braune Flecke.

»Wir gehen zurück«, sagte Lila.
»Und das Meer?«
»Das ist zu weit weg.«
»Und unser Zuhause?«
»Auch.«
»Dann können wir genauso gut ans Meer gehen.«
»Nein!«
»Warum denn nicht?«

So aufgeregt hatte ich sie noch nie gesehen. Da war etwas, das sie plötzlich zwang, mich hastig nach Hause zu ziehen, es lag ihr auf der Zunge, doch sie konnte sich nicht entschließen, es mir zu sagen. Ich verstand das nicht. Warum gingen wir nicht weiter? Wir hatten Zeit, bis ans Meer konnte es nicht mehr weit sein, und egal, ob wir nach Hause gingen oder unseren Weg fortsetzten, nass würden wir so oder so werden, wenn der Regen kam. Diese Denkweise hatte ich von ihr gelernt, und es wunderte mich, dass sie sie nicht anwandte.

Ein violettes Leuchten spaltete den schwarzen Himmel, es donnerte stärker. Lila zerrte heftig an mir, eigentlich war mir nicht danach, zum Rione zurückzulaufen. Der Wind frischte auf, die Regentropfen wurden dichter, in Sekundenschnelle verwandelten sie sich in einen Wasserfall. Uns kam nicht in den Sinn, uns unterzustellen. Wir liefen blind vom Regen los, die Kleider im Nu durchnässt, die nackten Füße in abgenutzten Sandalen, die auf dem nun glitschigen Boden wenig Halt boten. Wir liefen, bis uns die Luft ausging.

Als wir nicht mehr konnten, wurden wir langsamer. Blitze, Donnerschläge. Eine Schlammflut strömte zu beiden Seiten die Straße hinunter, Lastwagen dröhnten in rasender Geschwindigkeit vorbei, schleuderten Sturzseen von Matsch in die Höhe. Mit raschen Schritten gingen wir aufs höchste erregt weiter, zunächst unter heftigen Regenschauern, später unter einem feinen Nieseln und schließlich unter einem grauen Himmel. Wir waren nass bis auf die Knochen, mit am Kopf klebenden Haaren, die Lippen blau, die Augen verschreckt. Wieder durchquerten wir den Tunnel und liefen durch das Brachland. Die regenschweren Sträucher streiften uns, wir schauderten. Wir machten unsere Ranzen ausfindig, zogen unsere trockenen Kittel über die nassen Sachen und gingen nach Hause. Lila, die angespannt war und den Blick fortwährend gesenkt hielt, hatte meine Hand losgelassen.

Uns wurde schnell klar, dass inzwischen nichts wie geplant gelaufen war. Pünktlich zum Unterrichtsende hatte sich der Himmel über unserem Rione verdunkelt. Meine Mutter war mit einem Schirm zur Schule gegangen, um mich zum Fest der Lehrerin zu bringen. So hatte sie erfahren, dass ich nicht da war und dass es überhaupt kein Fest gab. Seit Stunden suchte sie mich. Als ich von Weitem ihre peinlich hinkende Gestalt sah, ließ ich Lila sofort stehen, damit meine Mutter nicht auch auf sie wütend wurde, und lief ihr entgegen. Ich kam gar nicht erst zu Wort. Sie ohrfeigte mich und schlug mich mit dem Schirm, wobei sie schrie, sie werde mich umbringen, falls ich so etwas noch einmal täte.

Lila machte sich aus dem Staub, bei ihr zu Hause hatte niemand etwas bemerkt.

Am Abend erzählte meine Mutter alles meinem Vater und verlangte, dass er mir eine Tracht Prügel gab. Er regte sich auf, wollte das eigentlich nicht, und so stritten sie sich. Zunächst ohrfeigte er sie, dann, wütend über sich selbst, schlug er mich windelweich. Die ganze Nacht über versuchte ich zu verstehen, was wirklich geschehen war. Wir hätten zum Meer gehen sollen und haben es nicht getan. Ich hatte umsonst Prügel bezogen. Auf rätselhafte Weise hatten sich unsere Verhaltensweisen umgekehrt. Ich wäre trotz des Regens weitergegangen, hatte mich fern von allem und allen gefühlt, und diese Entfernung – so hatte ich erstmals entdeckt –

hatte jede Fessel und jede Sorge in mir aufgelöst. Lila hatte ihren eigenen Plan abrupt bereut, verzichtete auf das Meer und wollte in die Grenzen unseres Rione zurück. Ich wurde nicht klug daraus.

Am folgenden Tag wartete ich nicht am Tor auf sie, ich ging allein zur Schule. Wir trafen uns im Park, sie entdeckte die blauen Flecke auf meinen Armen und fragte, was passiert sei. Ich zuckte mit den Schultern, so war es nun mal.

»Haben sie dich nur verprügelt?«
»Was sollten sie denn sonst noch mit mir machen?«
»Darfst du noch zur Schule, um Latein zu lernen?«
Ich starrte sie verdutzt an.

War das möglich? Hatte sie mich mitgeschleift, damit meine Eltern mich zur Strafe nicht auf die Mittelschule gehen ließen? Oder hatte sie mich in wilder Hast zurückgebracht, um mir ebendiese Strafe zu ersparen? Oder – so frage ich mich heute – hatte sie sich beides gewünscht?

17

Wir legten die Abschlussprüfung an der Grundschule gemeinsam ab. Als sie erfuhr, dass ich auch zur Aufnahmeprüfung gehen würde, ließ ihre Energie nach. Und so geschah etwas für alle Überraschendes: Ich bestand beide Prüfungen mit einem Durchschnitt von Zehn, der Bestnote; Lila machte ihren Grundschulabschluss in allen Fächern mit Neun und in Arithmetik mit Acht.

Sie sagte nicht ein wütendes oder missmutiges Wort zu mir. Stattdessen begann sie sich mit Carmela Peluso zusammenzutun, der Tochter des spielsüchtigen Tischlers, als genügte ich ihr nicht mehr. Innerhalb weniger Tage war aus uns ein Trio geworden, in dem ich, nunmehr die Klassenerste, fast immer die Dritte war. Die beiden plapperten und alberten in einer Tour herum, besser gesagt, Lila plapperte und alberte herum, Carmela hörte zu und amüsierte sich. Wenn wir zwischen Kirche und Stradone spazieren gingen, lief Lila stets in der Mitte. Immer wenn sie sich stärker Carmela zuwandte, litt ich darunter, am liebsten wäre ich nach Hause gegangen.

In dieser Phase war sie wie betäubt, sie schien einen Sonnenstich zu haben. Es war bereits sehr heiß, und oft kühlten wir unseren Kopf mit dem Wasser vom Straßenbrunnen. Ich sehe sie noch vor mir, mit ihren Haaren und dem tropfenden Gesicht, wie sie immerfort vom kommenden Jahr reden wollte, wenn wir gemeinsam in die Mittelschule gehen würden. Das war nun ihr Lieblingsthema, und sie kam darauf zu sprechen, als wäre es eine der Erzählungen, die sie zu schreiben gedachte, um reich zu werden. Wenn sie redete, wandte sie sich mit Vorliebe an Carmela Peluso, die ihren Abschluss mit insgesamt Sieben absolviert hatte, auch sie war nicht zur Aufnahmeprüfung gegangen.

Lila konnte hervorragend erzählen, alles klang echt,

die Schule, in die wir gehen würden, die Lehrer. Sie brachte mich zum Lachen und erschreckte mich. Doch eines Morgens unterbrach ich sie.

»Lila«, sagte ich, »du kannst nicht in die Mittelschule gehen, du hast die Aufnahmeprüfung nicht gemacht. Du kannst dort ebenso wenig hin wie Carmela.«

Sie wurde wütend. Sagte, sie würde trotzdem hingehen, Prüfung hin oder her.

»Carmela auch?«

»Die auch.«

»Das geht nicht.«

»Du wirst schon sehen.«

Meine Worte schienen ihr allerdings einen Hieb versetzt zu haben. Fortan sprach sie nicht mehr über unsere schulische Zukunft, sie wurde schweigsam. Dann begann sie mit einer plötzlichen Entschlossenheit ihre ganze Familie zu tyrannisieren und herumzuschreien, sie wolle genauso Latein lernen, wie ich und Gigliola Spagnuolo es tun würden. Sie legte sich vor allem mit Rino an, der ihr versprochen hatte, ihr zu helfen, es aber nicht getan hatte. Es war sinnlos, ihr zu erklären, dass da nichts mehr zu machen sei, sie wurde nur noch unvernünftiger und biestiger.

Zu Beginn des Sommers packte mich ein Gefühl, das sich schwer in Worte fassen lässt. Ich erlebte sie gereizt, aggressiv, so wie sie es immer gewesen war, und das freute mich, ich erkannte sie wieder. Doch hinter ihren alten Umgangsformen spürte ich auch einen Schmerz, der mich ärgerte. Sie litt, und ihr Kummer gefiel mir nicht. Mir war sie lieber, wenn sie anders war als ich, weit entfernt von meiner Zaghaftigkeit. Das Unbehagen, das es mir bereitete, sie plötzlich verletzlich zu sehen, verwandelte sich bei mir auf verborgenen Wegen in ein Bedürfnis nach Überlegenheit. Sooft ich konnte, besonders wenn Carmela Peluso mit von der Partie war, ergriff ich vorsichtig die Gelegenheit, Lila daran zu erinnern, dass mein Zeugnis besser gewesen war als ihres. Sooft ich konnte, signalisierte ich ihr vorsichtig, dass ich zur Mittelschule gehen würde und sie nicht. Nicht mehr die Zweite zu sein, sie zu überholen, erschien mir erstmals wie ein Erfolg. Sie muss es bemerkt haben, denn sie wurde noch kratzbürstiger, aber nicht zu mir, sondern zu ihrer Familie.

Wenn ich auf dem Hof darauf wartete, dass sie herunterkam, hörte ich aus den Fenstern häufig ihr Geschrei. Sie zeterte im schlimmsten Straßenjargon, so derb, dass mir Gedanken von Ordnung und Respekt in den Sinn kamen, ich fand es nicht richtig, dass sie sich den Erwachsenen und auch ihrem Bruder gegenüber so aufführte. Gewiss, ihr Vater Fernando konnte furchtbar sein, wenn er seine fünf Minuten hatte. Doch alle Väter explodierten mal vor Wut. Dabei war ihrer, wenn sie ihn nicht reizte, ein freundlicher, sympathischer und fleißiger Mann. Er hatte Ähnlichkeit mit dem Schauspieler Randolph Scott, doch ohne jede Feinheit. Er war grobschlächtiger, ohne helle Farben, sein ungepflegter Bart wuchs ihm bis knapp unter die Augen, und seine Hände waren breit, kurz und in jeder Falte und unter den Fingernägeln mit Schmutz durchsetzt. Er machte gern Scherze. Wenn ich zu Lila nach Hause kam, nahm er meine Nase zwischen Zeigefinger und Mittelfinger und tat so, als würde er sie mir abreißen. Er wollte mich glauben lassen, dass er sie mir gestohlen hatte und dass sie nun eingeklemmt zwischen seinen Fingern wackelte, um zu entwischen und wieder in mein Gesicht zu springen. Das fand ich lustig. Aber sobald Rino oder Lila oder seine anderen Kinder ihn zur Weißglut brachten, bekam auch ich Angst, wenn ich ihn von der Straße aus hörte.

Ich weiß nicht, was an jenem Nachmittag geschah. In der warmen Jahreszeit blieben wir immer bis zum Abendessen draußen. Doch diesmal ließ Lila sich nicht blicken, ich stellte mich unter ihr Fenster im Erdgeschoss, um sie zu rufen. Ich schrie: »Lì, Lì, Lì!«, und meine Stimme gesellte sich zu der donnernden Stimme Fernandos, zu der lauten Stimme seiner Frau, zu der eindringlichen Stimme meiner Freundin. Ich spürte deutlich, dass etwas Entsetzliches vor sich ging. Aus den Fenstern drangen ein wüstes Neapolitanisch und das Krachen zerberstender Gegenstände. Dem Anschein nach war nichts anders als bei mir zu Hause, wenn meine Mutter außer sich geriet, weil das Geld nicht reichte, und mein Vater außer sich geriet, weil sie bereits den Teil des Verdienstes verbraucht hatte, den er ihr gegeben hatte. Allerdings gab es einen wesentlichen Unterschied. Mein Vater beherrschte sich sogar, wenn er wütend war, er wurde auf leise Art gewalttätig und hinderte seine Stimme daran, zu explodieren, auch wenn seine Halsadern anschwollen und seine Augen Blitze sprühten. Fernando dagegen brüllte und zertrümmerte Gegenstände, sein Zorn nährte sich aus sich selbst, er konnte sich nicht beherrschen, auch die Versuche seiner Frau, ihn aufzuhalten, ließen ihn nur noch wütender werden, und selbst wenn er sich gar nicht über sie aufgeregt hatte, schlug er sie schließlich. Also rief ich weiter nach Lila, um sie aus diesem Gewitter aus Schreien, Unflätigkeiten und polternder Verwüstung herauszuholen. Ich rief: »Lì, Lì, Lì!«, aber sie – so hörte ich – beschimpfte ihren Vater unaufhörlich.

Wir waren zehn Jahre alt, in Kürze würden wir elf sein. Ich wurde immer runder, Lila blieb klein und spindeldürr, sie war leicht und zart. Plötzlich verstummte das Geschrei, und wenige Augenblicke später flog meine Freundin über meinen Kopf hinweg aus dem Fenster und landete hinter mir auf dem Asphalt.

Mir blieb der Mund offen stehen. Fernando erschien am Fenster und brüllte noch immer schreckliche Drohungen gegen seine Tochter. Er hatte sie herausgeworfen wie ein Stück Holz.

Ich starrte sie entsetzt an, während sie versuchte, aufzustehen, und mit einer fast belustigten Grimasse zu mir sagte:

»Mir ist nichts passiert.«

Doch sie blutete, sie hatte sich einen Arm gebrochen.

18

Das und noch mehr konnten die Väter ihren unverschämten Töchtern antun. Danach wurde Fernando noch düsterer und noch arbeitsamer als sonst. Den ganzen Sommer über kamen Carmela, Lila und ich häufig an seiner Werkstatt vorbei, aber während Rino uns stets fröhlich zuwinkte, schaute der Schuster seine Tochter, solange sie den Arm in Gips trug, nicht einmal an. Man sah, dass es ihm leidtat. Seine väterliche Brutalität war nichts im Vergleich mit der im Rione üblichen Gewalt. In der Solara-Bar stürzte man in der Hitze zwischen Spielverlusten und fürchterlichen Saufgelagen oft ab (was im Dialekt so viel bedeutete, wie jede Hoffnung zu verlieren, und auch, vollkommen pleitezugehen), was in Schlägereien ausartete. Der Padrone, Silvio Solara, ein stämmiger Mann mit einem beeindruckenden Bauch, blauen Augen und einer sehr hohen Stirn, hatte einen dunklen Stock unter dem Tresen, mit dem er mir nichts, dir nichts jeden verprügelte, der seine Zeche nicht bezahlte, jeden, der hatte anschreiben lassen und am Fälligkeitstag seine Rechnung nicht begleichen wollte, und jeden, der Abmachungen traf, sie dann aber nicht einhielt, und häufig halfen ihm seine Söhne Marcello und Michele dabei, halbwüchsige Jungen im Alter von Lilas Bruder, die noch härter zuschlugen als ihr Vater. Man teilte Prügel aus und bekam welche. Danach gingen die Männer nach Hause, noch gereizter von den Verlusten im Spiel, vom Alkohol, von den Schulden, von den Fälligkeitsterminen und von den Schlägen, und beim ersten falschen Wort verprügelten sie Frau und Kinder, eine Kette von Unrecht, das weiteres Unrecht auslöste.

Mitten in dieser langen Ferienzeit geschah etwas, das alle erschütterte, doch auf Lila eine ganz besondere Wirkung hatte. Don Achille, der schreckliche Don Achille, wurde am frühen Nachmittag eines erstaunlich regnerischen Augusttages in seiner Wohnung ermordet.

Er war in der Küche und hatte gerade das Fenster geöffnet, um etwas frische Regenluft hereinzulassen. Dazu hatte er extra seine Mittagsruhe unterbrochen und war aus dem Bett aufgestanden. Er trug einen stark verschlissenen, hellblauen Schlafanzug und an den Füßen nur gelbliche Socken, die an den Fersen schwarz verfärbt waren. Kaum hatte er das Fenster geöffnet, traf ihn ein Regenschauer ins Gesicht und rechts am Hals, genau zwischen Unterkiefer und Schlüsselbein, ein Messerstich.

Das Blut spritzte aus seinem Hals und traf einen an der Wand hängenden Kupfertopf. Das Kupfer glänzte so hell, dass das Blut wie ein Tintenklecks aussah, aus dem – erzählte uns Lila – taumelnd eine schwarze Linie herabsickerte. Der Mörder – doch sie glaubte eher an eine Mörderin – war nicht gewaltsam eingedrungen, zu einer Uhrzeit, als die Kinder draußen waren und die Erwachsenen schliefen, falls sie nicht arbeiten waren. Er hatte bestimmt einen Dietrich benutzt. Und bestimmt hatte er die Absicht gehabt, Don Achille im Schlaf ins Herz zu stechen. Aber er hatte ihn wach angetroffen und ihm daher diesen Stich in den Hals versetzt. Mit der Klinge bis zum Heft im Hals, mit weit aufgerissenen Augen und mit dem in Strömen fließenden Blut auf seinem Schlafanzug hatte Don Achille sich umgedreht. Er war auf die Knie gefallen und dann mit dem Gesicht auf dem Boden aufgeschlagen.

Der Mord hatte Lila dermaßen beeindruckt, dass sie uns fast täglich mit großer Ernsthaftigkeit dessen Schilderung aufdrängte, mit immer neuen Details, als wäre sie dabei gewesen. Beim Zuhören bekamen sowohl ich als auch Carmen Peluso es mit der Angst zu tun, Carmen konnte nachts sogar nicht mehr schlafen. An der schrecklichsten Stelle, wenn die schwarze, blutige Linie am Kupfertopf herabsickerte, verengten sich Lilas Augen zu zwei grausamen Schlitzen. Garantiert stellte sie sich nur deshalb vor, der Täter sei weiblich, weil sie sich so leichter in ihn hineinversetzen konnte.

Damals gingen wir oft zu den Pelusos, um Dame oder Tris zu spielen, Lila hatte angefangen, sich dafür zu begeistern. Carmelas Mutter ließ uns ins Esszimmer, dessen Möbel sämtlich von ihrem Mann gebaut worden waren, bevor Don Achille ihm das Tischlerwerkzeug und die Werkstatt weggenommen hatte. Wir setzten uns an den Tisch, der zwischen zwei Spiegelkommoden stand, und spielten. Carmela wurde mir immer unsympathischer, aber ich tat so, als wäre ich mit ihr ebenso befreundet wie mit Lila, ja, manchmal ließ ich sie sogar in dem Glauben, sie wäre mir lieber. Dafür hatte ich Signora Peluso sehr gern. Sie hatte in der Tabakfabrik gearbeitet, doch vor einigen Monaten ihre Arbeit verloren und war nun den ganzen Tag zu Hause. Sie war jedoch im Glück wie im Unglück eine Frohnatur, dick, mit einem großen Busen und rotglühenden Wangen, und obwohl das Geld knapp war, hatte sie stets etwas zum Naschen für uns. Auch ihr Mann wirkte etwas ruhiger. Er war nun Kellner in einer Pizzeria und zwang sich, nicht mehr in die Solara-Bar zu gehen und das Wenige, das er verdiente, nicht beim Kartenspiel zu verlieren.

Eines Morgens spielten wir im Esszimmer Dame, Carmela und ich gegen Lila. Wir saßen am Tisch, wir zwei auf der einen Seite, sie auf der anderen. Sowohl hinter Lila als auch hinter Carmela und mir stand eine Spiegelkommode, beide identisch. Sie waren aus dunklem Holz und hatten einen verschnörkelten Rahmen. Ich betrachtete uns drei, bis ins Unendliche gespiegelt, und konnte mich nicht konzentrieren, sowohl wegen unserer zahllosen Spiegelbilder, die mir nicht gefielen, als auch wegen Alfredo Pelusos Gebrüll, der an diesem Tag ausgesprochen reizbar war und sich über seine Frau Giuseppina aufregte.

Da klopfte es an der Tür, Signora Peluso öffnete. Heftiger Protest, Schreie. Wir drei liefen in den Flur und sahen Carabinieri, Gestalten, vor denen wir eine Heidenangst hatten. Die Carabinieri ergriffen Alfredo und nahmen ihn mit. Er fuchtelte mit den Armen, schrie, rief die Namen seiner Kinder, Pasquale, Carmela, Ciro, Immacolata, klammerte sich an die eigenhändig gebauten Möbel, an die Stühle, an Giuseppina und beteuerte, dass er Don Achille nicht umgebracht habe, dass er unschuldig sei. Carmela weinte verzweifelt, alle weinten, und auch ich brach in Tränen aus. Nur Lila nicht, Lila hatte denselben Blick, mit dem sie Jahre zuvor Melina angesehen hatte, allerdings mit einem Unterschied: Obwohl sie sich nicht rührte, schien sie zusammen mit Alfredo Peluso in Bewegung zu sein, der, »Aaah!«, rauhe, grauenhafte Schreie ausstieß.

Es war das Schrecklichste, was wir in unserer Kindheit erlebt haben, es erschütterte mich sehr. Lila kümmerte sich um Carmen, tröstete sie. Sie sagte, falls es wirklich ihr Vater gewesen sei, habe er gut daran getan, Don Achille zu ermorden, doch sie glaube nicht, dass er es gewesen sei. Bestimmt sei er unschuldig und werde schon bald aus dem Gefängnis ausbrechen. Die zwei tuschelten in einem fort, und wenn ich mich ihnen näherte, gingen sie etwas weiter weg, damit ich sie nicht hörte.

FRÜHE JUGEND

Die Geschichte von den Schuhen

I

Am 31. Dezember 1958 erlebte Lila ihre erste Episode der Auflösung. Dieser Begriff stammt nicht von mir, sie war es, die ihn immer verwendete. Sie sagte, in solchen Momenten lösten sich die Ränder der Menschen und Dinge plötzlich auf. Als sie in jener Nacht auf der Dachterrasse, wo wir den Anbruch des Jahres 1959 feierten, jäh von diesem Gefühl übermannt wurde, erschrak sie und behielt die Sache für sich, damals noch unfähig, sie zu benennen. Erst viele Jahre später, an einem Novemberabend 1980 – wir waren inzwischen beide sechsunddreißig Jahre alt, verheiratet und hatten Kinder –, beschrieb sie mir genau, was sie damals erlebt hatte und was sie noch immer erlebte, und benutzte dabei erstmals dieses Wort.

Wir waren im Freien, auf einem der Wohnblocks unseres Rione. Obwohl es eiskalt war, trugen wir Mädchen leichte, dekolletierte Kleider, denn wir wollten gut aussehen. Wir schauten den Jungen zu, die ausgelassen und aggressiv waren, schwarze Gestalten, von der Party, vom Essen und vom Spumante berauscht. Sie brannten zur Feier des neuen Jahres Feuerwerkskörper ab, ein Ritual, an dessen Vorbereitung Lila, wie sie später erzählte, maßgeblich beteiligt gewesen war, so dass sie nun hochzufrieden die Feuerstreifen am Himmel betrachtete. Doch unversehens – erzählte sie mir – war ihr trotz der Kälte der Schweiß ausgebrochen. Sie hatte das Gefühl gehabt, dass alle zu laut schrien und sich zu schnell bewegten. Dies ging mit einer Übelkeit einher, ihr war, als würde etwas durchaus Materielles, das sie und jeden und alles seit jeher umgab, ohne dass man es wahrnehmen konnte, nun offenbar werden und die Konturen der Menschen und Dinge sprengen.

Ihr Herz klopfte wie wild. Nun schauderte ihr vor dem Gejohle, das aus den Kehlen all derer kam, die sich im Qualm und im Geknall auf der Terrasse bewegten, als gehorchte ihr Lärmen neuen, unbekannten Gesetzen. Sie empfand Abscheu, der Dialekt hatte alles Vertraute verloren, die Art, wie unsere feuchten Kehlen die Wörter herausgurgelten, war ihr unerträglich. Etwas Abstoßendes hatte alle diese sich bewegenden Körper erfasst, ihren Knochenbau, die Raserei, die sie schüttelte. ›Wir sind so deformiert‹, dachte sie, ›so unzulänglich.‹ Die breiten Schultern, die Arme, die Beine, die Ohren, die Nasen, die Augen erschienen ihr wie die Attribute monströser Wesen, die aus einem Winkel des schwarzen Himmels gefallen waren. Dieser Abscheu konzentrierte sich aus irgendeinem Grund vor allem auf den Körper ihres Bruders Rino, auf den Menschen, der ihr am vertrautesten war, auf den Menschen, den sie am meisten liebte.

Ihr war, als sähe sie ihn zum ersten Mal so, wie er

wirklich war: eine animalische Gestalt, plump und untersetzt, die am lautesten grölende, die wildeste, die gierigste, die armseligste. Der Aufruhr in ihrem Innern war zu viel für sie, sie rang nach Luft. Zu viel Qualm, zu viel Gestank, zu viele Feuerblitze in der Eiseskälte. Lila versuchte, sich zu beruhigen, sagte sich: ›Ich muss diesen Nebel, der mich durchzieht, wieder loswerden, muss ihn unbedingt von mir fernhalten.‹ Da hörte sie zwischen den Jubelschreien eine Art letzte Detonation, und so etwas wie der Windzug eines Flügelschlags pfiff an ihr vorbei. Jemand feuerte nicht mehr nur Raketen und Böller ab, sondern Pistolenschüsse. Ihr Bruder schrie unerträgliche Obszönitäten in Richtung der gelblichen Blitze.

Als Lila mir dies alles erzählte, sagte sie auch, dass ihr das, was sie als Auflösung bezeichnete, damals keineswegs neu gewesen war, obwohl diese so klar nur in jener Nacht über sie gekommen war. Zum Beispiel hatte sie schon oft das Gefühl gehabt, für den Bruchteil einer Sekunde in einen anderen Menschen oder in ein Ding oder in eine Zahl oder in eine Silbe überzugehen und dabei deren Konturen zu verletzen. Und an dem Tag, als ihr Vater sie aus dem Fenster geworfen hatte, war sie sich, während sie auf den Asphalt zuflog, absolut sicher gewesen, dass freundliche, rötliche Tierchen die Struktur der Straße auflösten und sie in einen glatten, weichen Stoff verwandelten. Aber in jener Neujahrsnacht hatte sie zum ersten Mal erlebt, dass sie unbekannte Wesen sah, die das Gesicht der Welt zertrümmerten und deren erschreckende Natur zum Vorschein brachten. Das hatte sie erschüttert.

2

Als man Lila den Gips abnahm und ihr bleiches, doch völlig intaktes Ärmchen sichtbar wurde, kam ihr Vater Fernando mit sich selbst ins Reine, und ohne sich direkt zu äußern, auf dem Umweg über seine Frau Nunzia und Rino, erlaubte er Lila, eine Schule zu besuchen, um ich weiß nicht genau was zu lernen, Stenographie und Maschineschreiben oder Buchführung oder Hauswirtschaftslehre oder alle drei Fächer zusammen.

Sie ging widerwillig hin. Nunzia wurde von den Lehrern in die Schule bestellt, weil ihre Tochter häufig unentschuldigt fehlte, den Unterricht störte, nicht antwortete, wenn sie abgefragt wurde, ihre Übungen in nur fünf Minuten erledigte und dann ihre Klassenkameradinnen ärgerte. Irgendwann bekam Lila eine schlimme Grippe, sie, die sonst nie krank wurde, und sie schien sie mit einer Art Resignation hinzunehmen, so dass das Virus ihr rasch alle Energie raubte. Die Tage vergingen, und sie erholte sich nicht. Sobald sie wieder auf den Beinen war, noch blasser als sonst, bekam sie erneut Fieber. Einmal traf ich sie auf der Straße und hatte den Eindruck, ein Gespenst vor mir zu haben, das Gespenst eines Mädchens, das giftige Beeren gegessen hat, wie ich es auf einem Bild in einem von Maestra Olivieros Büchern gesehen hatte. Dann verbreitete sich das Gerücht, sie werde bald sterben, was mich in eine unerträgliche Angst versetzte. Doch sie wurde wieder gesund, fast gegen ihren Willen. Aber in die Schule ging sie immer seltener, mit der Ausrede, sie sei nicht bei Kräften, und am Schuljahresende blieb sie sitzen.

Auch mir erging es in der ersten Klasse der Mittelschule nicht gut. Anfangs hatte ich große Erwartungen, und obwohl ich es mir nicht direkt eingestand, war ich doch froh, mit Gigliola Spagnuolo dort hingekommen zu sein und nicht mit Lila. Ein Teil von mir freute sich insgeheim auf eine Schule, zu der sie niemals Zugang haben würde, in der ich ohne sie die Beste sein würde und von der ich ihr bei Gelegenheit großspurig erzählen konnte. Doch ich geriet sofort ins Schwimmen, viele waren besser als ich. Zusammen mit Gigliola landete ich in einer Art Sumpf, wir waren wie kleine Tiere, die vor ihrer Mittelmäßigkeit erschraken, und kämpften das ganze Jahr über, um nicht unter den Letzten zu sein. Ich fühlte mich miserabel. In mir keimte der Gedanke auf, dass ich ohne Lila wohl nie in den Genuss käme, zur winzigen Gruppe der Besten zu gehören.

Ab und zu traf ich Alfonso am Eingang, Don Achilles jüngeren Sohn, aber wir taten so, als würden wir uns nicht kennen. Ich wusste nicht, was ich zu ihm sagen sollte, war davon überzeugt, dass Alfredo Peluso gut daran getan hatte, Alfonsos Vater zu ermorden, und fand keine Worte des Trostes. Ich konnte nicht einmal Mitleid mit ihm als Waise haben, es war, als wäre er ein wenig schuld an der Angst, die Don Achille mir jahrelang eingejagt hatte. Auf Alfonsos Jacke war ein schwarzes Band genäht, er lachte nie und blieb stets für sich allein. Er war in einer anderen Klasse als ich, und es hieß, er sei sehr gut. Am Schuljahresende war zu erfahren, dass er mit einem Durchschnitt von Acht versetzt worden war, und das deprimierte mich sehr. Gigliola musste zu Nachprüfungen in Latein und Mathematik, und ich schlug mich insgesamt mit einer Sechs durch.

Als die Ergebnisse ausgehängt wurden, bestellte die Lehrerin meine Mutter in die Schule und sagte ihr in meinem Beisein, dass ich in Latein nur dank ihrer Großzügigkeit durchgekommen sei, dass ich ohne Privatstunden das kommende Schuljahr aber garantiert nicht schaffen würde. Ich fühlte mich doppelt gedemütigt. Ich schämte mich, weil ich nicht in der Lage gewesen war, so gut wie in der Grundschule zu sein, und ich schämte mich wegen des Unterschieds zwischen der ebenmäßigen, ordentlich gekleideten Gestalt der Lehrerin, ihrem Italienisch, das ein wenig an das aus der *Ilias* erinnerte, und der schiefen Gestalt meiner Mutter, ihren alten Schuhen, ihren glanzlosen Haaren, ihrem entstellten Italienisch voller Grammatikfehler.

Auch meine Mutter dürfte die Last dieser Demütigung gespürt haben. Düster kehrte sie nach Hause zurück und sagte zu meinem Vater, die Lehrer seien unzufrieden mit mir, sie brauche Hilfe im Haushalt und ich solle nicht mehr zur Schule gehen. Sie diskutierten lange, stritten sich, und am Ende entschied mein Vater, ich dürfe weiterlernen, da ich immerhin versetzt worden sei, während Gigliola in gleich zwei Fächern hängengeblieben war.

Ich verbrachte einen schlaffen Sommer auf dem Hof und an den Teichen, meistens in Gesellschaft von Gigliola, die mir oft von dem jungen Studenten erzählte, der zu ihr nach Hause kam, um ihr Nachhilfestunden zu geben, und der sie ihrer Meinung nach liebte. Ich hörte ihr zu, langweilte mich aber. Manchmal sah ich Lila mit Carmela Peluso spazieren gehen, auch sie hatte irgendeine Schule besucht und war sitzengeblieben. Ich spürte, dass Lila nicht mehr meine Freundin sein wollte, das löste eine große Müdigkeit in mir aus. In der Hoffnung, dass meine Mutter es nicht sah, legte ich mich gelegentlich aufs Bett und döste vor mich hin.

Eines Nachmittags schlief ich wirklich ein, und als ich erwachte, war ich patschnass. Ich ging zur Toilette, um nachzusehen, was los war, und entdeckte, dass mein Höschen blutdurchtränkt war. Aus Angst vor ich weiß nicht was, vielleicht vor einem möglichen Vorwurf meiner Mutter, mich zwischen den Beinen verletzt zu haben, wusch ich es gründlich, wrang es aus und zog es feucht wieder an. Dann ging ich in die Hitze des Hofes hinaus. Mit ängstlichem Herzklopfen.

Ich traf Lila und Carmela, schlenderte mit ihnen bis zur Kirche. Ich spürte, wie ich erneut nass wurde, versuchte aber, mich mit dem Gedanken zu beruhigen, dass das nur an dem feuchten Höschen liege. Als meine Angst unerträglich wurde, flüsterte ich Lila zu:

»Ich muss dir was sagen.«

»Was denn?«

»Ich will es nur dir sagen.«

Ich griff nach ihrem Arm und versuchte, sie von Carmela wegzuziehen, doch sie folgte uns. Meine Beklemmung war so groß, dass ich mich schließlich beiden anvertraute, wobei ich mich nur an Lila wandte.

»Was kann das sein?«, fragte ich.

Carmela wusste alles. Sie hatte dieses Bluten schon seit einem Jahr, jeden Monat.

»Das ist normal«, sagte sie. »Frauen haben das von Natur aus. Du blutest ein paar Tage, dir tut der Bauch und der Rücken weh, aber dann hört es auf.«

»Wirklich?«

»Wirklich.«

Lilas Schweigen trieb mich zu Carmela. Die Natürlichkeit, mit der sie mir das Wenige mitgeteilt hatte, was sie wusste, beruhigte mich und machte sie mir sympathisch. Ich redete den ganzen Nachmittag mit ihr, bis es Zeit fürs Abendessen wurde. An dieser Wunde stirbt man nicht, fand ich heraus. Im Gegenteil: »Es bedeutet, dass du erwachsen bist und Kinder kriegen kannst, wenn dir ein Mann sein Dings in den Bauch steckt.«

Lila hörte uns zu, ohne oder fast ohne ein Wort zu sagen. Wir fragten sie, ob sie das Bluten auch habe, und sahen sie zögern, dann verneinte sie widerstrebend. Plötzlich kam sie mir klein vor, viel kleiner, als ich sie je gesehen hatte. Sie war sechs oder sieben Zentimeter kleiner als ich, war nur Haut und Knochen und trotz der vielen Zeit, die sie im Freien verbrachte, kalkweiß. Und sie war sitzengeblieben. Und sie hatte keine Ahnung, was dieses Bluten war. Und kein Junge hatte ihr je eine Liebeserklärung gemacht.

»Du wirst das schon auch noch kriegen«, sagten wir mit geheucheltem Mitleid.

»Ist mir scheißegal«, sagte sie. »Ich habe das nicht, weil ich das nicht haben will, ich find's eklig. Und die, die das haben, finde ich auch eklig.«

Sie wollte schon gehen, blieb dann aber stehen und fragte mich:

»Wie ist Latein?«

»Schön.«

»Bist du gut darin?«

»Sehr gut.«

Sie ließ sich das durch den Kopf gehen und brummte:

»Ich bin mit Absicht sitzengeblieben. Ich will in überhaupt keine Schule mehr gehen.«

»Und was willst du dann tun?«

»Was mir Spaß macht.«

Sie ließ uns auf dem Hof stehen und ging weg.

Den restlichen Sommer über ließ sie sich nicht mehr blicken. Ich freundete mich mit Carmela Peluso an, die, obwohl sie lästigerweise zwischen zu viel Gekicher und zu viel Gejammer schwankte, so stark von Lila beeinflusst war, dass sie zuweilen zu einer Art Ersatz wurde. Wenn sie sprach, ahmte sie Lilas Tonfall nach, verwendete bestimmte, für Lila typische Redewendungen, gestikulierte wie sie und versuchte, sich beim Gehen wie sie zu bewegen, obwohl Carmela körperlich mehr Ähnlichkeit mit mir hatte. Sie war hübsch, pausbäckig und strotzte vor Gesundheit. Diese unrechtmäßige Aneignung verstimmte und fesselte mich zugleich. Ich schwankte zwischen dem Ärger über eine Kopie, die mir wie eine Karikatur vorkam, und Entzücken, denn Lilas Art faszinierte mich, selbst in verdünnter Form. Gerade mit dieser Art band Carmela mich schließlich an sich. Sie erzählte, wie schlimm die neue Schule sei. Alle ärgerten sie, und die Lehrer könnten sie nicht ausstehen. Sie erzählte von ihrem Besuch mit ihrer Mutter und ihren Geschwistern bei ihrem Vater im Gefängnis von Poggioreale, davon, wie sie alle geweint hätten. Sie erzählte, dass ihr Vater unschuldig sei und Don Achille von einem dunklen Wesen, teils männlich, doch überwiegend weiblich, ermordet worden sei. Es wohne bei den Ratten, komme auch tagsüber durch einen Gullydeckel aus der Kanalisation und tue, was es Schreckliches tun müsse, um dann wieder unter der Erde zu verschwinden. Und unversehens erzählte sie mit einem eitlen Lächeln, dass sie in Alfonso Carracci verliebt sei. Gleich nach dem Lächeln kamen die Tränen. Diese Liebe quäle sie, raube ihr alle Kraft, die Tochter des Mörders habe sich in den Sohn des Opfers verliebt. Es genüge ihr schon, ihn über den Hof gehen zu sehen, um weiche Knie zu bekommen.

Was sie mir da am Schluss anvertraute, berührte mich

sehr und besiegelte unsere Freundschaft. Carmela versicherte, noch nie mit jemandem darüber gesprochen zu haben, nicht einmal mit Lila. Sie habe sich entschlossen, mich ins Vertrauen zu ziehen, weil sie es nicht mehr ertragen könne, das alles für sich zu behalten. Ihre dramatische Art gefiel mir. Wir erörterten alle möglichen Konsequenzen dieser Leidenschaft, bis die Schule wieder begann und ich keine Zeit mehr hatte, mir das alles anzuhören.

Was für eine Geschichte. Vielleicht hätte sich nicht einmal Lila so eine Erzählung ausdenken können.

3

Eine Zeit des Unbehagens begann. Ich wurde dick, mir wuchsen kleine, unter der Haut sehr harte Brustspitzen, unter meinen Achseln und an meiner Scham sprossen Härchen, ich war zunehmend niedergeschlagen und gleichzeitig gereizt. Die Schule war für mich anstrengender als in den Jahren zuvor, bei meinen Rechenaufgaben kam fast nie das vom Lehrbuch vorgesehene Ergebnis heraus, die Sätze in Latein schienen weder Hand noch Fuß zu haben. Sobald ich konnte, schloss ich mich in der Toilette ein und betrachtete mich nackt im Spiegel. Ich wusste nicht mehr, wer ich war. Argwöhnte nun, ich könnte mich immer mehr verändern, bis meine Mutter, hinkend und mit einem schielenden Auge, aus mir hervorsprießen würde und kein Mensch mich mehr gernhätte. Ich weinte viel, aus heiterem Himmel. Meine harten Brüste wurden größer und weicher. Ich fühlte mich dunklen Kräften ausgeliefert, die aus dem Inneren meines Körpers wirkten, ich stand ständig unter Spannung.

Eines Morgens, auf dem Weg zur Schule, lief mir Gino, der Sohn des Apothekers, auf der Straße nach und sagte, seine Freunde glaubten, meine Brüste seien nicht echt, ich würde mich vorn mit Watte ausstopfen. Er lachte beim Reden. Er sagte auch, er selbst glaube, dass sie echt seien, er habe zwanzig Lire darauf gewettet. Schließlich sagte er noch, falls er gewinnen sollte, würde er zehn Lire behalten und mir die anderen zehn geben, doch ich müsste beweisen, dass ich keine Watte benutzte.

Dieses Ansinnen jagte mir einen großen Schreck ein. Da ich nicht wusste, wie ich mich verhalten sollte, griff ich bewusst zu Lilas unverschämtem Ton:

»Gib mir die zehn Lire.«

»Wieso, habe ich recht?«

»Ja.«

Er rannte weg, ich ging enttäuscht weiter. Doch kurz darauf holte er mich mit einem seiner Klassenkameraden ein, an dessen Namen ich mich nicht erinnere, einem spindeldürren Jungen mit einem dunklen Flaum auf der Oberlippe. Gino sagte:

»Er muss dabei sein, sonst glauben mir die anderen nicht, dass ich gewonnen habe.«

Wieder nahm ich Zuflucht zu Lilas Ton:

»Erst das Geld.«

»Und wenn du doch Watte drin hast?«

»Hab' ich nicht.«

Er gab mir die zehn Lire, und schweigend stiegen wir drei ins oberste Stockwerk eines Wohnblocks hinauf, der nur wenige Meter vom Park entfernt stand. Dort, an der kleinen Eisentür, die zur Dachterrasse führte, hob ich, von zarten Lichtsegmenten deutlich gezeichnet, mein Hemd hoch und zeigte meine Brüste. Die beiden starrten mich reglos an, als könnten sie nicht glauben, was sie da vor Augen hatten. Dann machten sie kehrt und rasten die Treppe hinunter.

Ich atmete erleichtert auf, ging in die Solara-Bar und kaufte mir ein Eis.

Diese Episode hat sich mir tief eingeprägt. Zum ersten Mal hatte ich die Anziehungskraft meines Körpers auf das männliche Geschlecht gespürt, vor allem aber wurde mir bewusst, dass Lila nicht nur auf Carmen, sondern auch auf mich wirkte wie ein forderndes Phantom. Hätte ich allein in der puren Verwirrung der Gefühle in einer solchen Situation eine Entscheidung treffen müssen, was hätte ich getan? Ich wäre weggerannt. Und wenn ich mit Lila zusammen gewesen wäre? Ich hätte sie am Arm weggezogen, hätte ihr ins Ohr geflüstert: »Lass uns gehen«, und wäre dann wie üblich geblieben, nur weil sie wie üblich beschlossen hätte, zu bleiben. Doch in ihrer Abwesenheit hatte ich mich nach einem kurzen Zögern in sie hineinversetzt. Oder besser, ich hatte sie in mich hineinversetzt. Wenn ich an den Moment zurückdachte, da Gino mir sein Ansinnen vorgetragen hatte, sah ich deutlich, wie ich mich selbst zurückgedrängt hatte, wie ich Lilas Blick, Tonfall und Gestik aus Situationen dreister Konfrontation imitiert hatte, und war sehr zufrieden damit. Doch mehrmals fragte ich mich leicht besorgt: ›Bin ich etwa wie Carmela?‹ Das glaubte ich nicht, ich glaubte, anders zu sein, konnte mir aber nicht erklären, inwiefern, und verdarb mir meine Zufriedenheit. Als ich mit dem Eis an Fernandos Werkstatt vorbeikam und Lila entdeckte, die damit beschäftigt war, auf einer langen Konsole Schuhe zu ordnen, war ich versucht, sie zu rufen, ihr alles zu erzählen und zu hören, was sie davon hielt. Doch sie sah mich nicht, und so ging ich vorbei.

4

Sie hatte ständig zu tun. In jenem Jahr drängte Rino sie, sich wieder für die Schule anzumelden, doch erneut ging sie fast nie hin, und erneut blieb sie absichtlich sitzen. Ihre Mutter wollte, dass sie ihr im Haushalt half, ihr Vater wollte, dass sie in die Werkstatt kam, und anstatt sich zu widersetzen, schien sie urplötzlich geradezu froh zu sein, für beide zu arbeiten. Die seltenen Male, wenn wir uns sahen – sonntags nach der Messe oder bei einem Spaziergang zwischen Park und Stradone –, zeigte sie nie das geringste Interesse an meiner Schule und begann sofort hitzig und voller Bewunderung über die Arbeit ihres Vaters und ihres Bruders zu reden.

Sie hatte erfahren, dass ihr Vater als junger Bursche in seinem Streben nach Unabhängigkeit aus der Werkstatt des Großvaters, auch er ein kleiner Schuster, ausgerissen war, um in einer Schuhfabrik in Casoria zu arbeiten, wo er Schuhe für alle hergestellt hatte, auch für die, die in den Krieg zogen. Lila hatte entdeckt, dass Fernando einen Schuh von Anfang bis Ende in Handarbeit fertigen konnte, sich aber auch bestens mit Maschinen auskannte und sie alle zu bedienen wusste, die Schneidemaschine, die Doppelmaschine, die Ausputzmaschine. Sie erzählte mir von Leder, von Oberledern, von Lederwarenhändlern und Lederwarenherstellern, von ganzen und halben Absätzen, von der Präparation des Garns, von Brandsohlen und davon, wie man eine Sohle befestigte, wie man sie färbte und wie man sie glättete. Sie benutzte die Fachausdrücke, als wären sie Zauberworte und als hätte ihr Vater sie in einer magischen Welt gelernt – in Casoria, in der Fabrik –, aus der er dann wie ein satter Entdecker zurückgekehrt war, so satt, dass ihm nun die kleine Schusterbude der Familie lieber war, die stille Werkbank, der Hammer, das Schuhmachereisen, der angenehme Geruch nach Leim vermischt mit dem alter Schuhe. Sie zog mich mit einer so energischen Begeisterung in dieses Vokabular hinein, dass mir ihr Vater und Rino mit ihrer Fähigkeit, die Füße der Leute mit haltbaren, bequemen Schuhen zu bekleiden, wie die großartigsten Menschen des Rione erschienen. Vor allem ging ich jedes Mal mit dem Gefühl nach Hause, von einem seltenen Privileg ausgeschlossen zu sein, da ich meine Tage nicht in einer Schusterwerkstatt verbrachte und nur einen gewöhnlichen Pförtner als Vater hatte.

Ich begann meine Anwesenheit in der Schule als sinnlos zu empfinden. Viele Monate lang schien mir jede Verheißung, jede Kraft aus den Lehrbüchern verschwunden zu sein. Nach dem Unterricht ging ich, von meinen Misserfolgen gelähmt, nur deshalb an Fernandos Werkstatt vorbei, um Lila an ihrem Arbeitsplatz zu sehen, an einem kleinen Tisch hinten im Raum, mit ihrem schmächtigen Oberkörper ohne den Schatten eines Busens, dem dünnen Hals und dem abgezehrten Gesicht. Ich weiß nicht, was sie im Einzelnen tat, aber sie saß dort geschäftig hinter der Glastür, zwischen dem gesenkten Kopf ihres Vaters und dem gesenkten Kopf ihres Bruders, keine Bücher, kein Unterricht, keine Schulaufgaben. Manchmal blieb ich wie eine Kundin stehen, die sich für die Auslagen interessiert, um mir die Schuhcremedosen im Schaufenster anzusehen, die alten, frisch besohlten Schuhe und die neuen, die mit Hilfe einer Form, die das Leder dehnte, geweitet wurden, um sie bequemer zu machen. Ich ging erst weiter, und nur widerwillig, wenn Lila mich entdeckte und grüßte, ich erwiderte den Gruß, und sie konzentrierte sich wieder auf ihre Arbeit. Oft war es Rino, der mich als Erster sah, und er zog Fratzen, um mich zum Lachen zu bringen. Dann lief ich verlegen weg, ohne auf Lilas Blick zu warten.

An einem Sonntag ertappte ich mich dabei, wie ich mit Carmela Peluso leidenschaftlich über Schuhe sprach. Sie kaufte sich gern die Illustrierte *Sogno* und verschlang die Fotoromane. Anfangs schien mir das Zeitverschwendung zu sein, doch dann begann auch ich einen Blick hineinzuwerfen, und nun lasen wir sie gemeinsam im Park und kommentierten die Geschichten der einzelnen Figuren und ihre Dialoge, die in weißer Schrift auf schwarzem Grund zu lesen waren. Stärker als ich neigte Carmela dazu, zunächst über die fiktiven Liebesgeschichten und dann übergangslos von ihrer realen Liebe zu reden, der Liebe zu Alfonso. Um ihr in nichts nachzustehen, erzählte ich ihr vom Sohn des Apothekers, Gino, und behauptete, er liebe mich. Das glaubte sie mir nicht. Der Apothekersohn war in ihren Augen so etwas wie ein unerreichbarer Prinz, der künftige Erbe der Apotheke, ein Signore, der niemals eine Pförtnertochter heiraten würde, und so war ich drauf und dran, ihr zu erzählen, dass er mich gebeten hatte, ihm meine Brüste zu zeigen, dass ich es getan und dadurch zehn Lire verdient hatte. Doch auf unseren Knien lag aufgeschlagen der *Sogno*, und mein Blick fiel auf die bildschönen Pumps einer der Schauspielerinnen. Das schien mir ein wesentlich aufregenderes Thema zu sein als die Geschichte meiner Brüste. Ich konnte nicht anders, ich begann die Schuhe und den, der sie so wunderbar angefertigt hatte, zu loben und schwärmte, dass weder Gino noch Alfonso uns widerstehen könnten, wenn wir solche Schuhe trügen. Je mehr ich redete, umso deutlicher musste ich mit einiger Verlegenheit erkennen, dass ich versuchte, mir Lilas neue Leidenschaft zu eigen zu machen. Carmela hörte nur mit halbem Ohr zu, dann sagte sie, sie müsse gehen. Schuhe und Schuhmacher interessierten sie herzlich wenig oder gar nicht. Im Unterschied zu mir hielt sie, obwohl sie Lila nachahmte, an den einzigen Dingen fest, die sie wirklich fesselten: Fotoromane und Liebe.

5

So ging es damals die ganze Zeit. Ich musste bald einsehen, dass das, was ich allein tat, mich nicht begeistern konnte, nur das, was Lila antippte, wurde wichtig. Doch wenn sie sich entfernte, wenn ihre Stimme sich von den Dingen entfernte, wurden die Dinge fleckig, staubig. Die Mittelschule, der Lateinunterricht, die Lehrer, die Bücher und die Sprache der Bücher waren in meinen Augen weit weniger spannend als die Vollendung eines Schuhs, und das deprimierte mich.

Doch eines Sonntags änderte sich wieder alles. Carmela, Lila und ich waren zum Religionsunterricht gegangen, wir mussten uns auf die Erstkommunion vorbereiten. Beim Hinausgehen sagte Lila, sie habe zu tun, und verabschiedete sich. Aber ich sah, dass sie anstatt nach Hause zu meiner großen Überraschung in die Grundschule ging.

Ich setzte meinen Weg mit Carmela fort, doch da ich

mich langweilte, verabschiedete ich mich von ihr und kehrte um, nachdem ich eine Runde ums Haus gedreht hatte. Sonntags waren die Schulen geschlossen, wie war Lila bloß in das Gebäude gekommen? Mit großem Zaudern wagte ich mich vor bis zum Eingangstor, dann bis in die Vorhalle. Ich war nie wieder in meiner alten Schule gewesen und war sehr gerührt, ich erkannte den Geruch wieder, der ein wohliges Gefühl in mir auslöste, ein Bewusstsein meiner selbst, wie ich es nicht mehr gehabt hatte. Ich ging durch die einzige offene Tür im Erdgeschoss. Sie führte in einen großen Raum mit Neonlicht, an dessen Wänden Regale voller alter Bücher standen. Ich zählte ein Dutzend Erwachsene und viele Kinder. Sie nahmen sich Bücher, blätterten darin, stellten sie zurück, entschieden sich für eines. Dann standen sie in einer Schlange vor einem Schreibtisch an, hinter dem ein alter Feind von Maestra Oliviero saß, Maestro Ferraro, hager und mit grauem Bürstenhaar. Ferraro prüfte den ausgewählten Band, trug etwas in ein Verzeichnis ein, und die Leute gingen mit einem oder mehreren Büchern hinaus.

Ich schaute mich um. Lila war nicht da, vielleicht war sie schon wieder weg. Was tat sie, sie ging nicht mehr zur Schule, schwärmte für Schuhe und alte Latschen, und trotzdem holte sie sich an diesem Ort Bücher, ohne mir etwas zu sagen? Gefiel es ihr hier? Warum bat sie mich nicht, mitzukommen? Warum hatte sie mich mit Carmela stehenlassen? Warum erzählte sie mir, wie man Sohlen schliff, aber nicht, was sie las?

Ich ärgerte mich und stob davon.

Eine Zeitlang erschien mir die Schule noch unwichtiger als sonst. Dann verschlang mich zum Schuljahresende wieder die Fülle von Hausaufgaben und Prüfungen, ich hatte Angst vor schlechten Noten, lernte lustlos, doch viel. Zudem plagten mich noch andere Sorgen. Meine Mutter erklärte, mein nunmehr großer Busen sei anstößig, und ging mit mir einen BH kaufen. Sie war noch schroffer als sonst und schien sich dafür zu schämen, dass ich einen Busen hatte, dass ich die Regel bekommen hatte. Die barschen Anweisungen, die sie mir gab, waren rasch hingeworfen und dürftig, fast gemurmelt. Bevor ich dazu kam, ihr Fragen zu stellen, hatte sie sich schon umgedreht und war davongehumpelt.

Durch den BH wurden meine Brüste noch auffälliger. In den letzten Monaten des Schuljahres wurde ich von den Jungen belästigt, ich erkannte schnell, warum. Gino und sein Freund hatten das Gerücht verbreitet, ich würde anstandslos zeigen, was ich hatte, und immer mal wieder bat mich einer, die Vorführung zu wiederholen. Ich nahm Reißaus, drückte meine Brust zusammen, indem ich die Arme davor verschränkte, fühlte mich rätselhafterweise schuldig und allein mit meiner Schuld. Die Jungen blieben hartnäckig, auch auf der Straße, auch auf dem Hof. Sie lachten, zogen mich auf. Ein-, zweimal versuchte ich, sie mit Lilas Manieren abzuwehren, doch die beherrschte ich nicht gut, und so hielt ich es nicht länger aus und begann zu weinen. Aus

Angst davor, belästigt zu werden, igelte ich mich zu Hause ein. Ich lernte extrem viel für den Unterricht und verließ das Haus mittlerweile nur noch, um, äußerst widerwillig, zur Schule zu gehen.

An einem Morgen im Mai lief Gino mir nach und fragte mich ohne Unverschämtheit, ja sogar verstört, ob ich ihn zum Freund haben wolle. Ich gab ihm einen Korb, aus Groll, aus Rache, aus Verlegenheit, und war trotzdem stolz darauf, dass der Sohn des Apothekers mich wollte. Am nächsten Tag fragte er mich wieder und hörte bis zum Juni nicht auf damit, als wir wegen des schwierigen Lebens unserer Eltern mit etwas Verspätung zur Erstkommunion gingen, in einem weißen Kleid wie Bräute.

So zurechtgemacht standen wir auf dem Kirchplatz herum und sündigten sofort, denn wir unterhielten uns über die Liebe. Carmela konnte es nicht fassen, dass ich den Apothekersohn zurückwies, und erzählte es Lila. Anstatt mit einer Miene, die besagte: »Wen kümmert's?«, zu verschwinden, interessierte sie sich zu meinem Erstaunen für diese Geschichte. Wir redeten zu dritt darüber.

»Warum lässt du ihn denn abblitzen?«, fragte Lila mich im Dialekt.

Ich antwortete spontan auf Italienisch, um Eindruck zu schinden, um ihr klarzumachen, dass man mich nicht wie Carmela behandeln konnte, obwohl ich meine Zeit damit verbrachte, über Liebschaften nachzudenken.

»Weil ich mir meiner Gefühle nicht sicher bin.«

Diesen Satz hatte ich aus dem *Sogno*, und auf Lila schien er zu wirken. Wie bei den Wettbewerben in der Grundschule begannen wir nun ein Gespräch in der Sprache der Comics und der Bücher, was Carmela in die Rolle einer einfachen Zuhörerin drängte. Diese Momente regten mein Herz und meinen Kopf an: Lila und ich mit all diesen wohlgesetzten Wörtern. An der Mittelschule gab es nichts Vergleichbares, weder mit meinen Klassenkameraden noch mit meinen Lehrern, es war traumhaft schön. Nach und nach überzeugte mich Lila davon, dass man in der Liebe ein wenig Sicherheit nur erlangen könne, wenn man den Anwärter auf eine harte Probe stellte. Sie riet mir, plötzlich wieder in den Dialekt verfallend, Gino zwar zu erhören, doch unter der Bedingung, dass er mir, ihr und Carmela den ganzen Sommer lang Eis kaufte.

»Wenn er nicht einverstanden ist, dann ist es keine wahre Liebe.«

Ich tat, wie Lila mir geheißen, und Gino verschwand. Es war also keine wahre Liebe, doch das machte mir nichts aus. Der Austausch mit Lila war für mich so erfreulich gewesen, dass ich mir vornahm, mich ganz und gar ihr zu widmen, besonders im Sommer, wenn ich mehr freie Zeit haben würde. Bis dahin wünschte ich mir, dass dieses Gespräch beispielgebend für alle unsere künftigen Treffen sein möge. Ich fühlte mich wieder klug, als wäre etwas gegen meinen Kopf geprallt und hätte Bilder und Worte wiederauferstehen lassen.

Aber unsere Begegnung hatte nicht den von mir erhofften Effekt. Anstatt die Beziehung zwischen ihr und mir wieder zu festigen und sie zu etwas Besonderem werden zu lassen, rief sie viele andere Mädchen auf den Plan. Unser Gespräch, der Rat, den sie mir gegeben hatte, und seine Wirkung hatten Carmela Peluso so stark beeindruckt, dass sie aller Welt davon erzählte. Das Ergebnis war, dass die Tochter des Schusters, die weder einen Busen noch ihre Regel hatte und nicht einmal einen Verehrer, innerhalb weniger Tage zur gefragtesten Ratgeberin in Herzensangelegenheiten wurde. Und zu meinem erneuten Erstaunen nahm sie diese Rolle an. Falls sie nicht zu Hause oder in der Werkstatt zu tun hatte, sah ich sie mal mit diesem und mal mit jenem Mädchen tuscheln. Ich ging an ihr vorüber und grüßte sie, doch sie war so beschäftigt, dass sie mich nicht wahrnahm. Jedes Mal schnappte ich Sätze auf, die wunderschön klangen, und ich fühlte mich schlecht.

6

Es waren trostlose Tage, sie gipfelten für mich in einer Demütigung, die ich hätte vorhersehen müssen, doch ich hatte so getan, als kümmerte sie mich nicht: Alfonso Carracci wurde mit einem Durchschnitt von Acht versetzt, Gigliola Spagnuolo mit durchschnittlich Sieben, und ich hatte überall eine Sechs und in Latein nur eine Vier. In diesem einen Fach musste ich im September zur Nachprüfung antreten.

Diesmal war es mein Vater, der sagte, es sei sinnlos, dass ich weiter zur Schule ginge. Schon die Lehrbücher seien fast unerschwinglich gewesen. Auch das Lateinwörterbuch *Campanini Carboni* habe, obwohl gebraucht gekauft, viel Geld gekostet. Und für Nachhilfestunden im Sommer sei nichts übrig. Vor allem sei nun offensichtlich, dass ich nicht gut genug sei. Don Achilles jüngster Sohn habe es geschafft und ich nicht, die Tochter des Konditors Spagnuolo habe es geschafft und ich nicht. Damit müsse man sich abfinden.

Ich weinte Tag und Nacht, machte mich absichtlich hässlich, um mich zu bestrafen. Ich war die Älteste, nach mir kamen meine zwei Brüder und dann die kleine Elisa. Peppe und Gianni, die beiden Jungen, kamen abwechselnd, um mich zu trösten, indem sie mir etwas Obst brachten oder mich baten, mit ihnen zu spielen. Trotzdem fühlte ich mich allein mit meinem schlimmen Los und konnte mich nicht beruhigen. Eines Nachmittags hörte ich hinter mir, wie meine Mutter sich näherte. In ihrem üblichen schroffen Ton sagte sie im Dialekt:

»Die Nachhilfe können wir nicht bezahlen, aber du kannst versuchen, allein zu lernen, und zusehen, ob du die Prüfung schaffst.« Unsicher schaute ich sie an. Sie war dieselbe wie immer, mit ihren farblosen Haaren, ihrem schielenden Auge, ihrer großen Nase und ihrem schweren Körper. Sie fügte hinzu: »Nirgendwo steht geschrieben, dass du es nicht schaffen kannst.«

Mehr sagte sie nicht, zumindest in meiner Erinnerung nicht. Tags darauf begann ich zu lernen und erlegte mir auf, nicht mehr auf den Hof oder in den Park zu gehen.

Doch eines Morgens hörte ich, wie mich jemand von der Straße aus rief. Es war Lila, die diese Gewohnheit völlig aufgegeben hatte, seit wir nicht mehr in der Grundschule waren.

»Lenù!«, rief sie.

Ich schaute aus dem Fenster.

»Ich muss dir was erzählen.«

»Was denn?«

»Komm runter!«

Widerwillig ging ich hinunter, es ärgerte mich, ihr gegenüber zugeben zu müssen, dass ich in einem Fach hängengeblieben war. Wir schlenderten in der Sonne auf dem Hof herum. Lustlos erkundigte ich mich, was es in Sachen Liebschaften Neues gab. Ich weiß noch, dass ich sie ausdrücklich fragte, ob sich zwischen Carmela und Alfonso etwas entwickelt hatte.

»Was denn entwickelt?«

»Sie ist verliebt in ihn.«

Lila verengte die Augen zu zwei Schlitzen. Wenn sie so reagierte, ernst, ohne ein Lächeln, ganz, als könnte sie konzentrierter sehen, wenn sie ihren Pupillen nur einen Spalt frei ließ, erinnerte sie mich an die Raubvögel aus einem Film, den ich im Gemeindekino gesehen hatte. Doch diesmal hatte ich den Eindruck, dass sie etwas erkannt hatte, was sie zugleich ärgerte und erschreckte.

»Hat sie dir nichts von ihrem Vater erzählt?«, fragte sie.

»Nur dass er unschuldig ist.«

»Und wer soll dann der Mörder sein?«

»Ein Wesen, das halb Mann und halb Frau ist, sich in der Kanalisation versteckt und wie die Ratten aus den Gullys kommt.«

»Dann stimmt es also«, sagte sie, plötzlich fast gequält, und fügte hinzu, dass Carmela alles für bare Münze nehme, was sie ihr erzählte, und dass alle Mädchen auf dem Hof das täten. »Ich will nicht mehr reden, ich will mit niemandem mehr reden«, knurrte sie mürrisch, und ich hörte, dass sie es nicht verächtlich sagte, dass ihr Einfluss auf uns sie nicht mit Stolz erfüllte, was mich kurz irritierte. Ich an ihrer Stelle hätte mir viel darauf eingebildet, aber sie ließ keinerlei Hochmut erkennen, nur so etwas wie Unduldsamkeit gepaart mit der Angst vor der Verantwortung.

Ich sagte leise: »Mit anderen zu reden, ist doch schön.«

»Ja, aber nur, wenn du redest und es einen gibt, der dir antwortet.«

Mein Herz hüpfte vor Freude. Welche Bitte lag in diesem wunderbaren Satz? Sagte sie mir gerade, dass sie nur mit mir sprechen wolle, weil ich nicht alles für bare Münze nahm, was ihr über die Lippen kam, sondern ich ihr etwas entgegenzusetzen hatte? Sagte sie mir gerade, dass nur ich den Dingen folgen konnte, die ihr durch den Kopf gingen?

Ja. Und sie sagte es in einem Ton, den ich nicht an ihr kannte, leise, wenn auch so ruppig wie immer. »Ich habe ihr eingeredet«, erzählte Lila, »dass sich in einem Roman oder in einem Film die Tochter des Mörders in den Sohn des Opfers verlieben würde. Es war nur eine Möglichkeit. Um sie Wirklichkeit werden zu lassen, müsste eine wirkliche Liebe entstehen.« Doch das hatte Carmela nicht verstanden, und schon am nächsten Tag erzählte sie überall herum, sie habe sich in Alfonso verliebt, eine Lüge, um vor den anderen Mädchen anzugeben, die allerdings nicht absehbare Folgen haben konnte. Wir redeten darüber. Wir waren erst zwölf Jahre alt, doch wir spazierten wie zwei zarte, alte Damen, die ihr an Enttäuschungen reiches Leben Revue passieren ließen und sich aneinander festhielten, durch die glühend heißen Straßen des Rione, durch den Staub und die Fliegen, die von den vorüberfahrenden alten Lastwagen aufgewirbelt wurden. Niemand verstand uns – dachte ich –, nur wir zwei verstanden uns. Wir zwei zusammen, nur wir wussten, dass die bleierne Schwere, die schon immer, seit wir denken konnten, auf dem Rione lastete, zumindest ein wenig nachließ, wenn nicht Peluso, der ehemalige Tischler, sondern jener Bewohner der Kanalisation das Messer in Don Achilles Hals gerammt hätte und wenn die Tochter des Mörders den Sohn des Opfers heiratete. Es lag etwas Unerträgliches in den Dingen, in den Menschen, in den Wohnhäusern und in den Straßen, etwas, das nur annehmbar wurde, wenn man wie in einem Spiel alles neu erfand. Entscheidend war aber, dass man auch fähig war zu spielen, und sie und ich – nur sie und ich – waren dazu fähig.

Irgendwann fragte sie mich ohne einen ersichtlichen Zusammenhang, doch so, als müssten alle unsere Gespräche zwangsläufig in dieser Frage münden:

»Sind wir noch Freundinnen?«

»Ja.«

»Kannst du mir dann einen Gefallen tun?«

An diesem Morgen der Wiederannäherung hätte ich alles für sie getan: von zu Hause weglaufen, den Rione verlassen, auf Bauerngehöften schlafen, mich von Wurzeln ernähren, durch die Gullys in die Kanalisation hinabsteigen und nicht mehr umkehren, auch nicht, wenn es kalt wurde, auch nicht, wenn es regnete. Doch worum sie mich schließlich bat, kam mir nichtig vor, und im ersten Augenblick war ich enttäuscht. Sie wollte lediglich, dass wir uns einmal am Tag im Park trafen, wenn auch nur für eine Stunde vor dem Abendessen, und dass ich meine Lateinbücher mitbrachte.

»Ich werde dich nicht stören«, sagte sie.

Sie wusste bereits, dass ich zur Nachprüfung musste, und wollte mit mir zusammen lernen.

7

In den Jahren der Mittelschule veränderten sich viele Dinge vor unseren Augen, doch jeden Tag nur ein bisschen, so dass sie uns nicht wie wirkliche Veränderungen vorkamen.

Die Solara-Bar wurde größer und entwickelte sich zu einer bestens ausgestatteten Pasticceria, deren erfahrener Konditor der Vater von Gigliola Spagnuolo war. Sonntags füllte sie sich mit jungen und alten Männern, die Gebäck für ihre Familien kauften. Silvio Solaras zwei Söhne, der etwa zwanzigjährige Marcello und der nur wenig jüngere Michele, kauften sich einen blau-weißen Fiat Millecento, mit dem sie sonntags großspurig die Straßen des Rione hinauf- und hinunterfuhren.

Die ehemalige Tischlerei Peluso, die zu einer Salumeria geworden war, als Don Achille seine Hand daraufgelegt hatte, füllte sich mit Spezialitäten, die teils auch vor dem Laden ausgestellt waren. Ging man auf dem Bürgersteig vorbei, genoss man den appetitanregenden Duft von Gewürzen, Oliven, Salami, frischem Brot, Grieben und Schweineschmalz. Der Tod Don Achilles hatte dessen finsteren Schatten allmählich von seiner Familie und von diesem Ort genommen. Seine Witwe, Donna Maria, hatte nun ausgesprochen liebenswürdige Umgangsformen und führte das Geschäft gemeinsam mit ihrer fünfzehnjährigen Tochter Pinuccia und mit Stefano, der nun nicht mehr der kleine, wilde Junge war, der Lila hatte in die Zunge stechen wollen, sondern ein besonnener junger Mann mit einem freundlichen Blick und einem sanften Lächeln. Die Zahl der Kunden war erheblich gestiegen. Sogar meine Mutter schickte mich zum Einkaufen dorthin, und mein Vater hatte nichts dagegen, auch deshalb nicht, weil Stefano alles in einem Büchlein anschrieb, wenn das Geld fehlte, und wir am Monatsende bezahlen konnten.

Assunta, die zusammen mit ihrem Mann Nicola auf den Straßen Obst und Gemüse verkaufte, hatte die Arbeit wegen eines schlimmen Rückenleidens aufgeben müssen, und einige Monate später hatte eine Lungenentzündung ihren Mann beinahe ins Grab gebracht. Trotzdem hatten sich diese beiden Unglücksfälle als Segen erwiesen. Denn wer nun jeden Morgen, sommers wie winters, bei Regen und bei Sonne, mit dem Pferdekarren durch die Straßen des Rione zog, war ihr ältester Sohn Enzo, der nahezu nichts mehr von dem Jungen hatte, der uns mit Steinen beworfen hatte. Er war ein stämmiger junger Mann geworden, kräftig und gesund, mit zerzausten, blonden Haaren, blauen Augen und einer vollen Stimme, mit der er seine Waren anpries. Er hatte ausgezeichnete Produkte und ließ schon allein durch seine Gesten eine ehrliche, vertrauenerweckende Bereitschaft erkennen, seine Kunden zu bedienen. Er war sehr geschickt im Umgang mit der Waage. Mich beeindruckte, wie flink er das Gewicht an der Stange verschob, bis das Gleichgewicht hergestellt war, und schon ging es weiter, das Klappern von Eisen, das schnell an Eisen entlangglitt. Er packte Kartoffeln und

Obst ein und beeilte sich, Signora Spagnuolo oder Melina oder meiner Mutter das Päckchen in den Einkaufskorb zu legen.

Überall im Rione florierte der Unternehmergeist. In das Kurzwarengeschäft, in dem Carmela Peluso seit Kurzem als Verkäuferin arbeitete, war unversehens eine junge Schneiderin eingestiegen, das Geschäft hatte sich vergrößert und wollte sich in eine ambitionierte Damenschneiderei verwandeln. Die Werkstatt, in der Melinas Sohn Antonio arbeitete, versuchte auf Betreiben des Sohnes des alten Besitzers Gentile Gorresio zu einer kleinen Fabrik für Motorroller zu werden. Kurz, alles vibrierte und strebte aufwärts, wie um die alten Merkmale loszuwerden, wie um in dem alten angehäuften Hass, den Spannungen, den Schändlichkeiten nicht mehr wiederzuerkennen zu sein und stattdessen ein neues Gesicht zu zeigen. Während Lila und ich im Park Latein lernten, veränderte sich sogar der bloße Raum, der uns umgab, der Brunnen, das Gebüsch, ein Loch am Straßenrand. Ein ständiger Pechgeruch lag in der Luft, die Dampfwalze tuckerte langsam voran, Arbeiter mit nacktem Oberkörper oder im Unterhemd asphaltierten die Straßen und den Stradone. Auch die Farben veränderten sich. Carmelas großer Bruder Pasquale wurde engagiert, um die Bäume direkt an der Eisenbahn zu fällen. Und wie viele er fällte! Tagelang hörten wir die Geräusche dieser Vernichtung: Die Bäume erzitterten, verströmten den Duft von frischem Holz und grünem Laub, durchschnitten die Luft, prallten nach einem langen Rauschen, das wie ein Seufzer klang, auf den Boden, und er und die anderen sägten, hackten und entfernten Wurzeln, von denen ein Geruch nach Untergrund ausging. Das grüne Buschwerk verschwand, und an seine Stelle trat eine vergilbte Freifläche. Pasquale hatte diese Arbeit durch einen glücklichen Zufall gefunden. Vor einer Weile hatte ein Freund ihm erzählt, dass Leute in die Solara-Bar gekommen seien und junge Männer gesucht hätten, die nachts auf der Piazza im Zentrum von Neapel Bäume fällten. Obwohl Pasquale Silvio Solara und seine Söhne nicht ausstehen konnte – in ihrer Bar hatte sein Vater sich ruiniert –, war er hingegangen, denn er musste seine Familie ernähren. Im Morgengrauen war er todmüde zurückgekommen, in der Nase noch den Geruch nach lebendem Holz, nach malträtiertem Laub und nach Meer. Dann ergab eines das andere, und er wurde zu weiteren Arbeiten dieser Art gerufen. Nun war er auf der Baustelle an der Eisenbahn, und wir sahen ihn manchmal auf den Gerüsten der Neubauten, die sich Stockwerk für Stockwerk in die Höhe reckten, oder mit einem Hut aus Zeitungspapier in der Sonne, wenn er in der Mittagspause Brot und Bratwurst mit Stängelkohl aß.

Lila wurde ärgerlich, wenn ich Pasquale beobachtete und mich ablenken ließ. Zu meinem großen Erstaunen zeigte sich bald, dass sie schon viele Kenntnisse in Latein hatte. So kannte sie sämtliche Deklinationen und auch die Verben. Ich fragte sie vorsichtig, wie das denn möglich sei, und mit der für sie typischen grantigen Miene eines kleinen Mädchens, das keine Zeit verlieren will, räumte sie ein, dass sie sich bereits eine Grammatik aus der Leihbücherei von Maestro Ferraro ausgeliehen hatte, als ich noch in der ersten Klasse der Mittelschule war, und sie aus Neugier studiert hatte. Für sie war die Bibliothek eine große Fundgrube. Während unserer Plauderei zeigte sie mir stolz alle Ausweise, die sie besaß, vier im Ganzen: ihren eigenen, einen, der auf Rino ausgestellt war, einen von ihrem Vater und einen von ihrer Mutter. Mit jedem lieh sie sich ein Buch aus, so dass sie vier auf einmal hatte. Sie verschlang sie, brachte sie am darauffolgenden Sonntag zurück und nahm vier neue mit.

Ich erkundigte mich nie, welche Bücher sie gelesen hatte und welche sie gerade las, wir hatten keine Zeit dafür, wir mussten lernen. Sie fragte mich ab und wurde wütend, wenn ich etwas nicht wusste. Einmal schlug sie mir mit ihrer langen, dünnen Hand kräftig auf den Arm und bat mich nicht um Verzeihung, im Gegenteil, sie sagte, wenn ich noch einen Fehler machte, würde sie mich erneut und heftiger schlagen. Sie liebte das Lateinwörterbuch, ein so dickes, schweres, mit unzähligen Seiten hatte sie noch nie gesehen. Ständig suchte sie Wörter darin, nicht nur die aus den Übungen, sondern alle, die ihr einfielen. Die Aufgaben stellte sie in einem Tonfall, den sie von unserer Lehrerin Maestra Oliviero übernommen hatte. Sie trug mir auf, dreißig Sätze pro Tag zu übersetzen, zwanzig aus dem Lateinischen ins Italienische und zehn vom Italienischen ins Lateinische. Auch sie übersetzte sie und wesentlich schneller als ich. Gegen Sommerende, kurz vor der Prüfung, fragte sie mich vorsichtig, nachdem sie mir skeptisch dabei zugeschaut hatte, wie ich die Vokabeln, die ich nicht kannte, in der Reihenfolge, in der ich sie in dem zu übersetzenden Text fand, im Wörterbuch nachschlug, mir ihre Hauptbedeutungen notierte und erst dann versuchte, den Sinn zu erfassen:

»Hat dir die Lehrerin gesagt, dass du es so machen sollst?«

Unsere Lehrerin sagte uns nie etwas, sie gab uns nur die Übungen auf. Ich schlug mich allein auf diese Weise durch.

Sie schwieg eine Weile, dann riet sie mir:

»Lies als Erstes den Satz auf Latein und such das Verb. Durch die Person, in der das Verb steht, verstehst du, welches das Subjekt ist. Wenn du das Subjekt gefunden hast, suchst du nach den Ergänzungen, nach dem Akkusativobjekt, falls das Verb transitiv ist, oder nach anderen, falls es das nicht ist. Versuch's mal so.«

Ich versuchte es. Plötzlich kam mir das Übersetzen leicht vor. Im September ging ich zur Nachprüfung, machte im schriftlichen Teil nicht einen Fehler und konnte auch im mündlichen jede Frage beantworten.

»Wer hat dir denn Unterricht gegeben?«, fragte meine Lehrerin mich etwas verdrießlich.

»Eine Freundin.«

»Von der Universität?«

Ich wusste nicht, was sie meinte. Ich sagte ja.

Lila wartete draußen im Schatten auf mich. Als ich herauskam, umarmte ich sie, erzählte ihr, dass ich sehr gut gewesen sei, und fragte sie, ob wir nicht das ganze kommende Jahr zusammen lernen wollten. Da sie es gewesen war, die mir vorgeschlagen hatte, dass wir uns ausschließlich zum Lernen verabredeten, schien mir meine Einladung, dies fortzusetzen, eine schöne Art zu sein, ihr meine Freude und Dankbarkeit zu zeigen. Sie entzog sich mit einer beinahe ärgerlichen Geste und sagte, sie habe nur wissen wollen, was es mit diesem Latein, das die Klugen lernten, auf sich habe.

»Und weiter?«

»Nichts weiter, jetzt weiß ich es.«

»Gefällt es dir denn nicht?«

»Doch. Ich werde mir ein paar Bücher aus der Bibliothek holen.«

»Auf Latein?«

»Ja.«

»Aber da ist noch so viel zu lernen.«

»Lern du das für mich, und wenn ich Fragen habe, hilfst du mir. Ich muss jetzt noch was zusammen mit meinem Bruder erledigen.«

»Was denn?«

»Zeig' ich dir später.«

8

Die Schule ging wieder los, und ich war von Anfang an in allen Fächern gut. Ich konnte es kaum erwarten, dass Lila mich in Latein oder in anderen Dingen um Hilfe bat, und wohl deshalb lernte ich nicht so sehr für die Schule als vielmehr für sie. Ich wurde die Klassenbeste, nicht einmal in der Grundschule war ich so gut gewesen.

In jenem Jahr hatte ich das Gefühl, aufzugehen wie ein Pizzateig. Ich wurde immer voller am Busen, an den Hüften, am Hintern. Eines Sonntags, als ich auf dem Weg zum Park war, wo ich mit Gigliola Spagnuolo verabredet war, fuhren die Solara-Brüder in ihrem Millecento neben mir her. Marcello, der Ältere, saß am Steuer, Michele neben ihm. Beide sahen sehr gut aus mit ihren pechschwarzen, glänzenden Haaren, dem weißen Lächeln. Doch Marcello gefiel mir besser, er hatte Ähnlichkeit mit Hektor, wie er in der Schulausgabe der *Ilias* abgebildet war. Sie begleiteten mich den ganzen Weg lang, ich auf dem Bürgersteig, sie neben mir im Millecento.

»Bist du schon mal Auto gefahren?«

»Nein.«

»Steig ein, wir drehen eine Runde.«

»Mein Vater will das nicht.«

»Wir erzählen's ihm ja nicht. Wann hast du wohl je wieder die Chance, in einen Schlitten wie den hier zu steigen?«

›Nie‹, dachte ich. Sagte jedoch weiter nein und sagte nein bis zum Park, wo das Auto beschleunigte und in null Komma nichts hinter den entstehenden Neubauten verschwand. Ich sagte nein, denn hätte mein Vater erfahren, dass ich in diesen Wagen gestiegen war, hätte er mich, obwohl er ein gutmütiger, lieber Mann war und obwohl er mich sehr gern hatte, auf der Stelle totgeprügelt, während meine beiden jüngeren Brüder Peppe und Gianni sich, obwohl sie noch klein waren, nun viele Jahre verpflichtet gefühlt hätten, zu versuchen, die Solara-Brüder zu töten. Es waren ungeschriebene Gesetze, man wusste, dass es so war, und damit basta. Auch die Solara-Brüder wussten das, dafür sprach jedenfalls, dass sie höflich waren und sich darauf beschränkt hatten, mich zum Einsteigen einzuladen.

Sie waren es einige Zeit später allerdings nicht zu Ada, der ältesten Tochter von Melina Cappuccio, der verrückten Witwe, die eine Szene gemacht hatte, als die Sarratores weggezogen waren. Ada war vierzehn. An einem Sonntag schminkte sie sich hinter dem Rücken ihrer Mutter die Lippen und sah mit ihren langen, geraden Beinen und ihren Brüsten, die üppiger waren als meine, erwachsen und schön aus. Die Solara-Brüder riefen ihr ordinäre Dinge zu, und Michele gelang es, sie am Arm zu packen, die Autotür aufzureißen und sie hineinzuziehen. Eine Stunde später setzten sie sie an derselben Stelle wieder ab, Ada war halb wütend, und halb lachte sie.

Doch unter denen, die gesehen hatten, wie man sie

gewaltsam ins Auto gezerrt hatte, war einer, der es Antonio erzählte, ihrem großen Bruder, der als Mechaniker in Gorresios Werkstatt arbeitete. Antonio war fleißig, diszipliniert, extrem schüchtern und sichtbar mitgenommen sowohl vom frühen Tod seines Vaters als auch von der Geistesgestörtheit seiner Mutter. Ohne seinen Freunden und Verwandten ein Wort zu sagen, ging er zur Solara-Bar, wartete auf Marcello und Michele, und als die zwei Brüder auftauchten, empfing er sie mit Faustschlägen und Fußtritten, ohne sich groß mit Vorreden aufzuhalten. Einige Minuten hielt er sich recht gut, doch dann kamen der Solara-Vater und einer der Barmänner heraus. Zu viert schlugen sie ihn blutig, und keiner der Passanten, keiner der Gäste aus der Bar ging dazwischen, um ihm zu helfen.

Wir Mädchen waren geteilter Meinung über diesen Vorfall. Gigliola Spagnuolo und Carmela Peluso waren auf der Seite der Solara-Brüder, doch nur, weil sie gut aussahen und den Millecento hatten. Ich schwankte. In Gegenwart meiner beiden Freundinnen war ich eher für die Solaras, wir schwärmten um die Wette für sie, schließlich sahen sie wirklich phantastisch aus, und wir konnten nicht anders, als uns vorzustellen, was für eine gute Figur wir machen würden, wenn wir neben einem der beiden im Auto säßen. Doch ich spürte auch, dass die zwei Ada miserabel behandelt hatten und dass Antonio, auch wenn er keine Schönheit war, auch wenn er nicht so muskulös war wie die zwei Brüder, die jeden Tag zum Gewichte-Heben in die Sporthalle gingen, doch Mut bewiesen hatte, als er ihnen entgegengetreten war. Daher meldete ich in Gegenwart Lilas, die meinen Standpunkt unumwunden teilte, einige Vorbehalte gegen die Brüder an.

Einmal war die Diskussion so hitzig, dass Lila, vielleicht weil sie noch nicht so weit entwickelt war wie wir und das erschreckende Vergnügen nicht kannte, den Blick der Solaras auf sich zu spüren, noch blasser wurde als sonst und sagte, wenn ihr passiert wäre, was Ada passiert sei, hätte sie, um ihrem Vater und ihrem Bruder Rino Schwierigkeiten zu ersparen, sich lieber selbst um die beiden gekümmert.

»Bloß dass Marcello und Michele dich nicht mal ansehen«, sagte Gigliola Spagnuolo, und wir dachten, Lila würde wütend werden. Doch sie antwortete ernst:

»Besser so.«

Sie war schmächtig wie immer, doch drahtig bis in die letzte Faser. Erstaunt betrachtete ich ihre Hände. In kurzer Zeit waren sie so geworden wie Rinos und die ihres Vaters, mit einer gelblichen Hornhaut an den Fingerkuppen. Obwohl niemand sie dazu zwang – es war nicht ihre Aufgabe in der Werkstatt –, hatte sie angefangen kleinere Arbeiten auszuführen. Sie präparierte das Garn, trennte auf, leimte, steppte auch und handhabte Fernandos Werkzeug nun fast schon wie ihr Bruder. Darum hatte sie mir in jenem Jahr in Latein keine einzige Frage gestellt. Irgendwann erzählte sie mir von ihrem Plan, der rein gar nichts mit Büchern zu tun hatte. Sie versuchte, ihren Vater davon zu überzeugen, mit der Herstellung von Schuhen zu beginnen. Aber Fernando wollte nichts davon wissen. »Von Hand gefertigte Schuhe«, sagte er zu ihr, »sind eine Kunst ohne Zukunft. Heutzutage gibt es Maschinen dafür, und Maschinen kosten Geld, und das Geld ist entweder bei der Bank oder beim Wucherer, jedenfalls nicht in den Taschen von Familie Cerullo.« Also ließ sie nicht locker, überhäufte ihn mit aufrichtigem Lob: »Papà, so wie du Schuhe machen kannst, schafft das sonst keiner.« Er antwortete, selbst wenn das stimmte, werde heute doch alles in Fabriken produziert, in Serie und billig, außerdem habe er in einer Fabrik gearbeitet, er wisse nur zu gut, was für ein Mist auf dem Markt lande, aber da sei wenig zu machen. Wenn die Leute neue Schuhe brauchten, gingen sie nicht mehr zum Schuster im Rione, sondern in die Geschäfte am Rettifilo. Selbst wenn man also nach allen Regeln der Kunst ein handwerkliches Produkt herstellen wollte, würde man es nicht verkaufen können, man würde nur Geld und Mühe verschwenden und sich ruinieren.

Das hatte Lila nicht überzeugt, und wie üblich hatte sie Rino auf ihre Seite gezogen. Ihr Bruder hatte sich zunächst mit dem Vater verbündet, verärgert darüber, dass sie sich in Arbeitsdinge einmischte, bei denen es nicht um Bücher ging und wo er der Experte war. Dann ließ er sich nach und nach becircen und stritt nun jeden zweiten Tag mit Fernando, wobei er das wiederholte, was sie ihm in den Kopf gesetzt hatte.

»Lass es uns wenigstens versuchen.«

»Nein.«

»Hast du das Auto der Solaras gesehen, hast du gesehen, wie gut die Salumeria der Carraccis läuft?«

»Ich hab' gesehen, dass die Kurzwarenhändlerin, die auf Schneiderin machen wollte, aufgegeben hat, und ich hab' gesehen, dass Gorresio sich durch die Dummheit seines Sohnes mit seiner Werkstatt übernommen hat.«

»Aber die Solaras expandieren immer mehr.«

»Kümmere dich um deinen eigenen Kram und vergiss die Solaras.«

»An der Bahn entsteht das neue Wohnviertel.«

»Na wenn schon.«

»Papà, die Leute verdienen Geld und wollen es ausgeben.«

»Die Leute geben ihr Geld für was zu essen aus, denn essen muss man jeden Tag. Aber erstens kann man Schuhe nicht essen, und zweitens lässt man sie reparieren, wenn sie kaputtgehen, und sie können zwanzig Jahre halten. Heutzutage besteht unsere Arbeit darin, Schuhe zu reparieren, basta.«

Mir gefiel, wie dieser Junge, der mir stets freundlich begegnete, der jedoch auch eine Härte zeigen konnte, die sogar seinen Vater etwas erschreckte, immer und unter allen Umständen seine Schwester verteidigte. Ich beneidete Lila um diesen robusten Bruder, und manchmal dachte ich, der eigentliche Unterschied zwischen mir und ihr bestehe darin, dass ich nur kleinere Geschwister hatte, also niemanden, der die Kraft besaß, mich zu ermutigen und mir gegen meine Mutter beizustehen, indem er mir zu freien Gedanken verhalf, während Lila auf Rino zählen konnte, der fähig war, sie vor jedem zu beschützen, egal, was ihr in den Sinn kam. Trotzdem dachte ich, dass Fernando recht hatte, ich war auf seiner Seite. Und als ich mit Lila darüber sprach, merkte ich, dass sie genauso dachte.

Einmal zeigte sie mir Zeichnungen von Schuhen, die sie gemeinsam mit ihrem Bruder machen wollte, sowohl für Männer als auch für Frauen. Die Zeichnungen waren wunderschön, auf kariertem Papier, reich an sorgfältig ausgemalten Details, so als hätte sie die Gelegenheit gehabt, sich in einer Parallelwelt zu unserer solche Schuhe aus der Nähe zu besehen, und hätte sie dann auf dem Papier festgehalten. In Wahrheit hatte sie sie sich im Ganzen und mit allen Einzelheiten ausgedacht, so wie sie es in der Grundschule mit den Prinzessinnen getan hatte, weshalb die Schuhe, obgleich sie ganz normale Schuhe waren, keine Ähnlichkeit mit denen hatten, die man im Rione sah, und auch nicht mit denen der Schauspielerinnen aus den Fotoromanen.

»Gefallen sie dir?«
»Sie sind sehr schick.«
»Rino sagt, sie sind kompliziert.«
»Aber kann er sie machen?«
»Er schwört, dass er es kann.«
»Und dein Vater?«
»Der kann es garantieren.«
»Na, dann macht sie doch.«

»Papà will nicht.«

»Warum nicht?«

»Er hat gesagt, solange ich spiele, schön und gut, aber er und Rino könnten ihre Zeit nicht mit meinen Einfällen vergeuden.«

»Was soll das heißen?«

»Das heißt, wenn man wirklich was machen will, braucht man Zeit und Geld.«

Sie war kurz davor, mir auch die Berechnungen zu zeigen, die sie ohne Rinos Wissen aufs Papier geworfen hatte, um herauszufinden, wie viel Geld wirklich nötig war, um die Schuhe herzustellen. Doch dann hielt sie inne, faltete die abgegriffenen Seiten zusammen und sagte, es sei sinnlos, Zeit zu verschwenden, ihr Vater habe recht.

»Und jetzt?«

»Wir müssen es trotzdem versuchen.«

»Fernando wird sich aufregen.«

»Wenn man es nicht versucht, ändert sich nichts.«

Was sich ihr zufolge ändern sollte, war immer dasselbe: Wir waren arm und mussten reich werden, wir hatten nichts und mussten es schaffen, alles zu haben. Ich versuchte, sie an unser altes Vorhaben, Romane zu schreiben, wie es die Autorin von *Betty und ihre Schwestern* getan hatte, zu erinnern. Ich hielt daran fest, mir lag viel daran. Ich lernte extra Latein, und im Stillen war ich davon überzeugt, dass sie sich nur deshalb so viele Bücher aus Maestro Ferraros Bibliothek auslieh, weil sie, obwohl sie nicht mehr zur Schule ging und obwohl sie sich nun die Sache mit den Schuhen in den Kopf gesetzt hatte, einen Roman mit mir schreiben und steinreich werden wollte. Doch sie zuckte nur auf ihre unbekümmerte Art mit den Schultern, *Betty und ihre Schwestern* fand sie nicht mehr so wichtig. »Um wirklich reich zu werden«, erklärte sie mir, »müssen wir jetzt ein Geschäft ankurbeln.« Sie wollte mit einem einzigen Paar Schuhe anfangen, nur um ihrem Vater zu beweisen, wie schön und bequem sie sein konnten. Wenn Fernando dann erst einmal überredet war, sollte die Produktion starten: zwei Paar heute, vier morgen, dreißig in einem Monat, vierhundert in einem Jahr, damit sie innerhalb kurzer Zeit zusammen mit ihrem Vater, mit Rino, mit ihrer Mutter und mit ihren übrigen Geschwistern eine Schuhfabrik mit Maschinen und wenigstens fünfzig Arbeitern auf die Beine stellen konnte: die Schuhfabrik Cerullo.

»Eine Schuhfabrik?«

»Ja.«

Sie erzählte mir mit großer Überzeugung davon, so wie sie es gut konnte, mit Sätzen auf Italienisch, die vor meinen Augen das Bild des Firmenschilds erstehen ließen: Cerullo. Dazu die ins Oberleder geprägte Marke: Cerullo und dann alle Cerullo-Schuhe, allesamt glänzend, allesamt hochelegant wie auf ihren Zeichnungen. »Solche«, sagte sie, »die, wenn du sie erst mal angezogen hast, so schön und bequem sind, dass du abends schlafen gehst, ohne sie auszuziehen.«

Wir lachten, alberten herum.

Dann stockte sie. Offenbar wurde ihr bewusst, dass wir nur spielten, wie Jahre zuvor mit unseren Puppen Tina und Nu vor dem Kellerfenster, und mit einer Miene, die mir für sie typisch zu werden schien, halb kleines Mädchen, halb alte Frau, sagte sie um Sachlichkeit bemüht:

»Weißt du, warum die Solara-Brüder sich einbilden, die Chefs im Rione zu sein?«

»Weil sie rücksichtslos sind.«

»Nein, weil sie Geld haben.«

»Meinst du?«

»Na klar. Hast du nicht gesehen, dass sie Pinuccia Carracci noch kein einziges Mal belästigt haben?«

»Doch.«

»Und weißt du, warum sie dagegen Ada so behandelt haben, wie sie sie behandelt haben?«

»Nein.«

»Weil Ada keinen Vater hat, weil ihr Bruder Antonio nichts zählt und weil sie Melina helfen muss, die Treppen in den Wohnblocks zu putzen.«

Demzufolge mussten wir entweder viel Geld machen, mehr als die Solaras, oder den zwei Brüdern ernsthaft wehtun, um uns vor ihnen zu schützen. Sie zeigte mir ein sehr scharfes Schustermesser, das sie aus der Werkstatt ihres Vaters hatte.

»Mich rühren sie nicht an, weil ich hässlich bin und meine Regel nicht habe«, sagte sie. »Aber dich vielleicht. Wenn das passiert, sag mir Bescheid.«

Ich sah sie verwirrt an. Wir wussten mit unseren fast

dreizehn Jahren nichts von Institutionen, Gesetzen, Justiz. Wir wiederholten, und gegebenenfalls mit Nachdruck, das, was wir seit frühester Kindheit um uns her gehört und gesehen hatten. Stellte man Gerechtigkeit denn nicht mit Prügeln her? Hatte Peluso nicht Don Achille ermordet? Ich ging nach Hause. Mir wurde klar, dass Lila mit diesen Sätzen zu erkennen gegeben hatte, dass sie mich sehr mochte, und ich war glücklich.

9

Die Abschlussprüfungen an der Mittelschule legte ich mit einem Durchschnitt von Acht ab, mit einer Neun in Italienisch und mit einer Neun in Latein. Ich wurde die Schulbeste, besser als Alfonso, der insgesamt eine Acht hatte, und bei Weitem besser als Gino. Viele Tage genoss ich es, die absolute Nummer eins zu sein. Mein Vater überschüttete mich mit Lob und begann vor allen mit seiner Erstgeborenen zu prahlen, die eine Neun in Italienisch geschafft hatte und sogar eine Neun in Latein. Meine Mutter, die in der Küche am Spülbecken stand und Gemüse putzte, sagte zu meiner Überraschung, ohne sich umzudrehen:

»Du kannst sonntags mein silbernes Armband haben, aber verliere es nicht.«

Auf dem Hof hatte ich nicht so viel Erfolg. Dort zählten nur Liebeleien und Verehrer. Als ich Carmela Peluso erzählte, dass ich die Beste der ganzen Schule war, begann sie sofort darüber zu reden, wie Alfonso sie ansah, wenn er vorüberging. Gigliola Spagnuolo war verbittert, weil sie die Prüfungen in Latein und in Mathematik wiederholen musste, und versuchte, ihr Ansehen aufzubessern, indem sie erzählte, dass Gino ihr nachlaufe, sie sich aber nicht mit ihm einlasse, weil sie in Marcello Solara verliebt sei und Marcello sie vielleicht auch liebe. Auch Lila zeigte sich nicht besonders erfreut. Als ich ihr Fach für Fach meine Zensuren aufzählte, lachte sie und fragte mit der ihr eigenen Gehässigkeit:

»Und eine Zehn hast du nicht bekommen?«

Ich war enttäuscht. Eine Zehn gab es nur in Betragen, die Lehrer hatten sie niemandem in einem der Hauptfächer gegeben. Doch dieser Satz genügte, um mir einen unterschwelligen Gedanken bewusstzumachen: Wäre sie mit mir zur Schule gegangen, in meine Klasse, hätte man ihr das erlaubt, dann hätte sie jetzt überall eine Zehn, das wusste ich schon immer, und sie wusste es auch und ließ es mich nun spüren.

In meinem Kummer, die Erste zu sein, ohne wirklich die Erste zu sein, ging ich nach Hause. Zu allem Überfluss begannen meine Eltern darüber zu beratschlagen, wo sie mich unterbringen könnten, jetzt, da ich sogar einen Mittelschulabschluss hatte. Meine Mutter wollte die Schreibwarenhändlerin bitten, mich als Hilfskraft einzustellen. Ihrer Ansicht nach hatte ich, gut wie ich war, alle Voraussetzungen, um Federhalter, Bleistifte, Hefte und Schulbücher zu verkaufen. Mein Vater träumte davon, in Zukunft seine Beziehungen im Rathaus spielen zu lassen, um mir einen guten Posten zu verschaffen. Meine Niedergeschlagenheit, die sich nicht genau erklären ließ, wuchs und wuchs, bis ich nicht einmal mehr sonntags ausgehen wollte.

Ich war nicht mehr zufrieden mit mir, alles kam mir trübe vor. Ich betrachtete mich im Spiegel und sah nicht das, was ich gern gesehen hätte. Meine blonden Haare waren kastanienbraun geworden. Meine Nase war breit und plattgedrückt. Mein ganzer Körper ging weiter in die Breite, ohne dass ich wuchs. Auch meine Haut wurde schlechter. Auf der Stirn, am Kinn, auf meinen Wangen vermehrten sich Archipele rötlicher Pusteln, die dann violett wurden und schließlich gelbliche Spitzen bekamen. Aus eigenem Antrieb begann ich meiner Mutter zu helfen, die Wohnung zu putzen, zu kochen, meinen Brüdern ihre Sachen hinterherzuräumen und mich um die kleine Elisa zu kümmern. In meiner Freizeit ging ich nicht raus, ich setzte mich in eine Ecke und las die Romane, die ich mir aus der Bibliothek holte. Grazia Deledda, Pirandello, Tschechow, Gogol, Tolstoi, Dostojewski. Manchmal hatte ich große Lust, Lila in der Werkstatt zu besuchen und ihr von den Figuren zu erzählen, die mir besonders gefallen hatten, und von den Sätzen, die ich auswendig gelernt hatte, doch dann ließ ich es sein. Sie hätte etwas Gemeines gesagt, hätte über die Pläne gesprochen, die sie gemeinsam mit Rino schmiedete, über Schuhe, die Schuhfabrik, Geld, und ich hätte die Romane, die ich las, allmählich als sinnlos empfunden und mein Leben, die Zukunft, das, was aus mir werden würde, als düster: eine fette, picklige Verkäuferin im Schreibwarengeschäft gegenüber der Kirche oder eine alte Jungfer, die in der Stadtverwaltung arbeitete, früher oder später schielend und hinkend.

Angeregt durch eine Einladung an mich persönlich, die mit der Post gekommen war und mit der mich Maestro Ferraro für den Vormittag in die Bibliothek bat, entschloss ich mich eines Sonntags, endlich zu handeln. Ich versuchte, mich so schön zu machen, wie ich glaubte, von klein auf gewesen zu sein, wie zu sein ich nach wie vor glauben wollte, und beschloss, aus dem Haus zu gehen. Ich verbrachte einige Zeit damit, meine Pickel auszudrücken, mit dem Ergebnis, dass mein Gesicht noch entzündeter war, legte das silberne Armband meiner Mutter an und löste mein Haar. Doch ich gefiel mir noch immer nicht. Niedergeschlagen machte ich mich in der Hitze, die sich zu dieser Jahreszeit schon morgens wie eine fiebrig geschwollene Hand auf den Rione legte, auf den Weg in die Bibliothek.

An der kleinen Schar von Eltern und Schülern der Grundschule und der Mittelschule, die zum Haupteingang strömte, erkannte ich schnell, dass etwas anders war als sonst. Ich trat ein. Ich sah Stuhlreihen, die alle schon besetzt waren, bunte Girlanden, den Pfarrer, Maestro Ferraro, sogar den Direktor der Grundschule und Maestra Oliviero. Maestro Ferraro, erfuhr ich, hatte die Idee gehabt, die Leser, die nach seinem Verzeichnis die eifrigsten waren, mit je einem Buch zu prämieren. Da die Zeremonie gerade beginnen sollte und die Ausleihe vorübergehend unterbrochen war, setzte ich mich in den hinteren Teil des kleinen Saales. Ich suchte Lila, entdeckte aber nur Gigliola Spagnuolo zusammen mit Gino und Alfonso. Mit Unbehagen rutschte ich auf meinem Platz hin und her. Nach einer kurzen Weile setzten sich Carmela Peluso und ihr Bruder Pasquale neben mich. Ciao, ciao. Ich ließ mir mehr von meinen Haaren über die entzündeten Wangen fallen.

Der kleine Festakt begann. Die Preisträger waren: Platz eins Raffaella Cerullo, Platz zwei Fernando Cerullo, Platz drei Nunzia Cerullo, Platz vier Rino Cerullo, Platz fünf Elena Greco, also ich.

Ich musste kichern, Pasquale auch. Wir sahen uns an und mussten uns das Lachen verbeißen, während Carmela hartnäckig flüsterte: »Warum lacht ihr denn so?« Wir antworteten nicht, sahen uns erneut an und prusteten mit der Hand vor dem Mund wieder los. So kam es, dass ich auf Platz fünf aufgerufen wurde und mit diesem Lachen, das mir noch in den Augen saß, und einem unverhofft wohligen Gefühl meinen Preis entgegennahm, nachdem Maestro Ferraro mehrmals vergeblich gefragt hatte, ob jemand aus der Familie Cerullo im Saal sei. Mit viel Lob überreichte mir der Maestro *Drei Mann in einem Boot* von Jerome K. Jerome. Ich bedankte mich und fragte im selben Atemzug:

»Kann ich auch die Preise für Familie Cerullo haben, damit ich sie ihr bringen kann?«

Maestro Ferraro gab mir die Buchpreise für alle Cerullos. Als wir hinausgingen und Carmela neidisch Gigliola einholte, die überglücklich mit Alfonso und Gino plauderte, sagte Pasquale im Dialekt lauter Sachen zu mir, die mich noch mehr zum Lachen brachten: über Rino, der sich beim Lesen die Augen verdarb, über den Schuster Fernando, der nachts kein Auge zutat, nur um zu lesen, über Signora Nunzia, die im Stehen am Herd las, während sie Pasta mit Kartoffeln kochte, in einer Hand einen Roman, in der anderen die Schöpfkelle. In der Grundschule war Pasquale in derselben Klasse wie Rino gewesen und hatte neben ihm auf der Bank gesessen – erzählte er mir mit Lachtränen in den Augen –, und sie beide, er und sein Freund, konnten nach sechs oder sieben Jahren Schule einschließlich der wiederholten Klassen trotz gegenseitiger Hilfe allerhöchstens Folgendes lesen: Tabakladen, Salumeria, Postamt. Am Ende fragte er mich, was für einen Preis sein früherer Schulkamerad denn erhalte.

»*Das tote Brügge.*«

»Kommen da Gespenster drin vor?«

»Keine Ahnung.«

»Kann ich mitkommen, wenn du es ihm bringst? Oder noch besser, kann ich es ihm bringen, mit meinen eigenen Händen?«

Wieder prusteten wir los.

»Ja.«

»Sie haben ihm einen Preis gegeben! Rinuccio! Das ist irre! Dabei ist es Lina, die das alles liest, Madonna mia, ist dieses Mädchen klasse!«

Pasquale Pelusos Aufmerksamkeit baute mich sehr

auf, mir gefiel, dass er mich zum Lachen brachte. ›Vielleicht bin ich ja doch nicht so hässlich‹, dachte ich. ›Vielleicht sehe ich mich bloß nicht richtig.‹

Da hörte ich, dass mich jemand rief, es war Maestra Oliviero.

Ich ging zu ihr, sie sah mich mit ihrem stets prüfenden Blick an und sagte, als wollte sie mir die Berechtigung eines nachsichtigeren Urteils über mein Aussehen bestätigen:

»Hübsch bist du, und groß geworden.«

»Nein, Maestra, das stimmt doch nicht.«

»Und ob das stimmt, du bist ein hübsches Kind, gesund und gut im Futter. Und noch dazu tüchtig. Ich habe gehört, du bist die Schulbeste geworden.«

»Ja.«

»Und was wirst du nun machen?«

»Arbeiten gehen.«

Ihr Gesicht verfinsterte sich.

»Das kommt überhaupt nicht in Frage, du musst weiter zur Schule gehen.«

Ich sah sie überrascht an.

Was gab es denn noch zu lernen?

Ich hatte keine Ahnung vom Schulsystem, wusste nicht, was es nach dem Abschluss der Mittelschule noch gab. Wörter wie *Gymnasium* oder *Universität* ergaben für mich keinen Sinn, wie so viele Wörter, auf die ich in den Romanen stieß.

»Ich kann nicht, meine Eltern lassen mich nicht.«

»Welche Zensur hat dir der Lehrer in Latein gegeben?«

»Eine Neun.«
»Wirklich?«
»Ja.«
»Dann werde ich mal ein Wörtchen mit deinen Eltern reden.«

Ich wandte mich zum Gehen, etwas erschrocken, wie ich gestehen muss. Sollte Maestra Oliviero tatsächlich zu meinem Vater und zu meiner Mutter laufen, um ihnen zu sagen, dass sie mich weiter zur Schule schicken müssten, würden neue Streitereien losbrechen, auf die ich keine Lust hatte. Die Dinge sollten lieber so bleiben, wie sie waren: Ich würde meiner Mutter helfen, im Schreibwarengeschäft arbeiten, mich mit Hässlichkeit und Pickeln abfinden, gesund sein und gut im Futter, wie Maestra Oliviero das nannte, und mich in Armut abmühen. Tat Lila das nicht schon seit mindestens drei Jahren, abgesehen von ihren verrückten Träumen einer Tochter und Schwester von Schuhmachern?

»Danke, Maestra«, sagte ich. »Auf Wiedersehen.«

Doch Maestra Oliviero hielt mich am Arm zurück.

»Vergeude deine Zeit nicht mit dem da«, sagte sie und wies auf Pasquale, der auf mich wartete. »Er ist Maurer, und weiter wird er nie kommen. Außerdem stammt er aus einer grässlichen Familie, sein Vater ist Kommunist und hat Don Achille umgebracht. Ich will dich auf keinen Fall mit ihm sehen, er ist garantiert auch Kommunist, wie sein Vater.«

Ich nickte und ging weg, ohne mich von Pasquale zu verabschieden, der zunächst perplex stehen blieb, doch mir dann, wie ich erfreut hörte, mit einem Abstand von zehn Schritten folgte. Er war kein hübscher Junge, doch hübsch war ich auch nicht mehr. Er hatte sehr krauses, schwarzes Haar, war dunkelhäutig und sonnenverbrannt, hatte einen breiten Mund und war der Sohn eines Mörders, vielleicht sogar Kommunist.

Ich wälzte in meinem Kopf das Wort *Kommunist* herum, das mir nichts sagte, dem die Lehrerin aber sofort einen negativen Beiklang gegeben hatte. Kommunist, Kommunist, Kommunist. Es faszinierte mich. Kommunist und Sohn eines Mörders.

Inzwischen war Pasquale um die Ecke gebogen und hatte mich eingeholt. Wir gingen zusammen weiter, bis wir nur noch wenige Meter von meinem Haus entfernt waren, und verabredeten uns unter erneutem Gelächter für den nächsten Tag, um gemeinsam zur Schusterwerkstatt zu gehen und Lila und Rino die Bücher zu überreichen. Bevor wir uns trennten, sagte Pasquale, dass er, seine Schwester und wer sonst noch Lust hatte am kommenden Sonntag zu Gigliola nach Hause gehen würden, um tanzen zu lernen. Er fragte mich, ob ich auch kommen wolle, vielleicht zusammen mit Lila. Mir blieb der Mund offen stehen, doch ich wusste schon, dass meine Mutter mich nie im Leben dorthin gehen lassen würde. Trotzdem sagte ich: »Gut, ich überleg's mir.« Er streckte mir seine Hand entgegen, und ich, die so eine Geste nicht gewohnt war, zauderte, berührte seine harte, rauhe Hand nur kurz und zog meine Hand wieder zurück.

»Arbeitest du immer noch als Maurer?«, fragte ich, obwohl ich doch wusste, dass er es tat.
»Ja.«
»Und bist du Kommunist?«
Verdutzt sah er mich an.
»Ja.«
»Und besuchst du deinen Vater in Poggioreale?«
Er wurde ernst.
»Sooft ich kann.«
»Ciao.«
»Ciao.«

10

Maestra Oliviero erschien noch am selben Nachmittag ohne Vorankündigung bei mir zu Hause, schüchterte meinen Vater gründlich ein und verärgerte meine Mutter. Sie ließ die beiden beteuern, dass sie mich am nächstgelegenen Gymnasium anmelden würden. Bot sich persönlich an, mir die nötigen Bücher zu besorgen. Erzählte meinem Vater, aber mit einem strengen Blick zu mir, dass sie mich zusammen mit Pasquale Peluso gesehen habe, ein absolut unpassender Umgang für mich, die ich doch zu den schönsten Hoffnungen Anlass gebe.

Meine Eltern wagten es nicht, ihr zu widersprechen. Sie schworen sogar feierlich, dass sie mich in die erste Klasse der gymnasialen Unterstufe schicken würden, und mein Vater sagte finster: »Lenù, untersteh dich, auch nur noch einmal mit Pasquale Peluso zu reden.« Bevor die Maestra sich verabschiedete, erkundigte sie sich, noch immer in Gegenwart meiner Eltern, nach Lila bei mir. Ich antwortete, dass sie ihrem Vater und ihrem Bruder helfe, dass sie in der Buchhaltung und im Laden für Ordnung sorge. Verächtlich verzog sie das Gesicht und fragte:

»Weiß sie, dass du eine Neun in Latein bekommen hast?«

Ich nickte.

»Erzähl ihr, dass du jetzt auch Griechisch lernen wirst. Erzähl es ihr.«

Kerzengerade verabschiedete sie sich von meinen Eltern.

»Dieses Mädchen«, rief sie aus, »wird uns noch viel Freude machen.«

Am selben Abend, als meine Mutter gerade wütend sagte, jetzt müsse man mich also zwangsläufig auf die Schule für feine Leute schicken, weil Maestra Oliviero ihr sonst die Hölle heißmachte und vielleicht sogar die kleine Elisa aus Rache wer weiß wie oft sitzenbleiben lassen würde, und als mein Vater gerade damit drohte, mir beide Beine zu zerschmettern, falls ihm zu Ohren kommen sollte, dass ich noch einmal mit Pasquale Peluso allein unterwegs war, als wäre dies das größte Problem, gerade da ertönte ein gellender Schrei, so dass es uns die Sprache verschlug. Es war Ada, Melinas Tochter, die um Hilfe rief.

Wir liefen ans Fenster, im Hof herrschte ein großes

Durcheinander. Wir erfuhren, dass Melina, die sich nach dem Wegzug der Sarratores im Großen und Ganzen unauffällig verhalten hatte – sie war ein wenig schwermütig, gewiss, ein wenig zerstreut, doch insgesamt waren ihre Anfälle seltener und harmloser geworden, nur solche Dinge wie, zum Beispiel, lauthals singend die Treppen der Wohnblocks wischen oder den Eimer mit dem Schmutzwasser auf die Straße schütten, ohne sich darum zu scheren, ob gerade jemand vorüberging –, dass also Melina erneut durchdrehte, in einer Art überglücklichem Wahn. Sie lachte, sprang in ihrer Wohnung auf dem Bett herum, hob ihren Rock und entblößte vor ihren entsetzten Kindern ihre dürren Schenkel samt Unterhose. Das hörte meine Mutter am Fenster von den anderen Frauen. Ich sah, dass auch Nunzia Cerullo und Lila herbeiliefen, weil sie wissen wollten, was da vor sich ging, und versuchte, aus der Tür zu schlüpfen und zu ihnen zu gelangen, doch meine Mutter hinderte mich daran. Sie ordnete sich das Haar und ging mit ihrem humpelnden Schritt selbst hinunter, um zu sehen, was los war.

Als sie zurückkam, war sie entrüstet. Jemand hatte Melina ein Buch zugestellt. Ein Buch, ja, ein Buch. Ihr, die höchstens die zweite Klasse der Grundschule besucht und nie im Leben ein Buch gelesen hatte. Auf dem Umschlag stand der Name Donato Sarratores. Im Buch fand sich auf der ersten Seite eine handgeschriebene Widmung für Melina, und mit roter Tinte waren sogar die Gedichte markiert, die er für sie verfasst hatte.

Als mein Vater diese merkwürdige Neuigkeit hörte, bedachte er den dichtenden Eisenbahner mit den wüstesten Beschimpfungen. Meine Mutter erklärte, jemand müsse sich darum kümmern, diesem Scheißkerl seine Scheißfresse einzuschlagen. Die ganze Nacht hörten wir Melina vor Glück trällern, hörten wir die Stimmen ihrer Kinder, vor allem Antonio und Ada, die vergeblich versuchten, sie zu beruhigen.

Doch mir hatte es vor Verwunderung den Atem verschlagen. An nur einem Tag hatte ich die Aufmerksamkeit eines düsteren Jungen wie Pasquale auf mich gezogen, hatten sich die Tore einer neuen Schule vor mir aufgetan und hatte ich erfahren, dass jemand, der vor einer Weile noch in unserem Rione und sogar im gleichen Haus wie wir gewohnt hatte, nun ein Buch veröffentlicht hatte. Dieses letzte Ereignis bewies, dass Lila mit ihrer Annahme recht gehabt hatte, auch uns könnte so etwas vergönnt sein. Sie hatte diese Idee zwar inzwischen aufgegeben, aber wenn ich auf diese schwierige Schule namens Gymnasium ging und mich womöglich Pasquales Liebe stärkte, könnte ich vielleicht allein eines schreiben, so wie Sarratore es getan hatte. Wer weiß, wenn alles gut lief, könnte ich noch vor Lila mit ihren Schuhentwürfen und ihrer Schuhfabrik reich werden.

11

Tags darauf ging ich heimlich zu meiner Verabredung mit Pasquale Peluso. Atemlos kam er an, in seiner Arbeitskluft, vollkommen durchgeschwitzt und mit weißen Kalkflecken übersät. Unterwegs erzählte ich ihm die Geschichte von Donato und Melina. Ich sagte, die jüngsten Ereignisse seien der Beweis dafür, dass Melina nicht verrückt sei, dass Donato sich wirklich in sie verliebt habe und er sie nach wie vor liebe. Aber noch während ich sprach, noch während Pasquale mir recht gab und sich in Liebesdingen feinfühlig zeigte, wurde mir bewusst, was mich bei diesen letzten Entwicklungen mehr als alles andere erregte, nämlich dass Donato Sarratore tatsächlich ein Buch veröffentlicht hatte. Dieser Eisenbahnangestellte war nun der Autor eines Buches, das Maestro Ferraro wunderbar in seine Bibliothek stellen und verleihen könnte. Also, sagte ich zu Pasquale, hätten wir alle nicht irgendeinen Waschlappen gekannt, der sich von seiner Frau Lidia herumkommandieren ließ, sondern einen Dichter. Also war vor unseren Augen eine tragische Liebe entstanden, und ihr Ziel war eine Frau, die wir bestens kannten, Melina. Ich war sehr aufgeregt, mein Herz klopfte heftig. Doch ich bemerkte, dass Pasquale mir bei diesem Thema nicht folgen konnte und nur ja sagte, um mir nicht zu widersprechen. Schon bald begann er abzuschweifen, er ging dazu über, mich über Lila auszufragen: wie sie in der Schule gewesen sei, was ich von ihr hielte, ob wir eng befreundet seien. Ich antwortete bereitwillig. Es war das erste Mal, dass sich jemand bei mir nach meiner Freundschaft zu ihr erkundigte, und ich redete den ganzen Weg lang mit großer Begeisterung darüber. Es war auch das erste Mal, dass mir bewusst wurde, wie ich aus der Notwendigkeit heraus, Formulierungen für ein Thema zu finden, für das ich keine vorgefertigten Worte hatte, versuchte, das Verhältnis zwischen mir und Lila auf allesamt überschwengliche, ausdrücklich positive Aussagen zu reduzieren.

Wir redeten noch darüber, als wir die Schusterwerkstatt erreichten. Fernando war zum Mittagsschläfchen nach Hause gegangen, aber Lila und Rino waren da, nebeneinander mit düsteren Gesichtern über etwas gebeugt, was sie feindselig betrachteten, jedoch wegräumten, als sie uns vor der Glastür entdeckten. Ich übergab meiner Freundin Maestro Ferraros Geschenke, während Pasquale seinen Freund aufzog, indem er ihm dessen Buch aufgeschlagen unter die Nase hielt und sagte: »Und wenn du die Geschichte von diesem toten Brügge gelesen hast, sag mir, wie du es fandest, vielleicht lese ich es dann ja auch.« Sie lachten viel und flüsterten sich ab und zu etwas über Brügge ins Ohr, sicher etwas Unflätiges. Dann fiel mir auf, dass Pasquale, während er weiter mit Rino herumflachste, Lila verstohlene Blicke zuwarf. Warum schaute er sie so an, was suchte er, was sah er in ihr? Es waren lange, eindringliche Blicke, die sie offenbar überhaupt nicht bemerkte, während Rino – so schien es mir – dies noch stärker wahrnahm als ich und Pasquale rasch auf die Straße hinauszog, als wollte er verhindern, dass wir ihre Witze über Brügge hörten, in Wahrheit jedoch darüber verärgert, wie sein Freund seine Schwester anschaute.

Ich folgte Lila ins Hinterzimmer der Werkstatt, wobei ich mich bemühte, an ihr das zu entdecken, was Pasquales Aufmerksamkeit geweckt hatte. Sie schien mir noch dasselbe schmächtige Mädchen zu sein, nur Haut und Knochen und blutarm, abgesehen vielleicht von ihren größeren Augen und einer sanften Wölbung ihrer Brust. Sie stellte die Bücher zu den anderen, die sie hatte, zwischen alte Schuhe und einige Hefte mit zerfledderten Umschlägen. Ich fing von Melinas Anfällen an, versuchte aber vor allem, sie mit meiner großen Begeisterung anzustecken, weil wir endlich sagen konnten, dass wir jemanden kannten, der kürzlich ein Buch veröffentlicht hatte, Donato Sarratore. Ich flüsterte auf Italienisch: »Denk nur, sein Sohn Nino ist mit uns zur Schule gegangen. Denk nur, die ganze Familie Sarratore wird vielleicht reich.« Sie deutete ein skeptisches Lächeln an.

»Damit?« Sie streckte die Hand aus und zeigte mir Sarratores Buch.

Antonio, Melinas ältester Sohn, hatte es ihr gegeben, damit es für immer aus dem Blickfeld und aus den Händen seiner Mutter verschwand. Ich nahm den schmalen Band und untersuchte ihn. Er hieß *Proben der Heiterkeit*. Sein Umschlag war hellrot, mit der Zeichnung einer strahlenden Sonne über einem Berggipfel. Es war aufregend, direkt über dem Titel zu lesen: Donato Sarratore. Ich schlug das Buch auf und las die handgeschriebene Widmung vor: *Für Melina, die meinen Gesang nährte. Donato. Neapel, den 12. Juni 1958.* Ich war ergriffen, spürte einen Schauer im Nacken und an den Haarwurzeln. Ich sagte:

»Nino wird ein schöneres Auto haben als die Solaras.«

Aber Lila setzte ihren typischen, durchdringenden Blick auf, der mit dem Buch, das ich in der Hand hielt, wie verschweißt war.

»Wir werden ja sehen, ob das passiert«, knurrte sie. »Bis jetzt haben diese Gedichte nichts als Schaden angerichtet.«

»Wieso denn?«

»Sarratore hatte nicht den Mumm, Melina persönlich zu besuchen, stattdessen hat er das Buch geschickt.«

»Ist das nicht schön?«

»Na, ich weiß nicht. Jetzt wartet Melina auf ihn, und wenn Sarratore nicht kommt, wird sie noch mehr leiden als bisher.«

Was für schöne Reden. Ich betrachtete Lilas schneeweiße, glatte Haut, nicht eine Unebenheit. Betrachtete ihre Lippen, die zarte Form ihrer Ohren. ›Ja‹, dachte ich. ›Vielleicht verändert sie sich gerade, und nicht nur körperlich, sondern auch in ihrer Art, sich auszudrücken.‹ Mir schien – mit den Worten von heute gesagt –, als könnte sie die Dinge nicht nur gut formulieren, sondern als hätte sie auch ein Talent weiterentwickelt, das ich schon an ihr kannte: Besser als damals, als sie ein kleines Mädchen war, nahm sie die Tatsachen und lud sie völlig ungekünstelt mit Spannung auf. Sie verstärkte die Realität, während sie sie auf Worte reduzierte, sie flößte ihr Energie ein. Mit Vergnügen bemerkte ich, dass auch ich mich dazu in der Lage fühlte, sobald sie damit begann. Ich probierte es aus und es gelang. ›Das‹ – dachte ich zufrieden – ›unterscheidet mich von Carmela und allen anderen Mädchen: Ich begeistere mich zusammen mit ihr, jetzt, in diesem Moment, da sie mit mir spricht.‹ Was für schöne, starke Hände sie hatte, was für anmutige Gesten sie beherrschte und was für Blicke.

Doch während Lila über Liebe räsonierte, während auch ich darüber räsonierte, zerbröckelte mein Vergnügen, mir kam ein hässlicher Gedanke. Schlagartig wurde mir klar, dass ich mich getäuscht hatte. Pasquale, der Maurer, der Kommunist, der Sohn des Mörders, hatte mich nicht meinetwegen hierher begleiten wollen, sondern ihretwegen, um eine Gelegenheit zu haben, sie zu sehen.

12

Bei diesem Gedanken blieb mir für einen Augenblick die Luft weg. Als die beiden Jungen wieder hereinkamen und in unser Gespräch platzten, gestand Pasquale lachend, dass er von der Baustelle verschwunden sei, ohne seinem Polier Bescheid zu sagen, nun aber sofort wieder zurück an die Arbeit müsse. Ich sah, dass er Lila erneut lange und eindringlich anschaute, geradezu gegen seinen Willen, vielleicht um ihr zu bedeuten: ›Nur für dich riskiere ich es, entlassen zu werden.‹ Währenddessen sagte er zu Rino:

»Am Sonntag gehen wir alle zu Gigliola tanzen, Lenuccia kommt auch mit, ihr auch?«

»Bis Sonntag ist es noch lange hin, mal sehen«, antwortete Rino.

Pasquale warf Lila, die keine Notiz von ihm nahm, einen letzten Blick zu, dann stürzte er fort, ohne mich zu fragen, ob ich mitkommen wolle.

Ich ärgerte mich, war gereizt. Mit den Fingern fuhr ich mir im Gesicht herum, ausgerechnet über die entzündetesten Stellen, ich merkte es und zwang mich, es nicht mehr zu tun. Während Rino unter dem Schemel die Sachen hervorholte, an denen er gearbeitet hatte, bevor wir gekommen waren, und sie unschlüssig prüfte, begann ich mit Lila über Bücher zu reden, über Liebesgeschichten. Wir bauschten Sarratore, Melinas Liebeswahn und die Bedeutung seines Buches über die Maßen auf. Was würde geschehen? Welche Reaktionen würde nicht die Lektüre der Gedichte, sondern das Buch an sich auslösen, die Tatsache, dass sein Umschlag, sein Titel, der vollständige Name Sarratores das Herz der Frau von Neuem entflammt hatte? Wir redeten uns so in Feuer, dass Rino plötzlich die Geduld verlor und uns anschrie:

»Wollt ihr wohl aufhören? Lila, wir müssen arbeiten, sonst kommt Papà wieder und wir können nicht weitermachen.«

Wir hörten auf. Ich warf einen Blick auf das, was sie da taten, auf eine Holzform, die unter einem Gewirr aus Sohlen, kleinen Lederstreifen und dicken Lederstücken zwischen Messern, Ahlen und den verschiedensten Werkzeugen verschwand. Lila erklärte mir, dass sie und Rino versuchten, einen Reiseschuh für Herren herzustellen, und ihr besorgter Bruder ließ mich sogleich bei meiner Schwester Elisa schwören, dass ich niemandem ein Sterbenswort davon verraten würde. Sie arbeiteten heimlich, hinter Fernandos Rücken. Rino hatte sich die verschiedenen Leder von einem Freund besorgt, der sich seinen Lebensunterhalt in einer Gerberei in der Ponte di Casanova verdiente. Auf die Herstellung dieses Schuhs verwendeten sie heute fünf Minuten und morgen zehn, hatte es doch keine Möglichkeit gegeben, ihren Vater zu überreden, ihnen zu helfen, im Gegenteil, immer wenn sie davon anfingen, schickte Fernando Lila nach Hause und brüllte, er wolle sie nie wieder in der Werkstatt sehen, während er gleichzeitig drohte, Rino umzubringen, der es mit seinen neunzehn Jahren ihm gegenüber an Respekt fehlen lasse, da er es sich in den Kopf gesetzt habe, etwas Besseres sein zu können als er.

Ich tat so, als interessierte ich mich für ihr geheimes Vorhaben, doch eigentlich deprimierte es mich. Obwohl die zwei Geschwister mich mit einbezogen und zu ihrer

Vertrauten gemacht hatten, ging es immer noch um ein Unterfangen, bei dem ich lediglich zuschauen konnte: Auf diesem Weg würde Lila allein Großes vollbringen, ich war ausgeschlossen. Doch wie konnte es, vor allem, sein, dass sie mich nach unseren hitzigen Gesprächen über Liebe und Poesie zur Tür brachte, wie sie es gerade tat, und die spannungsgeladene Atmosphäre rings um einen Schuh viel interessanter fand? Wir hatten uns so schön über Sarratore und Melina unterhalten! Auch wenn sie mir diesen Wust aus Lederstücken und Werkzeugen zeigte, konnte ich nicht glauben, dass nicht auch sie sich, so wie ich es tat, nicht weiter um diese liebeskranke Frau sorgte. Was gingen mich die Schuhe an! Ich war noch mit den geheimsten Regungen dieses Treuebruchs beschäftigt, der Leidenschaft, der Dichtung, die zu einem Buch geworden war. Es war, als hätten wir, sie und ich, gemeinsam einen Roman gelesen, als hätten wir hier, im Hinterzimmer der Werkstatt, und nicht sonntags im Gemeindekino, einen hochdramatischen Film gesehen. Mich deprimierte ihre vergebliche Arbeit, weil ich gehen sollte, weil sie ihr Schuhabenteuer unseren Gesprächen vorzog, weil sie es verstand, unabhängig zu sein, ich dagegen auf sie angewiesen war, weil sie ihre eigenen Angelegenheiten hatte, zu denen mir der Zugang fehlte, weil Pasquale, der schon erwachsen war und kein kleiner Junge mehr, garantiert nach weiteren Gelegenheiten suchen würde, um sie anzuschauen und sie zu umwerben und zu probieren, sie zu überreden, heimlich mit ihm zu gehen, sich küssen und anfassen zu lassen, wie man es, nach dem, was ich so hörte, tat, wenn man ein Paar war, kurzum, weil sie mich immer weniger brauchen würde.

Deshalb, wie um den Widerwillen zu verjagen, den diese Gedanken bei mir auslösten, und wie um meine Wichtigkeit und meine Unentbehrlichkeit herauszustreichen, warf ich rasch hin, dass ich aufs Gymnasium gehen würde. Ich sagte es ihr an der Ladentür, als ich schon auf der Straße stand. Sagte ihr, dass Maestra Oliviero meine Eltern dazu gezwungen und ihnen versprochen habe, mir kostenlos gebrauchte Bücher zu beschaffen. Ich tat es, weil ich mir wünschte, sie würde bemerken, dass ich etwas Besonderes war und dass sie, selbst wenn sie mit Rino Schuhe herstellte und damit reich werden sollte, nie ohne mich auskommen könnte, so wie ich nicht ohne sie.

Sie starrte mich verdutzt an.

»Was ist ein Gymnasium?«, fragte sie.

»Eine wichtige Schule, die kommt nach der Mittelschule.«

»Und was willst du da?«

»Lernen.«

»Was denn?«

»Latein.«

»Weiter nichts?«

»Auch Griechisch.«

»Griechisch?«

»Ja.«

Sie machte den Eindruck eines Menschen, der sich

nicht mehr zurechtfand und nicht wusste, was er sagen sollte. Schließlich brummte sie übergangslos:

»Letzte Woche habe ich meine Regel bekommen.«

Und obwohl Rino sie nicht gerufen hatte, ging sie zurück in die Werkstatt.

13

Nun hatte also auch sie dieses Bluten. Die verborgenen Regungen des Körpers, von denen zunächst ich erfasst worden war, hatten wie die Welle eines Erdbebens auch sie erreicht und würden sie verändern, Lila veränderte sich bereits. Pasquale – dachte ich – hatte das vor mir bemerkt. Er und wahrscheinlich auch andere Jungen. Die Tatsache, dass ich aufs Gymnasium gehen würde, verlor schnell an Reiz. Tagelang konnte ich an nichts anderes denken als an die Unvorhersehbarkeit der Veränderungen, die über Lila hereinbrechen würden. Würde sie so hübsch werden wie Pinuccia Carracci oder Gigliola oder Carmela? Würde sie so hässlich werden wie ich? Ich ging nach Hause und betrachtete mich prüfend im Spiegel. Wie war ich wirklich? Wie würde, früher oder später, sie sein?

Ich begann mehr auf mein Äußeres zu achten. An einem Sonntagnachmittag zog ich für den üblichen Spaziergang vom Stradone zum Park mein bestes Kleid an, ein blaues mit einem viereckigen Ausschnitt, und trug auch das silberne Armband meiner Mutter. Als ich Lila traf, freute ich mich insgeheim, sie in ihrer Alltagskluft zu sehen, das tiefschwarze Haar ungekämmt, dazu ein abgetragenes, ausgeblichenes Kleidchen. Nichts unterschied sie von der herkömmlichen Lila, einem unruhigen, mageren Mädchen. Sie schien sich lediglich gestreckt zu haben. Die Kleine, die sie gewesen war, war nun fast so groß wie ich, es fehlte vielleicht ein Zentimeter. Doch worin bestand ihre Veränderung? Ich hatte einen großen Busen und weibliche Formen.

Wir kamen am Park an, machten kehrt, gingen zurück und dann wieder bis zum Park. Es war noch früh, noch war nichts vom sonntäglichen Stimmengewirr, von den Verkäufern von gerösteten Haselnüssen, Mandeln und Lupinensamen zu hören. Zurückhaltend fragte Lila mich erneut nach dem Gymnasium. Ich erzählte ihr das Wenige, was ich wusste, blies es jedoch so gewaltig auf wie irgend möglich. Ich wünschte mir, dass sie neugierig wurde, dass sie wenigstens ein bisschen Anteil an meinem Abenteuer nehmen wollte, dass sie das Gefühl hatte, etwas von mir zu verlieren, so wie ich stets Angst hatte, viel von ihr zu verlieren. Ich ging auf der Straßenseite, sie neben mir. Ich redete, sie hörte aufmerksam zu.

Da glitt der Millecento der Solara-Brüder neben uns, Michele saß am Steuer, Marcello auf dem Beifahrersitz. Er kam uns mit abgeschmackten Sprüchen. Wirklich uns, nicht nur mir. Er flötete im Dialekt Sätze wie: »Na, was für schöne Signorinas! Habt ihr es denn nicht satt, immer nur hin und her zu gehen? Neapel ist doch so groß und die schönste Stadt der Welt, so schön wie ihr, steigt ein, nur eine halbe Stunde, wir setzen euch hier wieder ab.«

Ich hätte es nicht tun sollen, doch ich tat es. Anstatt unbeirrt weiterzugehen, als existierten weder er noch sein Auto noch sein Bruder, anstatt ihn zu ignorieren und weiter mit Lila zu sprechen, drehte ich mich mit dem Bedürfnis um, mich attraktiv und vom Glück begünstigt zu fühlen und wie jemand, der kurz vor dem Besuch der Schule für feine Leute stand, wo ich höchstwahrscheinlich Jungen mit einem schöneren Auto als dem der Solaras finden würde, und sagte auf Italienisch:

»Danke, aber wir dürfen nicht.«

Da streckte Marcello seine Hand aus. Sie war breit und kurz, obwohl er ein hochgewachsener, gut gebauter junger Mann war. Seine fünf Finger kamen aus dem Autofenster und packten mich am Handgelenk, während er sagte:

»Michè, fahr langsamer, siehst du nicht, was für ein schönes Armband die Tochter des Pförtners hat?«

Der Wagen hielt. Marcellos Finger zerknautschten meine Haut. Angewidert zog ich die Hand zurück. Das Armband zerriss und fiel zwischen Gehweg und Auto.

»Madonna! Sieh nur, was du gemacht hast!«, schrie ich und dachte an meine Mutter.

»Immer mit der Ruhe«, sagte er, öffnete die Autotür und stieg aus. »Ich bring' das wieder in Ordnung.«

Er war fröhlich, herzlich, versuchte erneut, mein

Handgelenk zu fassen, als wollte er eine Vertrautheit herstellen, die mich beschwichtigen sollte. Dann ging alles blitzschnell. Lila, körperlich die Hälfte von ihm, stieß ihn gegen das Auto und hielt ihm das Schustermesser an die Kehle.

Seelenruhig sagte sie im Dialekt:

»Rühr sie noch einmal an, und du kannst was erleben.«

Marcello hielt ungläubig still. Michele sprang sofort aus dem Wagen und meinte beruhigend:

»Marcè, die tut dir nichts, so viel Mumm hat diese Nutte nicht.«

»Komm her«, sagte Lila. »Na, komm, dann wirst du ja sehen, ob ich so viel Mumm habe.«

Michele ging um das Auto herum, ich begann zu weinen. Ich sah, dass die Messerspitze Marcellos Haut bereits geritzt hatte, so dass ein dünner Faden Blut aus dem Kratzer rann. Ich habe die Szene noch in aller Deutlichkeit vor Augen: Eine große Hitze, nur wenige Passanten, Lila klebte dicht an Marcello, als hätte sie ein widerliches Insekt in seinem Gesicht entdeckt und wollte es verscheuchen. Und ich erinnere mich auch noch an die absolute Gewissheit von damals: Sie hätte ihm, ohne zu zögern, die Kehle durchgeschnitten. Das erkannte auch Michele.

»Na gut, sehr schön«, sagte er und stieg lässig und beinahe belustigt wieder ins Auto. »Steig ein, Marcè, bitte die Signorinas um Entschuldigung und lass uns weiterfahren.«

Langsam nahm Lila die Messerspitze von Marcellos Kehle. Er lächelte sie schüchtern an, sein Blick war verwirrt.

»Augenblick«, sagte er.

Er kniete sich vor mich auf den Gehsteig, wie um sich auf die demütigendste Weise zu entschuldigen. Er fuhrwerkte unter dem Auto herum, bekam das Armband zu fassen, untersuchte es und reparierte es, indem er mit den Fingernägeln einen kleinen Silberring zusammenpresste, der aufgesprungen war. Er gab es mir zurück, wobei er nicht mich, sondern Lila anschaute. Zu ihr sagte er: »Entschuldige.« Dann stieg er ins Auto, und das Auto fuhr los.

»Ich hab' bloß wegen dem Armband geheult, nicht aus Angst«, sagte ich.

14

In jenem Sommer verblassten die Grenzen des Rione. Eines Morgens nahm mein Vater mich mit. Er wollte mich am Gymnasium anmelden und die Gelegenheit nutzen, um mir zu zeigen, welche Verkehrsmittel ich benutzen und welche Straßen ich nehmen musste, um ab Oktober in die neue Schule zu gehen.

Es war ein herrlicher, kristallklarer, windiger Tag. Ich fühlte mich geliebt und verhätschelt, und zu meiner Zuneigung für ihn gesellte sich rasch auch eine wachsende Bewunderung. Er kannte sich bestens aus in der riesigen Stadt, wusste, wo wir in die U-Bahn, in die Straßenbahn oder in den Bus steigen mussten. Unterwegs bewegte er sich mit einer Geselligkeit, mit einer gelassenen Höflichkeit, die er zu Hause fast nie aufbrachte. Er kam mit jedermann ins Gespräch, in den öffentlichen Verkehrsmitteln und in den Büros, und es gelang ihm immer, seinen Gesprächspartner wissen zu lassen, dass er in der Stadtverwaltung arbeitete und dass er, wenn er wollte, Vorgänge beschleunigen und Türen öffnen konnte.

Wir verbrachten den ganzen Tag zusammen, das einzige Mal in unserem Leben, an weitere erinnere ich mich nicht. Er kümmerte sich sehr um mich, als wollte er mir in wenigen Stunden alles Nützliche vermitteln, was er in vielen Jahren gelernt hatte. Er zeigte mir die Piazza Garibaldi und den im Bau befindlichen Bahnhof. Seinen Worten zufolge war er so modern, dass Japaner extra angereist kamen, um ihn sich anzusehen und dann bei sich zu Hause genau so einen zu bauen, vor allem mit solchen Pfeilern. Doch er gestand mir auch, dass der alte Bahnhof ihm besser gefiel, dass er ihm lieber war. Je nun. Neapel war, sagte er, schon immer so: »Man holzt ab, man reißt ein und dann baut man neu, das Geld fließt, und für Arbeit ist gesorgt.«

Er führte mich durch den Corso Garibaldi, bis zu dem Gebäude, das bald meine Schule sein sollte. Im Sekretariat verhielt er sich äußerst liebenswürdig, er hatte das Talent, sympathisch zu wirken, ein Talent, das er im Rione und zu Hause verborgen hielt. Er prahlte mit meinem außergewöhnlichen Zeugnis vor einem Schulhausmeister, dessen Trauzeuge, wie er sofort verriet, ein guter Bekannter von ihm sei. Ich hörte ihn oft sagen: »Alles klar?« Oder: »Man tut, was man kann.« Er zeigte mir die Piazza Carlo III., den Albergo dei poveri, den Botanischen Garten, die Via Foria, das Museum. Er führte mich zur Via Costantinopoli, zur Port'Alba, zur Piazza Dante und zur Via Toledo. Ich war überwältigt von den Namen, vom Verkehrslärm, von den Stimmen, den Farben, von der herrschenden Festtagsstimmung, von der Anstrengung, mir alles einzuprägen, damit ich es später Lila erzählen konnte, von der Gewandtheit, mit der er mit dem Pizzabäcker plauderte, bei dem er mir eine heiße Pizza mit Ricotta kaufte, und mit dem Obsthändler, bei dem er mir einen knallgelben Pfirsich kaufte. Konnte es sein, dass nur unser Rione so voller Spannungen und Gewalt war, während der Rest der Stadt strahlend und freundlich war?

Er zeigte mir, wo er arbeitete, an der Piazza Municipio. Auch hier, sagte er, sei nun alles neu, man habe die Bäume gefällt, alles weggerissen: »Sieh nur, wie viel Platz hier ist, das einzige Alte ist die Burg, der Maschio Angioino, aber der ist schön, meine Kleine, hier in Neapel gibt es nur zwei richtige Männer, deinen Papà und diesen Burschen hier.« Wir gingen ins Rathaus, er grüßte diesen und jenen, er war allseits bekannt. Zu einigen war er jovial, er stellte mich vor, wiederholte zum x-ten Mal, dass ich in der Schule eine Neun in Italienisch und eine Neun in Latein bekommen hätte. Bei anderen war er fast stumm, nur ein »Ist gut«, »Ja«, »Ganz wie Sie wünschen«. Schließlich kündigte er an, dass er mir den Vesuv aus der Nähe und das Meer zeigen wollte.

Es war ein unvergesslicher Augenblick. Wir gingen zur Via Caracciolo, immer mehr Wind, immer mehr Sonne. Der Vesuv war ein zartes, pastellfarbenes Gebilde, zu dessen Füßen sich die weißlichen Kiesel der Stadt zusammendrängten, die erdfarbene Gestalt des Castel dell'Ovo, das Meer. Aber was für ein Meer! Es war aufgewühlt, tosend, der Wind nahm uns den Atem, presste uns die Kleider an den Leib und blies uns die Haare aus der Stirn. Wir standen auf der anderen Straßenseite in einer kleinen Schar, die dieses Schauspiel betrachtete. Die Wellen rollten wie blaue Metallrohre heran, trugen Kämme aus Eischnee und zersprangen in tausend glitzernde Spritzer, die unter dem staunenden, ängstlichen »Oh!« von uns Zuschauern bis auf die Straße regneten. Wie schade, dass Lila nicht da war! Ich war benommen von den heftigen Windstößen, von dem Getöse. Obgleich ich viel von diesem Schauspiel aufsog, war mir doch, als zerstäubten viele, zu viele Dinge ringsherum, ohne sich greifen zu lassen.

Mein Vater hielt mich fest an der Hand, als fürchtete er, ich könnte ihm entwischen. Und wirklich hatte ich Lust, ihn stehenzulassen, loszulaufen, mich wegzubewegen, die Straße zu überqueren und mich von den funkelnden Splittern des Meeres bestürmen zu lassen. In diesem schrecklich aufregenden Moment voller Licht und Lärm stellte ich mir vor, ich wäre allein in der Neuheit der Stadt und wäre selbst auch neu, das ganze Leben noch vor mir, dem wechselhaften Ungestüm der Dinge ausgesetzt, doch garantiert siegreich: ich, ich mit Lila, wir beide mit der Fähigkeit, die wir zusammen – und nur zusammen – hatten, die Fähigkeit, die Masse der Farben, der Geräusche, der Dinge und der Menschen aufzunehmen, sie uns zu erzählen und ihr Kraft zu verleihen.

Ich kehrte in den Rione zurück, als wäre ich in einem fernen Land gewesen. Hier nun wieder die bekannten Straßen; hier wieder die Salumeria von Stefano und seiner Schwester Pinuccia; Enzo, der Obst verkaufte; der vor der Bar parkende Millecento der Solaras, für den ich wer weiß was gezahlt hätte, um ihn vom Erdboden verschwinden zu lassen. Zum Glück hatte meine Mutter nichts von der Sache mit dem Armband erfahren. Zum Glück hatte niemand Rino verraten, was vorgefallen war.

Ich erzählte Lila von den Straßen, von ihren Namen, von dem Tosen, von dem außergewöhnlichen Licht. Doch schon bald fühlte ich mich unwohl. Wäre sie es gewesen, die von diesem Tag erzählt hätte, ich hätte mich mit einem unentbehrlichen Gegengesang eingebracht, hätte mich, auch ohne dabei gewesen zu sein, lebendig und aktiv gefühlt, hätte Fragen gestellt und Diskussionen entfacht, hätte versucht, ihr zu beweisen, dass wir den gleichen Ausflug noch einmal gemeinsam machen müssten, unbedingt, weil ich ihn für sie bereichern würde, weil ich eine weitaus bessere Gesellschaft sein würde als ihr Vater. Sie aber hörte mir teilnahmslos zu, und ich dachte zunächst, sie täte es aus Gemeinheit, um meine Begeisterung auszubremsen. Doch ich musste einsehen, dass es so nicht war, sie hing ganz einfach ihren Gedanken nach, die sich aus konkreten Dingen speisten, aus einem Buch oder einem Brunnen. Mit ihren Ohren hörte sie mir sicherlich zu, aber ihre Augen, ihre Gedanken waren fest auf die Straße gerichtet; auf die wenigen Bäumen im Park; auf Gigliola, die mit Alfonso und Carmela spazieren ging; auf Pasquale, der vom Baugerüst grüßte; auf Melina, die lauthals über Donato Sarratore redete, während Ada versuchte, sie nach Hause zu ziehen; auf Don Achilles Sohn Stefano, der sich gerade einen Giardinetta gekauft hatte und seine Mutter neben sich sitzen hatte und auf dem Rücksitz seine Schwester Pinuccia; auf Marcello und Michele Solara, die in ihrem Millecento vorbeifuhren, wobei Michele so tat, als sähe er uns nicht, während Marcello es nicht versäumte, uns einen freundlichen Blick zuzuwerfen; vor allem aber auf das heimliche Werk hinter dem Rücken ihres Vaters, an dem sie arbeitete, um das Schuhprojekt voranzutreiben. Meine Erzählung war in jenem Moment nur eine Anhäufung unnützer Informationen über unnütze Orte für sie. Mit diesen Orten würde sie sich befassen, wenn sie irgendwann die Gelegenheit haben würde, sie aufzusuchen. Und so sagte sie nach all meinem Reden nur:

»Ich muss Rino Bescheid sagen, dass wir Pasquale Pelusos Einladung am Sonntag annehmen.«

Na prima, ich erzählte ihr von Neapels Zentrum, aber sie stellte Gigliolas Wohnung in den Mittelpunkt, einen Wohnblock des Rione, wohin Pasquale uns zum Tanzen mitnehmen wollte. Ich ärgerte mich. Wir hatten Pasquales Einladungen jedes Mal angenommen, um dann doch nie hinzugehen, ich, weil ich Streitereien mit meinen Eltern vermeiden wollte, und sie, weil Rino dagegen war. Doch oft beobachteten wir Pasquale an freien Tagen, wenn er in Schale geworfen auf seine Freunde wartete, die großen und die kleineren. Er war großzügig und scherte sich nicht um Altersunterschiede, er nahm jeden mit. Für gewöhnlich wartete er an der Tanksäule, während nach und nach Enzo, Gigliola und Carmela, die sich nun Carmen nannte, eintrudelten und manchmal sogar Rino, wenn er nichts anderes vorhatte, und Antonio, der sich viel um seine Mutter Melina kümmern musste, und falls Melina sich ruhig verhielt, auch seine Schwester Ada, die die Solara-Brüder in ihr Auto gezerrt und für eine volle Stunde wer weiß wohin gebracht hatten. Wenn schönes Wetter war, gingen sie ans Meer und kehrten mit von der Sonne geröteten Gesichtern zurück. Doch meistens trafen sie sich alle bei Gigliola, deren Eltern nicht so streng waren wie unsere. Und dort tanzte, wer tanzen konnte, und wer nicht tanzen konnte, lernte es.

Lila begann mich zu diesen kleinen Partys mitzuschleppen, sie hatte, ich weiß nicht wie, angefangen sich fürs Tanzen zu interessieren. Sowohl Pasquale als auch Rino erwiesen sich zu unserer Überraschung als ausgezeichnete Tänzer, und wir lernten von ihnen Tango, Walzer, Polka und Mazurka. Rino wurde als Lehrer, offen gestanden, schnell nervös, besonders seiner Schwester gegenüber, während Pasquale die Geduld in Person war. Anfangs ließ er uns beim Tanzen auf seinen Füßen stehen, damit wir die Schritte lernten, und als wir versierter wurden, wirbelten wir los durch die ganze Wohnung.

Ich entdeckte, dass mir Tanzen großen Spaß machte, ich hätte es stets und ständig tun können. Lila dagegen hatte die für sie typische Miene eines Menschen, der genau verstehen will, wie das alles funktionierte, und ihr Vergnügen schien vollends in diesem Lernen zu bestehen, dafür sprach jedenfalls, dass sie oft dasaß und zuschaute, uns studierte und den am besten eingespielten Paaren applaudierte. Einmal, als ich bei ihr zu Hause war, zeigte sie mir ein kleines Buch, das sie aus der Bibliothek ausgeliehen hatte. Darin stand alles über die Tänze, und jede Bewegung war mit sich drehenden, schwarzen Figuren dargestellt, männlichen und weiblichen. Sie war sehr fröhlich damals, ein für sie erstaunlicher Überschwang. Urplötzlich packte sie mich an der Taille und nötigte mich zu einem Tango, bei dem sie führte und mit dem Mund die Musik dazu machte. Rino schaute herein und brach bei unserem Anblick in Gelächter aus. Er wollte auch tanzen, zunächst mit mir, dann mit seiner Schwester, wenn auch ohne Musik. Als er mit mir tanzte, erzählte er mir, Lila habe einen so verbissenen Perfektionismus entwickelt, dass sie ihn in einem fort zwinge, zu üben, obwohl sie kein Grammophon hätten. Kaum hatte er dieses Wort ausgesprochen – Grammophon, Grammophon, Grammophon –, rief Lila mir mit zusammengekniffenen Augen aus einer Zimmerecke zu:

»Weißt du, was für ein Wort das ist?«

»Nein.«

»Ein griechisches.«

Ich starrte sie unsicher an. Rino ließ mich los und schickte sich an, mit seiner Schwester zu tanzen, die einen Quiekser ausstieß, mir das Übungsbuch in die Hand drückte und mit ihrem Bruder durch das Zimmer wirbelte. Ich räumte das Übungsbuch zu ihren übrigen Büchern. Was hatte sie gesagt? Grammophon, *grammofono,* war doch Italienisch, nicht Griechisch. Da sah ich, dass unter *Krieg und Frieden* mit einem großen Etikett von Maestro Ferraros Bibliothek ein zerfledderter Band mit der Aufschrift *Griechische Grammatik* hervorschaute. Griechische. Grammatik. Ich hörte, wie sie mir atemlos versprach:

»Nachher schreibe ich dir Grammophon in griechischen Buchstaben auf.«

Ich sagte, ich hätte noch zu tun, und ging.

15

Hatte sie begonnen Griechisch zu lernen, noch bevor ich mit dem Gymnasium anfing? Hatte sie es allein getan, während ich nicht einmal daran dachte, und dies im Sommer, in den Ferien? Tat sie das, was ich tun müsste, immer vor mir und besser als ich? Entzog sie sich mir, wenn ich ihr folgte, um sich dann an meine Fersen zu heften und mich zu überholen?

Ich versuchte, sie eine Weile zu meiden, ich war wütend. Ich ging in die Bibliothek, um mir auch eine griechische Grammatik zu besorgen, doch es gab nur eine, und die hatte reihum die ganze Familie Cerullo ausgeliehen. Vielleicht sollte ich Lila von mir abwischen wie ein Bild von der Tafel, dachte ich, und ich glaube, es war das erste Mal. Ich fühlte mich angreifbar, allem ausgeliefert, konnte meine Zeit nicht darauf verwenden, ihr zu folgen oder zu entdecken, dass sie mir folgte, und mich in dem einen wie in dem anderen Fall minderwertig fühlen. Doch ich hielt nicht durch, ich ging sofort wieder zu ihr. Ließ mir von ihr beibringen, wie man eine Quadrille tanzt. Ließ mir von ihr zeigen, dass sie alle italienischen Wörter in griechischen Buchstaben schreiben konnte. Sie wollte, dass auch ich dieses Alphabet lernte, bevor ich mit der Schule begann, und sie zwang mich, es zu schreiben und zu lesen. Ich bekam noch mehr Pickel. Zu Gigliolas Tanzpartys ging ich mit einem ständigen Gefühl von Unfähigkeit und Scham.

Ich hoffte, das würde vorbeigehen, doch das Gefühl

von Unfähigkeit und Scham wurde noch stärker. Einmal führte Lila mit ihrem Bruder einen Walzer vor. Sie tanzten so gut zusammen, dass wir ihnen die ganze Tanzfläche überließen. Ich war hingerissen. Sie sahen gut aus, waren aufeinander eingespielt. Ich schaute die beiden an und begriff endgültig, dass Lila ihr Äußeres eines greisen Mädchens in Kürze gänzlich verloren haben würde, so wie man eine sehr bekannte Melodie verliert, wenn sie allzu phantasievoll adaptiert wird. Ihr Körper war kurvenreich geworden. Ihre hohe Stirn, ihre großen Augen, die sich plötzlich verengen konnten, ihre kleine Nase, ihre Wangenknochen, ihre Lippen und ihre Ohren waren auf der Suche nach einer neuen Orchestrierung und schienen kurz davor, sie zu finden. Wenn sie ihr Haar zu einem Pferdeschwanz band, zeigte sich ihr langer Hals in einer anrührenden Klarheit. Sie hatte kleine, hübsche Brüste, die immer deutlicher hervortraten. Ihr Rücken beschrieb eine tiefe Kurve, bevor er in den zunehmend straffen Bogen ihres Hinterns überging. Ihre Fesseln waren noch zu dünn, die Fesseln eines kleinen Mädchens, aber wie lange würden sie wohl brauchen, um sich an Lilas nunmehr weibliche Figur anzupassen? Mir fiel auf, dass die Jungen, die sie betrachteten, als sie mit Rino tanzte, noch mehr sahen als ich. Allen voran Pasquale, doch auch Antonio, auch Enzo. Ihre Blicke klebten an ihr, als wären wir anderen Mädchen verschwunden. Dabei hatte ich mehr Busen. Dabei war Gigliola umwerfend blond, hatte ebenmäßige Züge und perfekte Beine. Dabei waren Carmelas Augen wunderschön und vor allem ihre Bewegungen zunehmend herausfordernd. Aber da war nichts zu machen: Von Lilas sich veränderndem Körper ging nun etwas aus, was die Jungen witterten, eine Energie, die sie betäubte wie das immer näher kommende Rauschen eintreffender Schönheit. Die Musik musste erst abbrechen, damit sie mit unsicherem Lächeln und übertriebenem Beifall wieder zu sich kamen.

16

Lila war boshaft. Das dachte ich insgeheim noch immer. Zwar hatte sie mir bewiesen, dass sie nicht nur mit Worten verletzen konnte, sondern auch imstande war, ohne mit der Wimper zu zucken zu töten, doch kamen mir diese Fähigkeiten nun wie Lappalien vor. Ich sagte mir: ›Sie wird etwas noch Schlimmeres zum Vorschein bringen‹, und griff zu dem Wort »böse«, ein übertriebener Ausdruck, den ich aus den Märchen meiner Kindheit kannte. Aber selbst wenn es meine kindliche Seite war, die solche Gedanken entfesselte, enthielten sie doch einen wahren Kern. Und wirklich: Dass von Lila eine Ausstrahlung ausging, die sowohl verführerisch als auch gefährlich war, wurde allmählich nicht nur mir klar, die ich sie seit der ersten Klasse aufmerksam beobachtete, sondern ebenso allen anderen.

Gegen Ende des Sommers vervielfachte sich der Druck auf Rino, dass er zu den Gruppenausflügen weg aus unserem Rione, auf eine Pizza, auf einen Spaziergang, seine Schwester mitnehmen sollte. Aber Rino wollte auch einen Freiraum für sich. Auch er, so schien es mir, veränderte sich gerade, Lila hatte seine Phantasie und seine Hoffnungen angestachelt. Doch wenn man ihn so sah und hörte, war der Eindruck nicht der beste. Er war ein Angeber geworden und ließ keine Gelegenheit aus, um darauf anzuspielen, wie gut er in seiner Arbeit war und wie reich er werden würde. Oft wiederholte er einen Satz, der ihm gefiel: »Es gehört nicht viel dazu, nur ein bisschen Glück, und ich pinkle den Solaras ins Gesicht.« Solche Protzereien waren jedoch nur möglich, wenn seine Schwester nicht dabei war. In ihrer Gegenwart verhaspelte er sich, setzte zu ein, zwei Sätzen an und gab dann auf. Er bemerkte, dass Lila ihn schief ansah, als würde er gegen einen Geheimpakt in Sachen Haltung und Distanz verstoßen, weshalb er sie lieber nicht dabeihaben wollte, sie ackerten ohnehin schon den ganzen Tag zusammen in der Schusterei. Er verschwand zu seinen Freunden, vor denen er den starken Mann markierte. Doch manchmal musste er sich fügen.

Eines Sonntags gingen wir nach vielen Diskussionen mit unseren Eltern sogar abends aus (Rino übernahm meinen Eltern gegenüber großzügig die Verantwortung auch für mich). Wir entdeckten die von Reklameschildern erhellte Stadt, die überfüllten Straßen, den Gestank des in der Hitze verdorbenen Fischs, doch auch die Wohlgerüche der Restaurants, der Frittierstuben, der Bar-Pasticcerias, die weitaus mehr zu bieten hatten als die der Solaras. Ich weiß nicht mehr, ob Lila damals schon die Gelegenheit gehabt hatte, mit ihrem Bruder oder mit anderen ins Zentrum zu gehen. Falls es so war, hatte sie mir sicherlich nichts davon erzählt. Ich weiß aber noch, dass sie an jenem Abend absolut stumm war. Wir gingen über die Piazza Garibaldi, doch sie blieb zurück, hielt sich damit auf, einen Schuhputzer anzustarren, ein kunterbuntes Riesenweib, dunkelfarbige Männer, junge Burschen. Sie musterte die Leute eindringlich, schaute ihnen direkt ins Gesicht, so dass manche lachten und andere eine Geste machten, die heißen sollte: Was willst du? Ab und an zerrte ich sie weiter, zog sie hinter mir her aus Angst, wir könnten Rino, Pasquale, Antonio, Carmela und Ada verlieren.

An jenem Abend gingen wir in eine Pizzeria am Rettifilo, wir tafelten fröhlich. Ich hatte den Eindruck, dass Antonio seine Schüchternheit überwand und mich ein wenig umwarb, was mich freute, denn so relativierte sich Pasquales Aufmerksamkeit für Lila. Allerdings begann der Pizzabäcker, ein Mann um die dreißig, irgendwann die Pizza beim Kneten mit übertriebener Virtuosität in der Luft herumzuwirbeln, wobei er Lila anlächelte, die ihm bewundernd zuschaute.

»Hör auf damit«, sagte Rino zu ihr.

»Ich mach doch gar nichts«, antwortete sie und bemühte sich, anderswohin zu sehen.

Doch rasch spitzte sich die Situation zu. Pasquale erzählte uns lachend, dieser Mann, der Pizzabäcker – der uns Mädchen uralt vorkam, er hatte einen Ring am Finger, garantiert war er ein Familienvater –, habe Lila heimlich eine Kusshand zugeworfen. Sofort drehten wir uns um und starrten ihn an: Er machte seine Arbeit, weiter nichts. Aber Pasquale fragte Lila immer noch lachend:

»Stimmt's oder hab' ich recht?«

Lila antwortete mit einem nervösen Kichern, das im Kontrast zu Pasquales breitem Grinsen stand:

»Ich hab' nichts gesehen.«

»Lass es gut sein, Pascà«, sagte Rino, der seiner Schwester wütende Blicke entgegenschleuderte.

Doch Pasquale stand auf, ging zum Tresen am Backofen, umrundete ihn und gab dem Pizzabäcker mit einem treuherzigen Lächeln auf den Lippen eine Ohrfeige, so dass dieser gegen die Öffnung des Ofens taumelte.

Sofort stürzte der Chef des Lokals herbei, ein Mann um die sechzig, klein und blass, und Pasquale erklärte ihm seelenruhig, dass kein Grund zur Aufregung bestehe, er habe dessen Angestelltem nur etwas zu verstehen gegeben, was diesem nicht ganz klar gewesen sei, es werde nun keine Probleme mehr geben. Schweigend aßen wir unsere Pizza auf, mit gesenktem Blick und langsamen Bissen, als wäre sie vergiftet. Beim Hinausgehen wusch Rino Lila gründlich den Kopf und schloss mit der Drohung: »Mach nur so weiter, dann nehme ich dich überhaupt nicht mehr mit.«

Was war passiert? Die Männer, denen wir begegneten, und nicht mal so sehr die jungen, sondern gerade die erwachsenen, starrten uns Mädchen auf der Straße an, uns alle, die schönen, die hübschen, die hässlichen. So war das im Rione und auch außerhalb, und Ada, Carmela und ich hatten – besonders nach dem Vorfall mit den Solara-Brüdern – instinktiv gelernt, den Blick gesenkt zu halten, so zu tun, als hörten wir die Schweinereien nicht, die sie zu uns sagten, und unseres Weges zu gehen. Nicht so Lila. Mit ihr sonntags spazieren zu gehen, wurde zum Anlass ständiger Spannungen. Wenn einer sie anstarrte, erwiderte sie den Blick. Wenn einer sie ansprach, blieb sie verblüfft stehen, als könnte sie nicht glauben, dass er mit ihr redete, und manchmal antwortete sie neugierig. Zumal die Männer, was ungewöhnlich war, zu ihr fast nie solche Obszönitäten sagten, wie sie sie für uns fast immer bereithielten.

An einem Nachmittag Ende August stießen wir bis zur Villa Comunale vor, dem großen Stadtpark, und setzten uns dort in eine Kaffeebar, weil Pasquale zu jener Zeit den reichen Macker markierte und uns alle auf ein Spumone-Eis einladen wollte. Einen Tisch vor uns saß eine Familie, die wie wir Eis aß: Vater, Mutter und drei Söhne im Alter zwischen zwölf und sieben. Offenbar anständige Leute, der Vater, ein dicker Mann um die fünfzig, sah aus wie ein Professor. Und ich kann beschwören, dass Lila nichts Auffälliges an sich hatte. Sie benutzte keinen Lippenstift und trug die üblichen Fetzen, die ihre Mutter ihr nähte, wir stachen viel mehr ins Auge, besonders Carmela. Aber dieser Signore – diesmal sahen wir es alle – konnte den Blick nicht von Lila wenden, und sosehr sie sich auch bemühte, diesen Blick nicht zu erwidern, tat sie es doch, so als könnte sie es nicht fassen, dermaßen bewundert zu werden. Während an unserem Tisch die Gereiztheit von Rino, Pasquale und Antonio wuchs, stand der Mann schließlich auf, offenkundig ohne sich des Risikos bewusst zu sein, das er einging, stellte sich vor Lila hin und sagte höflich an die Jungen gewandt:

»Was seid ihr doch für Glückspilze! Ihr habt ein Mädchen bei euch, das einmal schöner sein wird als die Venus von Botticelli. Ich bitte um Verzeihung, ich habe das schon zu meiner Frau und meinen Kindern gesagt, und ich hatte das Bedürfnis, es auch euch zu sagen.«

Lila brach unter der Anspannung in Lachen aus. Auch der Mann lachte und wollte nach einer knappen Verbeugung vor ihr gerade an seinen Tisch zurückkehren, als Rino ihn am Genick packte, ihn zwang, den Rückweg im Laufschritt anzutreten, ihn gewaltsam auf seinen Stuhl drückte und ihn vor seiner Frau und den Kindern mit einer Flut von Schimpfwörtern überschüttete, wie wir sie im Rione verwendeten. Daraufhin wurde der Mann wütend, seine Frau ging kreischend dazwischen, und Antonio zog Rino weg. Wieder ein ruinierter Sonntag.

Doch das Schlimmste passierte, als Rino einmal nicht dabei war. Verstört hat mich nicht die Sache an sich, sondern die Überlagerung der Spannungen unterschiedlichen Ursprungs, die rings um Lila entstanden. Gigliolas Mutter gab anlässlich ihres Namenstages (sie hieß Rosa, wenn ich mich recht erinnere) ein Fest für Jung und Alt. Da ihr Mann der Konditor in der Solara-Bar war, wurde es groß aufgezogen. Es gab im Überfluss Gebäck wie Sciù, Raffiuoli a cassata, Sfogliatelle und Makronen, dazu Liköre, Erfrischungsgetränke für die Kinder und Schallplatten mit Tanzmusik, von der herkömmlichsten bis zur modernsten. Es waren Leute da, die nie zu unseren kleinen Jugendpartys gekommen wären. Zum Beispiel der Apotheker mit seiner Frau und seinem ältesten Sohn Gino, der demnächst wie ich aufs Gymnasium gehen sollte. Zum Beispiel Maestro Ferraro mitsamt seiner großen Familie. Zum Beispiel Maria, Don Achilles Witwe, mit ihrem Sohn Alfonso, mit ihrer Tochter Pinuccia, diese in schreienden Farben, und sogar mit Stefano.

Die Anwesenheit dieser Familie sorgte zunächst für einige Unruhe: Auch Pasquale und Carmela Peluso, die Kinder von Don Achilles Mörder, waren auf dem Fest. Doch dann fügte sich alles zum Besten. Alfonso Carracci war ein freundlicher Junge (auch er würde aufs Gymnasium gehen, und zwar auf dasselbe wie ich) und wechselte sogar ein paar Worte mit Carmela. Pinuccia Carracci war vor allem froh, überhaupt auf einem Fest zu sein, eingespannt, wie sie in der Salumeria tagtäglich war. Stefano Carracci hatte frühzeitig begriffen, dass Geschäfte darauf basierten, dass man niemanden ausschloss, er betrachtete alle Bewohner des Rione als mögliche Kunden, die ihr Geld bei ihm ausgeben würden, setzte deshalb grundsätzlich bei jedem sein schönes, sanftes Lächeln auf und beschränkte sich darauf, Pasquales Blicke beharrlich zu meiden. Und Maria Carracci schließlich, die normalerweise ihr Gesicht abwandte, wenn sie Signora Peluso begegnete, ignorierte deren zwei Kinder völlig und plauderte lange mit Gigliolas Mutter. Um das Eis zu brechen, begann man früh zu tanzen, das Durcheinander nahm zu, und niemand achtete mehr auf irgendwas.

Anfangs wurden traditionelle Tänze gespielt, dann kam ein neuer, der Rock 'n' Roll, auf den alle, Groß und Klein, sehr neugierig waren. Ich zog mich erhitzt in eine Ecke zurück. Natürlich konnte ich Rock 'n' Roll tanzen, ich hatte es oft zu Hause mit meinem Bruder Peppe geübt und sonntags mit Lila bei ihr, doch ich fühlte mich zu plump für diese flinken, schwungvollen Bewegungen, und so beschloss ich schweren Herzens, nur zuzusehen. Übrigens war mir auch Lila nicht besonders geschickt vorgekommen. Sie bewegte sich ein wenig lächerlich, das hatte ich ihr sogar gesagt, sie hatte die Kritik als Herausforderung genommen und verbissen losgeübt, allein, da Rino sich weigerte, Rock 'n' Roll zu tanzen. Doch perfektionistisch, wie sie in allem war, entschied sie sich zu meiner Freude an jenem Abend ebenfalls dafür, abseits zu bleiben und an meiner Seite zuzuschauen, wie gut Pasquale und Carmela Peluso tanzten.

Aber irgendwann kam Enzo zu ihr. Der kleine Junge, der uns mit Steinen beworfen hatte, der überraschend mit Lila im Rechnen gewetteifert hatte und der ihr einmal einen Vogelbeerkranz geschenkt hatte, war im Laufe der Jahre von einem gedrungenen, doch kräftigen Körper aufgesogen worden, der an harte Arbeit gewöhnt war. Äußerlich wirkte er sogar älter als Rino, der der Älteste von uns war. Jeder seiner Gesichtszüge verriet deutlich, dass er vor Tagesanbruch aufstand, dass er mit der Camorra des Obst- und Gemüsemarktes zu tun hatte, dass er zu jeder Jahreszeit bei Wind und Wetter durch die Straßen des Rione zog und von seinem Karren aus Obst und Gemüse verkaufte. In seinem hellen Gesicht eines Blondschopfs – blonde Augenbrauen und Wimpern, blaue Augen – war jedoch noch eine Spur des rebellischen Jungen zu finden, mit dem wir es zu tun gehabt hatten. Im Übrigen war Enzo äußerst wortkarg. Wenn er redete, dann ruhig und ausschließlich im Dialekt, und keiner von uns wäre es in den Sinn gekommen, mit ihm herumzuflachsen oder sich mit ihm zu unterhalten. Er war es, der die Initiative ergriff. Er fragte Lila, warum sie nicht tanze. Sie antwortete: »Weil ich diesen Tanz noch nicht gut kann.« Er schwieg eine Weile, dann sagte er: »Ich auch nicht.« Doch als der nächste Rock 'n' Roll aufgelegt wurde, nahm er sie wie selbstverständlich am Arm und schob sie in die Mitte des Raumes. Lila, die sonst immer wie von der Tarantel gestochen wegsprang, wenn einer sie ohne ihre Erlaubnis auch nur streifte, wehrte sich nicht, so groß war offensichtlich ihre Lust zu tanzen. Sie sah ihn sogar dankbar an und überließ sich ganz der Musik.

Dass Enzo nicht besonders versiert war, ließ sich nicht übersehen. Er bewegte sich kaum und auf eine ernsthafte, bedächtige Weise, war Lila gegenüber jedoch sehr aufmerksam, offenbar wollte er sie erfreuen, ihr die Gelegenheit geben, sich zu präsentieren. Und obwohl sie nicht so gut wie Carmen tanzte, gelang es ihr wieder einmal, alle Aufmerksamkeit auf sich zu ziehen. Auch Enzo gefällt sie, dachte ich betrübt. Und – wie ich sofort erkannte – sogar Stefano aus der Salumeria: Er himmelte sie unentwegt an, so wie man eine Diva im Kino anhimmelt.

Gerade als Lila tanzte, kamen die Solara-Brüder.

Schon allein ihr Anblick regte mich auf. Sie begrüßten den Konditor und seine Frau, klopften Stefano gönnerhaft auf die Schulter und schauten dann ebenfalls den Tänzern zu. In der Art der Herren des Rione, als die sie sich aufspielten, glotzten sie zunächst Ada an, die ihren Blick abwandte. Dann tuschelten sie miteinander und machten sich auf Antonio aufmerksam, dem sie übertrieben grüßend zuwinkten, was er geflissentlich übersah. Und schließlich bemerkten sie Lila, fixierten sie lange und flüsterten sich etwas ins Ohr, woraufhin Michele demonstrativ seine Zustimmung bekundete.

Ich ließ die beiden nicht aus den Augen, und es brauchte nicht viel, um zu erkennen, dass besonders Marcello – Marcello, der Schwarm aller Mädchen – nicht im Geringsten verärgert über die Sache mit dem Schustermesser war. Im Gegenteil. Innerhalb weniger Sekunden war er vollkommen hingerissen von Lilas biegsamem, anmutigem Körper, von ihrem Gesicht, das ungewöhnlich für den Rione und vielleicht für ganz Neapel war. Er starrte sie unverwandt an, als wäre ihm das bisschen Verstand, das er besaß, abhandengekommen. Er musterte sie auch noch, als die Musik nicht mehr spielte.

Dann ging alles blitzschnell. Enzo schien Lila in meine Ecke zu schieben, und Stefano und Marcello setzten sich zugleich in Bewegung, um sie zum Tanzen aufzufordern, aber Pasquale kam ihnen zuvor. Lila machte einen niedlichen Hüpfer des Einverständnisses auf ihn zu und klatschte glücklich in die Hände. Auf die zierliche Gestalt einer Vierzehnjährigen hatten sich vier junge Männer unterschiedlichen Alters gleichzeitig zubewegt, jeder von ihnen auf eine andere Art von der eigenen absoluten Stärke überzeugt. Die Nadel kratzte auf der Schallplatte, die Musik setzte ein. Stefano, Marcello und Enzo zogen sich unsicher zurück. Pasquale begann mit Lila zu tanzen, und durch seine Gewandtheit ließ sie sich sofort mitreißen.

Da beschloss Michele Solara, vielleicht aus Liebe zu seinem Bruder, vielleicht aber auch aus purer Freude daran, Unruhe zu stiften, die Situation auf seine Art zuzuspitzen. Er stieß Stefano mit dem Ellbogen an und sagte laut zu ihm:

»Bist du aus Holz? Der Typ da ist der Sohn von dem Kerl, der deinen Vater ermordet hat, er ist ein Scheißkommunist, und du sitzt hier und siehst zu, wie er mit der Mieze tanzt, mit der du tanzen wolltest?«

Pasquale hörte das garantiert nicht, denn die Musik

war laut, und er war damit beschäftigt, mit Lila Kunststückchen zu vollführen. Doch ich hörte es, und Enzo neben mir hörte es, und natürlich hörte es auch Stefano. Wir waren darauf gefasst, dass etwas passierte, doch es passierte nichts. Stefano war nicht auf den Kopf gefallen. Die Salumeria lief mehr als gut, er plante, die angrenzenden Räume zu kaufen, um zu expandieren, und er schätzte sich alles in allem glücklich, ja, er war sogar absolut sicher, dass das Leben ihm alles geben würde, was er begehrte. Mit seinem gewinnenden Lächeln sagte er zu Michele:

»Lassen wir ihn tanzen, er tanzt doch gut«, und er schaute weiter Lila an, als wäre sie das Einzige, was ihn in diesem Moment interessierte. Michele verzog angewidert das Gesicht und ging zum Konditor und seiner Frau.

Was hatte er vor? Ich sah, dass er aufgeregt mit den Gastgebern redete, er zeigte auf Maria in einer Ecke, zeigte auf Stefano und Alfonso und Pinuccia, zeigte auf den tanzenden Pasquale, zeigte auf Carmela, die sich mit Antonio produzierte. Als die Musik verklang, nahm Gigliolas Mutter Pasquale freundlich am Arm, führte ihn in einen Winkel und sagte ihm etwas ins Ohr.

»Los«, sagte Michele lachend zu seinem Bruder, »du hast freie Bahn.« Und Marcello Solara versuchte es noch einmal bei Lila.

Ich war mir sicher, dass sie ihn abweisen würde, ich wusste, wie sehr sie ihn verachtete. Doch so kam es nicht. Die Musik setzte ein, und Lila hielt, mit der Lust zu tanzen in jeder Faser ihres Körpers, zunächst nach Pasquale Ausschau, und als sie ihn nicht fand, ergriff sie Marcellos Hand, als wäre sie eine x-beliebige Hand, als gäbe es keinen Arm dazu, nicht seinen Körper, und tat verschwitzt das, was in diesem Augenblick das Wichtigste für sie war: tanzen.

Ich sah zu Stefano, sah zu Enzo. Die Stimmung war aufgeheizt. Während mir das Herz vor Angst bis zum Hals schlug, ging Pasquale mit finsterer Miene zu Carmela und redete barsch mit ihr. Carmela protestierte leise, und er brachte sie mit gesenkter Stimme zum Schweigen. Antonio gesellte sich zu ihnen und tuschelte mit Pasquale. Mit schiefen Blicken beobachteten die beiden Michele Solara, der wieder auf Stefano einredete, und Marcello, der mit Lila tanzte, sie an sich zog, sie hochhob, sie umherwirbelte. Dann holte Antonio Ada von der Tanzfläche. Die Musik war aus, Lila kam zu mir. Ich sagte:

»Irgendwas ist hier im Gange, wir müssen gehen.«

Sie lachte und rief:

»Und wenn es ein Erdbeben gibt, ich tanze noch mal.«

Dabei sah sie Enzo an, der an der Wand lehnte. Doch da kam Marcello und forderte sie erneut auf, so dass sie sich wieder auf die Tanzfläche ziehen ließ.

Pasquale kam zu mir und sagte düster, wir sollten gehen.

»Warten wir noch, bis Lila mit dem Tanz fertig ist.«

»Nein, sofort«, sagte er in einem Ton, der keine Widerrede duldete, hart und grob. Dann ging er direkt auf

Michele Solara zu und rempelte ihn mit der Schulter heftig an. Dieser lachte und sagte halblaut irgendeine Unflätigkeit zu ihm. Pasquale steuerte weiter auf den Ausgang zu, gefolgt von der widerspenstigen Carmela und von Antonio, der Ada im Schlepptau hatte.

Ich drehte mich um, weil ich sehen wollte, was Enzo tat, doch der stand weiter an der Wand und schaute weiter der tanzenden Lila zu. Die Musik brach ab. Lila kam zu mir, dicht gefolgt von Marcello, dessen Augen vor Wohlbehagen glänzten.

»Wir müssen los«, rief ich aufs Äußerste erregt.

In meiner Stimme schien so viel Angst zu liegen, dass sie sich endlich umschaute, als wachte sie auf.

»Gut, gehen wir«, sagte sie irritiert.

Ich wandte mich unverzüglich zur Tür, die Musik setzte wieder ein. Marcello packte Lila am Arm und sagte halb lachend, halb flehend zu ihr:

»Bleib doch noch, ich bring dich dann nach Hause.«

Lila sah ihn ungläubig an, als hätte sie ihn jetzt erst erkannt, und plötzlich kam es ihr unmöglich vor, dass er sie so vertraulich berührte. Sie versuchte, sich loszumachen, aber Marcello hielt sie fest und sagte:

»Nur noch einen Tanz.«

Enzo löste sich von der Wand und packte Marcello am Handgelenk, ohne ein Wort zu sagen. Ich sehe ihn noch vor mir: Er war ruhig, und obgleich er jünger und kleiner war, schien er sich überhaupt nicht anstrengen zu müssen. Die große Kraft seines Handgriffs war nur am Gesicht Marcello Solaras zu erkennen, der Lila mit schmerzverzerrter Miene losließ und sich sofort ans Handgelenk griff. Wir brachen auf, und ich hörte Lila entrüstet im reinsten Dialekt zu Enzo sagen:

»Der hat mich angefasst, hast du das gesehen? Mich, dieser Saukerl! Zum Glück ist Rino nicht da. Wenn er das noch mal macht, ist er tot.«

Konnte es sein, dass sie gar nicht bemerkt hatte, dass sie zweimal mit Marcello getanzt hatte? Es konnte sein, sie war so.

Draußen stießen wir auf Pasquale, Antonio, Carmela und Ada. Pasquale war außer sich, so hatten wir ihn noch nie erlebt. Er schimpfte, was das Zeug hielt, mit wirrem Blick schrie er sich die Lunge aus dem Leib, und nichts konnte ihn beruhigen. Er war natürlich wütend auf Michele, doch vor allem auf Marcello und Stefano. Er sagte Dinge, die wir nicht verstanden. Sagte, die Solara-Bar sei schon immer ein Nest blutsaugender Camorra-Leute gewesen, ein Stützpunkt des Schwarzhandels und der Sammlung von Stimmen für die monarchistische Bewegung »Stella e Corona«. Er sagte, Don Achille sei ein Spitzel der Nazis gewesen, sagte, das Geld, mit dem Stefano seine Salumeria aufgebaut habe, hätte sein Vater auf dem Schwarzmarkt verdient. Er schrie: »Papà hat gut daran getan, ihn umzubringen!« Er schrie: »Ich sorge schon noch dafür, dass den Solaras, dem Vater wie den Söhnen, die Kehle durchgeschnitten wird, und danach lasse ich auch Stefano und seine ganze Familie vom Erdboden verschwinden.« Und schließlich schrie er an Lila gewandt, als wäre dies das Schlimmste: »Und du, du hast auch noch mit ihm getanzt, mit dieser Arschgeige!«

Da begann auch Antonio zu schreien, als hätte Pasquales Wut seine Lungen aufgepumpt, und es schien geradezu so, als ärgerte er sich über Pasquale, weil der ihn um eine Genugtuung bringen wollte: die Genugtuung, die Solaras für das zu töten, was sie Ada angetan hatten. Ada brach sofort in Tränen aus, Carmela konnte sich auch nicht länger beherrschen und weinte ebenfalls. Enzo versuchte, uns von der Straße wegzubringen. »Gehen wir schlafen«, sagte er. Doch Pasquale und Antonio brachten ihn zum Schweigen, sie wollten auf die Solara-Brüder warten. Mit gespielter Ruhe sagten sie mehrere Male grimmig zu Enzo: »Geh nur, geh, wir sehen uns morgen.« Da sagte Enzo leise: »Wenn ihr bleibt, bleibe ich auch.« Daraufhin brach auch ich in Tränen aus, und einen Augenblick später – und das erschütterte mich noch mehr – weinte auch Lila, die ich noch nie hatte weinen sehen, nie.

Nun waren wir vier Mädchen, die weinten, verzweifelt weinten. Doch Pasquale wurde erst weich, als er Lila weinen sah. Schicksalsergeben sagte er: »Na gut, nicht heute Abend, mit den Solaras rechne ich ein andermal ab, gehen wir.« Sofort hakten Lila und ich uns schluchzend bei ihm unter und zogen ihn weg. Eine Weile besänftigten wir ihn, indem wir denkbar schlecht über die Solaras redeten, beharrten jedoch auch darauf, dass es das Beste sei, so zu tun, als gäbe es sie nicht. Dann fragte Lila, die sich die Tränen mit dem Handrücken abwischte:

»Wer sind die Nazis, Pascà? Wer sind die Monarchisten? Was bedeutet Schwarzhandel?«

17

Welchen Eindruck Pasquales Antworten auf Lila machten, ist schwer zu sagen, ich laufe Gefahr, es falsch zu erzählen, auch deshalb, weil sie bei mir damals keine konkrete Wirkung hinterließen. Lila dagegen ließ sich, wie es ihre Art war, von ihnen anrühren und verändern, so dass sie mich bis zum Ende des Sommers mit einem einzigen für mich ziemlich unerträglichen Thema bedrängte. Ich schreibe in der Sprache von heute und möchte es folgendermaßen zusammenfassen: Es gibt keine Gesten, keine Worte, keine Seufzer, die nicht die Summe aller Verbrechen in sich bergen, die die Menschen begangen haben und begehen.

Natürlich formulierte sie es anders. Entscheidend aber ist, dass sie von einer uneingeschränkten Enthüllungssucht gepackt wurde. Sie wies mich unterwegs auf Menschen, Dinge, Straßen hin und sagte:

»Der da war im Krieg und hat getötet, der da hat mit dem Schlagstock gedroschen und Rizinusöl verabreicht, der da hat jede Menge Leute denunziert, der da hat sogar seine Mutter hungern lassen, in diesem Haus wurde gefoltert und gemordet, über diese Steine sind sie marschiert und haben den römischen Gruß entboten, an dieser Ecke wurde geprügelt, das Geld von denen da stammt aus dem Hunger von den anderen da, das Auto da wurde von Geld gekauft, das man auf dem Schwarzmarkt gemacht hat, indem man mit Marmorstaub vermischtes Brot und verdorbenes Fleisch verkaufte, die Fleischerei da entstand aus dem Diebstahl von Kupfer und der Ausraubung von Güterzügen, hinter dieser Bar da stecken die Camorra, Schmuggler und Wucherer.«

Schon bald genügte ihr Pasquale nicht mehr. Es war, als hätte er in ihrem Kopf einen Mechanismus in Gang gesetzt und nun wäre es ihre Aufgabe, Ordnung in die chaotische Menge von Hinweisen zu bringen. Zunehmend angespannt, zunehmend besessen und wahrscheinlich selbst überfordert von dem dringenden Bedürfnis, sich ein kompaktes Bild ohne Risse zu verschaffen, ergänzte sie seine spärlichen Informationen mit dem Wissen aus Büchern, die sie sich aus der Bibliothek besorgt hatte. So versah sie das Klima abstrakter Spannungen, mit dem wir als Kinder im Rione aufgewachsen waren, mit konkreten Motiven und gewöhnlichen Gesichtern. Den Faschismus, den Nazismus, den Krieg, die Alliierten, die Monarchie, die Republik, alles das ließ sie zu Straßen, Häusern, Gesichtern werden. Don Achille und der Schwarzmarkt; Peluso, der Kommunist; der Großvater der Solara-Brüder, der Camorra-Mitglied war; deren Vater Silvio, ein schlimmerer Faschist als Marcello und Michele; Lilas Vater, der Schuster Fernando, und mein Vater, alle, alle, alle waren sie in ihren Augen auf der ganzen Linie mit finstersten Untaten befleckt, alle waren sie hartgesottene Verbrecher oder duldsame Komplizen, alle gekauft mit ein paar Brotkrumen. Lila und Pasquale sperrten mich in eine schreckliche Welt, aus der es kein Entrinnen gab.

Dann verstummte Pasquale, auch er überwältigt von Lilas Fähigkeit, eines mit dem anderen zu verbinden, zu einer Kette, die uns von allen Seiten einzwängte. Ich sah die beiden oft zusammen spazieren gehen, und wenn zunächst sie an seinen Lippen gehangen hatte, war es nun er, der an ihren Lippen hing. ›Er ist verliebt‹, dachte ich. Und ich dachte weiter: ›Auch Lila wird sich verlieben, sie werden sich verloben, werden heiraten, werden immerfort über diese politischen Sachen reden, werden Kinder haben, die dann über dasselbe reden.‹ Als die Schule wieder begann, litt ich einerseits sehr, weil ich wusste, dass ich keine Zeit mehr für Lila haben würde, hoffte aber andererseits, mich ihrem Zusammenzählen von Untaten, Duldungen und Feigheiten entziehen zu können, begangen von Menschen, die wir kannten, die wir liebten und die wir – ich, sie, Pasquale, Rino, alle – in unserem Blut hatten.

18

Die ersten zwei Jahre am Gymnasium waren wesentlich anstrengender als die Mittelschule. Ich landete in einer Klasse mit zweiundvierzig Schülern, in einer der wenigen gemischten Klassen an dieser Schule. Es gab dort kaum Mädchen, und ich kannte nicht eine von ihnen. Gigliola musste nach ihren vielen vollmundigen Sprüchen (»Klar, gehe ich auch aufs Gymnasium, so viel ist sicher, dann setzen wir uns nebeneinander.«) am Ende bei ihrem Vater in der Solara-Bar mitarbeiten. Von den Jungen kannte ich Alfonso und Gino, die sich zusammen auf eine der vordersten Bänke setzten, Ellbogen an Ellbogen, mit verschreckten Gesichtern, und geradezu so taten, als würden sie mich nicht kennen. Das Klassenzimmer stank, ein beißender Geruch nach Schweiß, ungewaschenen Füßen, Angst.

Ich verbrachte die ersten Monate meines neuen Schullebens still, die Finger immer an der Stirn und an den von Akne heimgesuchten Wangen. Ich saß in einer der letzten Reihen, von wo aus ich fast nichts sah, weder von den Lehrern noch von dem, was sie an die Tafel schrieben, und ich war meiner Banknachbarin ebenso fremd wie sie mir. Von Maestra Oliviero erhielt ich schnell die Bücher, die ich brauchte, sie waren schmutzig und abgegriffen. Ich erlegte mir eine Disziplin auf, die ich mir an der Mittelschule antrainiert hatte, lernte von nachmittags bis abends um elf und dann weiter von morgens um fünf bis um sieben, bis es Zeit war, loszugehen. Wenn ich mit Büchern bepackt das Haus verließ, traf ich häufig Lila, die zur Schusterwerkstatt lief, um sie aufzuschließen, auszufegen, zu putzen und aufzuräumen, bevor ihr Vater und ihr Bruder kamen. Sie fragte mich in den Fächern ab, die ich an jenem Tag haben würde, zu dem Stoff, den ich gelernt hatte, und wollte präzise Antworten. Wenn ich die nicht gab, bestürmte sie mich mit Fragen, die mich befürchten ließen, nicht genug gelernt zu haben und den Lehrern nicht antworten zu können, so wie ich ihr nicht antworten konnte. An manchen kalten Morgen, wenn ich bei Tagesanbruch aufstand und in der Küche nochmals die Hausaufgaben durchging, hatte ich das Gefühl, dass ich den warmen, tiefen Schlaf der Morgenstunden wie üblich opferte, um eher vor der Schustertochter gut dazustehen als vor den Lehrern der Schule für feine Leute. Auch mein Frühstück verlief ihretwegen hastig. Ich stürzte Milch und Kaffee hinunter und rannte los, nur um nicht einen Meter des Weges zu versäumen, den wir gemeinsam gingen.

Ich wartete vor der Haustür. Sah, wie sie aus ihrem Wohnblock kam, und bemerkte, dass sie sich noch immer veränderte. Mittlerweile war sie größer als ich. Sie ging nicht mehr wie das kantige Mädchen, das sie vor ein paar Monaten gewesen war, sondern schien mit ihren runder gewordenen Körperformen auch einen weicheren Gang bekommen zu haben. Ciao, ciao, wir redeten sofort los. Wenn wir an der Kreuzung stehen geblieben waren und uns verabschiedet hatten, sie auf dem Weg zur Schusterwerkstatt, ich auf dem Weg zur U-Bahn, schaute ich immer wieder zurück, um ihr noch einen letzten Blick zuzuwerfen. Ein-, zweimal sah ich, wie Pasquale atemlos herbeilief und sich zu ihr gesellte, sie begleitete.

Die U-Bahn war voller Jungen und Mädchen, die von Müdigkeit und vom Rauch der ersten Zigaretten gezeichnet waren. Ich rauchte nicht, unterhielt mich mit niemandem. In den wenigen Minuten, die die Fahrt dauerte, ging ich verängstigt erneut den Unterrichtsstoff durch, hämmerte mir hektisch fremde Vokabeln ein, Laute, die sich von den im Rione üblichen unterschieden. Ich hatte schreckliche Angst, in der Schule zu versagen, Angst vor dem schiefen Schatten meiner unzufriedenen Mutter, vor Maestra Olivieros bösen Blicken. Dabei hatte ich eigentlich nur noch eines im Kopf: einen festen Freund zu finden, sofort, bevor Lila mir eröffnete, dass sie sich mit Pasquale eingelassen hatte.

Mit jedem Tag wuchs meine Angst, zu spät zu sein. Ich fürchtete, Lila auf dem Rückweg von der Schule zu treffen und sie mit ihrer gewinnenden Stimme sagen zu hören, dass sie inzwischen mit Peluso schlief. Oder wenn nicht mit ihm, dann mit Enzo. Oder wenn nicht mit Enzo, dann eben mit Antonio. Oder, was weiß ich, mit Stefano Carracci aus der Salumeria oder sogar mit Marcello Solara, bei Lila konnte man nie wissen. Die Jungen, die um sie herumschwirrten, waren fast schon Männer und entsprechend fordernd. Folglich würde sie zwischen ihren Schuhherstellungsplänen, der Lektüre über die grauenhafte Welt, in die wir hineingeboren waren, und ihren Liebhabern keine Zeit mehr für mich haben. Manchmal machte ich auf dem Heimweg einen großen Umweg, um nicht an der Schusterwerkstatt vorbeizukommen. Wenn ich sie von Weitem sah, schlug ich ängstlich einen anderen Weg ein. Doch dann hielt ich es nicht mehr aus und ging auf sie zu wie auf etwas Unausweichliches.

Wenn ich das Gymnasium betrat oder verließ, einen riesigen, grauen, düsteren Bau in einem miserablen Zustand, schaute ich die Jungen an. Ich schaute sie eindringlich an, damit sie meinen Blick bemerkten und ihn erwiderten. Ich musterte meine Altersgenossen, einige noch in kurzen Hosen, andere mit Kniehosen oder schon mit langen Hosen. Ich musterte die Großen aus der Oberstufe, die überwiegend mit Jackett und Krawatte gingen, niemals mit einem Mantel, sie mussten, vor allem sich selbst, beweisen, dass ihnen die Kälte nichts ausmachte, dazu Bürstenhaar, die Nacken weiß durch den stark hochgestuften Haarschnitt. Diese waren mir die liebsten, doch ich hätte mich auch mit einem aus einer Klassenstufe über mir begnügt, Hauptsache, er trug lange Hosen.

Einmal fiel mir ein Schüler durch seinen schlaksigen Gang auf, er war spindeldürr, hatte braunes, zerzaustes Haar und ein Gesicht, das mir bildschön und irgendwie vertraut vorkam. Wie alt mochte er sein, sechzehn, siebzehn? Ich musterte ihn genauer, sah noch einmal hin, und das Herz blieb mir stehen. Es war Nino Sarratore, der Sohn von Donato Sarratore, dem dichtenden Eisenbahner. Er erwiderte meinen Blick, allerdings zerstreut, er erkannte mich nicht. Seine Jacke war an den Ellbogen ausgebeult und an den Schultern zu eng, seine Hosen waren abgewetzt, seine Schuhe ausgetreten. Er zeigte keinerlei Anzeichen von Wohlstand, wie ihn dagegen Stefano und vor allen Dingen die Solaras zur Schau stellten. Offensichtlich war sein Vater, obwohl er einen Gedichtband verfasst hatte, noch nicht reich geworden.

Diese unerwartete Erscheinung hatte mich aufgewühlt. Beim Hinausgehen erwog ich, sofort zu Lila zu laufen und ihr alles zu berichten, dieser Impuls war sehr stark, doch dann überlegte ich es mir anders. Hätte ich es ihr erzählt, hätte sie mich garantiert gebeten, mich zur Schule begleiten zu dürfen, um ihn zu sehen. Und ich wusste bereits, was dann geschehen würde. So wenig, wie Nino mich bemerkt hatte, wie er das blonde, zarte Mädchen aus der Grundschule in der dicken, mit Pusteln übersäten Vierzehnjährigen, die ich nun war, wiedererkannt hatte, so schnell würde er Lila wiedererkennen und wäre hingerissen von ihr. Ich beschloss, Nino Sarratores Bild, wie er so mit gesenktem Kopf und schlenkrigem Schritt die Schule verließ und auf dem Corso Garibaldi davonzog, im Stillen zu bewahren. Von jenem Tag an ging ich zur Schule, als wäre der einzige wahre Grund, dies zu tun, ihn zu sehen oder auch nur einen flüchtigen Blick auf ihn zu erhaschen.

Der Herbst verging wie im Flug. An einem Vormittag wurde ich zur *Aeneis* befragt, es war das erste Mal, dass ich nach vorn gerufen wurde. Der Lehrer, ein gewisser Gerace, ein Mann um die sechzig, lustlos, ein einziges geräuschvolles Gähnen, lachte laut auf, als ich Órakel statt Orákel sagte. Er kam gar nicht auf die Idee, dass ich, obwohl ich die Bedeutung des Wortes kannte, in einer Welt lebte, in der niemand je die Veranlassung gehabt hätte, es zu verwenden. Alle anderen lachten auch, besonders Gino, dort in der ersten Bank neben Alfonso. Ich war beschämt. Die Tage vergingen, wir schrieben die erste Lateinarbeit. Als Professor Gerace die korrigierten Arbeiten austeilte, fragte er:

»Wer ist Greco?«

Ich meldete mich.

»Komm her.«

Er stellte mir eine Reihe von Fragen zur Deklination, zu den Verben, zur Syntax. Ich antwortete eingeschüchtert, vor allem weil er mich mit einer Aufmerksamkeit ansah, die er bis dahin noch nie für einen von uns gezeigt hatte. Dann gab er mir ohne Kommentar mein Blatt zurück. Ich hatte eine Neun erreicht.

Von nun an ging es steil bergauf. In der Italienischarbeit erhielt ich eine Acht, in Geschichte irrte ich mich bei keiner einzigen Jahreszahl, in Geographie kannte ich mich bestens mit Oberflächenformen, Bevölkerungszahlen, Bodenschätzen und Landwirtschaft aus. Doch in Griechisch blieb ihm erst recht der Mund offen stehen. Durch das, was ich mit Lila gelernt hatte, bewies ich eine Vertrautheit mit dem Alphabet, eine Gewandtheit beim Lesen, eine Unbefangenheit in der Aussprache, die dem Lehrer zu guter Letzt ein öffentliches Lob abrangen. Die Kunde von meinen Fähigkeiten drang wie ein Dogma auch zu den anderen Lehrern. Sogar der Religionslehrer nahm mich eines Morgens beiseite und fragte mich, ob ich mich zu einem kostenlosen Fernkurs in Theologie anmelden wolle. Ich willigte ein. Kurz vor Weihnachten nannten mich nun alle Greco, manche auch Elena. Gino begann am Ausgang herumzutrödeln und auf mich zu warten, um mit mir zusammen in den Rione zurückzufahren. Eines Tages fragte er mich plötzlich erneut, ob ich ihn zum Freund haben wolle, und obwohl er eine Dumpfbacke war, atmete ich erleichtert auf – immer noch besser als nichts – und willigte ein.

Dieser ganze aufregende Druck setzte während der Weihnachtsferien aus. Ich wurde wieder vom Rione aufgesogen, hatte mehr Zeit, sah Lila wieder häufiger. Sie hatte entdeckt, dass ich Englisch lernte, und sich selbstredend eine Grammatik besorgt. Sie kannte schon viele Vokabeln und hatte eine sehr gute Aussprache, und meine war natürlich nicht schlechter. Doch sie lag mir in den Ohren, sagte: »Wenn du wieder zur Schule gehst, frag den Lehrer, wie man dies ausspricht und wie man das ausspricht.« Einmal nahm sie mich mit in die Werkstatt, sie zeigte mir eine mit Zetteln vollgestopfte Blechschachtel. Auf jeden Zettel hatte sie auf die eine Seite ein italienisches Wort geschrieben und auf die andere Seite dessen englische Entsprechung: Bleistift – pencil, verstehen – to understand, Schuh – shoe. Das hatte ihr Maestro Ferraro geraten, eine ausgezeichnete Methode, um Vokabeln zu lernen. Sie las mir die italienische Seite vor und wollte, dass ich ihr die englische Übersetzung nannte. Doch ich wusste so gut wie nichts. Offenbar war sie in allem weiter als ich, so als ginge sie in eine Geheimschule. Auch merkte ich ihr eine gewisse Spannung an, das Bedürfnis, mir zu zeigen, dass sie bei dem, was ich lernte, mithalten konnte. Ich hätte lieber über andere Dinge gesprochen, doch sie löcherte mich mit den griechischen Deklinationen und schlussfolgerte schnell, dass ich bei der ersten stehen geblieben war, während sie schon bei der dritten war. Sie fragte mich auch nach der *Aeneis*, war ganz begeistert davon. Sie hatte sie in wenigen Tagen ausgelesen, während ich in der Schule erst bis zur Hälfte des zweiten Buches gekommen war. Sie erzählte mir in allen Einzelheiten von Dido, einer Gestalt, von der ich nichts wusste, ich hörte diesen Namen zum ersten Mal, und dies nicht in der Schule, sondern von ihr. Eines Nachmittags warf sie eine Bemerkung hin, die mich sehr beeindruckte. Sie sagte: »Wenn es keine Liebe gibt, vertrocknet nicht nur das Leben der Menschen, sondern auch das der Stadt.« Den genauen Wortlaut weiß ich nicht mehr, doch dies war der Kern, und ich bezog ihn auf unsere schmutzigen Straßen, auf die staubigen Parks, auf die von den Neubauten verschandelte Landschaft, auf die Gewalt in jedem Haus, in jeder Familie. Allerdings fürchtete ich, dass sie wieder mit Faschismus, Nazismus, Kommunismus anfing. Ich konnte nicht an mich halten, wollte ihr zu verstehen geben, dass mir gerade etwas Schönes widerfuhr, und erzählte ihr in einem Atemzug erstens, dass ich nun mit Gino zusammen war, und zweitens, dass Nino Sarratore in meine Schule ging und noch besser aussah als in der Grundschule.

Sie kniff die Augen zusammen, ich hatte Angst, sie würde sagen: »Ich habe auch einen Freund.« Doch nein, sie begann mich aufzuziehen: »Du hast dich mit dem Sohn des Apothekers eingelassen, na toll, du hast nachgegeben, hast dich verliebt wie Aeneas' Geliebte.« Dann wechselte sie abrupt von Dido zu Melina und erzählte mir ausführlich von ihr, denn ich wusste wenig oder gar nichts von dem, was in den Wohnblocks vor sich ging, vormittags hatte ich Unterricht und danach lernte ich bis spät in den Abend hinein. Sie erzählte von ihrer Verwandten, als ließe sie sie nie aus den Augen. Die Armut zermürbte Melina und ihre Kinder, und so putzte sie zusammen mit Ada weiter die Treppen in den Häusern (das Geld, das Antonio nach Hause brachte, reichte nicht aus). Doch man hörte sie nicht mehr singen, ihre Euphorie war vergangen, nun schuftete sie wie ein Roboter. Lila beschrieb mir Melina aufs Genaueste: Mit krummem Rücken begann sie im obersten Stockwerk und wischte mit dem nassen Lappen in der Hand Absatz für Absatz, Stufe für Stufe, mit einem Kraftaufwand und einem Ungestüm, die weitaus robustere Naturen als sie ausgelaugt hätten. Wenn jemand hinunter- oder hinaufging, zeterte sie lauthals und warf mit dem

Lappen nach ihm. Ada hatte Lila erzählt, sie habe einmal gesehen, wie ihre Mutter einen Anfall bekam, weil man ihre Arbeit mit Fußtapsern zerstört hatte, und deshalb das Schmutzwasser aus dem Eimer trank, Ada musste ihn ihr entreißen. »Verstehst du?« Schritt für Schritt war sie von Gino zu Dido gelangt, dann zu Aeneas, der sie verließ, und zur verrückten Witwe. Erst dann kam sie auf Nino Sarratore zu sprechen, ein Zeichen, dass sie mir gut zugehört hatte. »Erzähl ihm von Melina«, forderte sie mich auf. »Und sag ihm, er soll es seinem Vater erzählen.« Dann fügte sie grimmig hinzu: »Sonst ist es allzu leicht, Gedichte zu schreiben.« Schließlich lachte sie auf und gelobte mit einiger Feierlichkeit: »Ich werde mich niemals in irgendwen verlieben und nie, nie, nie werde ich ein Gedicht schreiben.«

»Das glaube ich nicht.«

»Ist aber so.«

»Aber andere werden sich in dich verlieben.«

»Pech für sie.«

»Sie werden leiden wie diese Dido.«

»Nein, sie werden sich eine andere suchen, genau wie Aeneas, der sich am Ende mit einer Königstochter eingelassen hat.«

Mich überzeugte das nicht besonders. Ich ging weg, kam zurück, diese Gespräche über Verehrer gefielen mir, jetzt, da ich auch einen hatte. Einmal fragte ich sie vorsichtig:

»Was ist eigentlich mit Marcello Solara, ist er noch hinter dir her?«

»Ja.«

»Und du?«

Sie deutete ein verächtliches Lächeln an, das so viel hieß wie: Marcello Solara ist ein Kotzbrocken.

»Und Enzo?«

»Wir sind Freunde.«

»Und Stefano?«

»Meinst du, die haben alle mich im Kopf?«

»Ja.«

»Stefano bedient mich immer als Erste, auch wenn es voll ist.«

»Siehst du?«

»Da ist nichts zu sehen.«

»Und Pasquale, hat er dir eine Liebeserklärung gemacht?«

»Bist du verrückt geworden?«

»Ich habe gesehen, dass er morgens zusammen mit dir zur Werkstatt geht.«

»Weil er mir die Dinge erklärt, die vor uns passiert sind.«

So kam sie auf das Thema des »Früher« zurück, doch anders als in der Grundschule. Sie sagte, dass wir nichts wüssten, schon als kleine Kinder hätten wir nichts gewusst und jetzt auch nicht, dass wir deshalb nicht in der Lage seien, irgendetwas zu verstehen, dass alles im Rione, jeder Stein, jedes Stück Holz, einfach alles, bereits vor uns dagewesen sei, wir jedoch aufgewachsen seien, ohne das zu sehen, ja ohne überhaupt darüber nachzudenken. Und nicht nur wir. Ihr Vater tue so, als hätte es kein Früher gegeben, dasselbe gelte für ihre Mutter, für meine Mutter, für meinen Vater, auch für Rino. Dabei sei Stefanos Salumeria *früher* die Tischlerei Peluso gewesen, die von Pasquales Vater. Dabei sei Don Achilles Reichtum *früher* angehäuft worden. Und so auch das Geld der Solaras. Sie, Lila, habe ihren Vater und ihre Mutter auf die Probe gestellt. Sie wüssten von nichts, wollten über nichts reden. Über keinen Faschismus, keinen König. Über keine Gewalt, keine Schikanen, keine Ausbeutung. Sie hassten Don Achille und hatten Angst vor den Solaras. Doch sie gingen darüber hinweg und gaben ihr Geld sowohl bei Don Achilles Sohn aus als auch bei den Solaras, sie schickten sogar uns zu ihnen. Und sie wählten die Faschisten und die Monarchisten, wie die Solaras es von ihnen verlangten. Und sie glaubten, was früher geschehen sei, wäre vorbei, und um in Ruhe leben zu können, ließen sie Gras darüber wachsen, dabei steckten sie doch in diesen Dingen von früher und zogen auch uns mit hinein, und so setzten sie diese Dinge, ohne es zu wissen, fort.

Diese Ausführungen über das »Früher« erschütterten mich mehr als die düsteren Reden, in die sie mich während des Sommers verwickelt hatte. Die Weihnachtsferien vergingen mit intensiven Gesprächen, in der Schusterwerkstatt, auf der Straße, auf dem Hof. Wir erzählten uns alles, auch kleinste Kleinigkeiten, und fühlten uns wohl.

19

In jener Zeit fühlte ich mich stark. In der Schule hatte ich mich vorbildlich verhalten, ich erzählte Maestra Oliviero von meinen Erfolgen, sie lobte mich. Ich traf mich mit Gino, wir spazierten jeden Tag zur Solara-Bar. Er kaufte mir eine Pasta, wir aßen sie zu zweit, dann gingen wir nach Hause. Manchmal war mir, als sei Lila von mir abhängig und nicht ich von ihr. Ich hatte die Grenzen unseres Rione überschritten, besuchte das Gymnasium, war mit Schülern zusammen, die Latein und Griechisch lernten, und nicht mit Maurern, Automechanikern, Flickschustern, Gemüsehändlern, Wurstverkäufern und Schuhmachern, so wie sie. Wenn sie mir von Dido erzählte oder von ihrer Methode, englische Vokabeln zu lernen, oder von der dritten Deklination oder von dem, was ihr bei ihren Gesprächen mit Pasquale im Kopf herumging, spürte ich immer deutlicher, dass sie es ein wenig befangen tat, als sei am Ende sie es, die das Bedürfnis hatte, mir ständig zu beweisen, dass sie auf gleicher Augenhöhe mit mir reden konnte. Als sie sich eines Nachmittags mit einiger Unsicherheit dazu entschloss, mir zu zeigen, wie weit sie mit dem geheimen Schuh war, an dem sie zusammen mit Rino bastelte, hatte ich nicht einmal mehr den Eindruck, dass sie in einem Zauberland ohne mich lebte. Es kam mir eher so vor, als vermieden sowohl sie als auch ihr Bruder es, mir von derart nichtswürdigen Dingen zu erzählen.

Oder lag es nur daran, dass ich begann mich überlegen zu fühlen? Als sie in der Abstellkammer herumkramten und einen Karton hervorzogen, ermunterte ich sie etwas gekünstelt. Doch die Herrenschuhe, die sie mir zeigten, waren wirklich außergewöhnlich, in Größe dreiundvierzig, der Größe von Rino und Fernando, braun, genau wie ich sie von Lilas Zeichnungen kannte, sie wirkten leicht und robust zugleich. Noch nie hatte ich an jemandes Füßen etwas Ähnliches gesehen. Während die beiden mich die Schuhe befühlen ließen und mir deren Vorzüge schilderten, lobte ich sie begeistert. »Fühl mal hier«, sagte Rino von meiner Bewunderung angespornt. »Und sag mir, ob man die Naht spürt.« »Nein«, sagte ich. »Die spürt man nicht.« Er nahm mir die Schuhe aus der Hand, bog sie, weitete sie und bewies mir ihre Haltbarkeit. Ich nickte, sagte »sehr gut«, wie Maestra Oliviero es getan hatte, wenn sie uns anspornen wollte. Aber Lila war nicht zufrieden. Je mehr Vorteile ihr Bruder aufzählte, umso mehr Mängel zeigte sie mir. Zu Rino sagte sie: »Wie lange wird Papà wohl brauchen, um diese Fehler zu finden?« Irgendwann sagte sie ernst: »Versuchen wir es noch mal mit Wasser.« Ihr Bruder ärgerte sich. Trotzdem füllte sie eine kleine Schüssel, steckte ihre Hand in einen Schuh, als wäre sie ein Fuß, und ließ ihn eine Weile durchs Wasser laufen. »Immer muss sie spielen«, sagte Rino im Ton des großen Bruders zu mir, den die Kindereien seiner kleinen Schwester nervten. Doch als Lila den Schuh herausnahm, zog er ein besorgtes Gesicht.

»Und?«

Lila zog die Hand heraus, rieb sich die Finger und hielt Rino den Schuh hin.

»Probier's selbst.«

Rino steckte seine Hand hinein und sagte:

»Er ist trocken.«

»Er ist nass.«

»Die Nässe merkst nur du. Fühl du mal, Lenù.«

Ich befühlte den Schuh.

»Ein bisschen feucht ist er schon«, sagte ich.

Lila verzog missmutig das Gesicht.

»Siehst du? Du lässt ihn eine Minute im Wasser, und schon ist er nass, das geht nicht. Wir müssen alles noch mal ablösen und die Naht auftrennen.«

»Was, zum Henker, schert dich das bisschen Feuchtigkeit?«

Rino wurde wütend. Mehr noch: Er verwandelte sich vor meinen Augen regelrecht. Er wurde puterrot, sein Gesicht schwoll um die Augen und an den Wangenknochen an, und er konnte sich nicht beherrschen, er explodierte mit einer Reihe von Beschimpfungen und Flüchen gegen seine Schwester. Er beschwerte sich, dass sie so nie fertig werden könnten. Warf ihr vor, ihn erst anzustacheln und dann zu entmutigen. Brüllte, er wolle nicht ewig in diesem Scheißladen bleiben, den Sklaven für seinen Vater spielen und dabei zusehen, wie die anderen reich wurden. Er packte das Schuhmachereisen, war drauf und dran, damit nach ihr zu werfen, und hätte er es getan, hätte er sie getötet.

Ich ging weg, einerseits verwirrt von dem Wutausbruch dieses sonst so freundlichen Jungen und andererseits stolz darauf, wie maßgeblich und entscheidend meine Meinung geworden war.

In den darauffolgenden Tagen entdeckte ich, dass meine Akne austrocknete.

»Du siehst wirklich gut aus, das ist die Zufriedenheit, die dir die Schule verschafft, das ist die Liebe«, sagte Lila, und ich spürte, dass sie ein wenig traurig war.

20

Da Silvester immer näher rückte, wurde Rino von der fixen Idee gepackt, mehr Feuerwerk als alle anderen abzubrennen, vor allem mehr als die Solaras. Lila machte sich lustig über ihn, aber manchmal ging sie hart mit ihm ins Gericht. Sie sagte zu mir, ihrer Meinung nach habe ihr Bruder, der der Möglichkeit, mit Schuhen viel Geld zu machen, anfangs eher skeptisch gegenübergestanden hatte, nun begonnen sich zu sehr darauf zu versteifen, er sehe sich bereits als Chef der Schuhfabrik Cerullo und wolle nicht mehr als einfacher Schuster arbeiten. Das mache ihr Sorgen. Diese Seite an ihm kenne sie nicht. Sie habe ihn immer für reichlich ungestüm, manchmal auch für aggressiv gehalten, doch nie für einen Angeber. Jetzt spiele er sich allerdings als etwas auf, was er nicht sei. Er fühle sich nur noch einen Schritt vom Reichtum entfernt. Als kleiner Padrone. Als jemand, der dem Rione einen ersten Beweis des Wohlstands liefern konnte, den das neue Jahr für ihn bereithielt, und dies, indem er Unmengen von Raketen abfeuerte, mehr, viel mehr als die Solara-Brüder, die in seinen Augen der Inbegriff junger Männer geworden seien, denen man nacheifern und die man sogar übertrumpfen müsse. Leute, die er beneide, er betrachte sie als Feinde, die man besiegen müsse, um ihren Platz einnehmen zu können.

Lila sagte nie, wie sie es Carmela und den anderen Mädchen auf dem Hof gegenüber getan hatte: »Vielleicht habe ich ihm einen Floh ins Ohr gesetzt, einen Traum, den er nicht unter Kontrolle hat.« Sie selbst glaubte an diesen Traum, daran, dass er wahr werden könnte, und ihr Bruder sollte eine wichtige Rolle dabei spielen. Außerdem liebte sie ihn, er war gut sechs Jahre älter als sie, sie wollte ihn nicht als einen kleinen Jungen hinstellen, der nicht Herr seiner Träume war. Aber sie ließ oft anklingen, dass es Rino an Realitätssinn mangelte, dass er nicht mit beiden Füßen auf dem Boden stand, wenn es darum ging, Schwierigkeiten zu meistern, und dass er zu Übertreibungen neigte. Wie bei diesem Wettstreit mit den Solaras zum Beispiel.

»Vielleicht ist er eifersüchtig auf Marcello«, sagte ich einmal.

»Was soll das heißen?«

Sie lachte und stellte sich dumm, doch sie selbst hatte es mir erzählt. Marcello Solara strich jeden Tag um die Schusterwerkstatt herum, mal zu Fuß, mal mit dem Millecento, und das musste Rino bemerkt haben, denn er hatte mehrmals zu seiner Schwester gesagt: »Wag es ja nicht, dich mit dieser Arschgeige einzulassen.« Wer weiß, da er den Solara-Brüdern, die es auf seine Schwester abgesehen hatten, nun mal nicht das Gesicht einschlagen konnte, wollte er ihnen seine Stärke vielleicht mit den Feuerwerkskörpern beweisen.

»Wenn das so ist, habe ich ja wohl recht, oder?«
»Womit denn?«
»Damit, dass er ein Angeber geworden ist. Woher will er denn das Geld für die Raketen nehmen?«

Das stimmte. Die letzte Nacht des Jahres war eine Nacht des Kampfes, in unserem Rione und in ganz Neapel. Grelle Lichter, Explosionen. Der dichte Qualm des Schwarzpulvers vernebelte alles, drang in die Wohnungen, brannte in den Augen, verursachte Hustenreiz. Der Kanonendonner der Böller, das Zischen der Raketen, das Krachen der Knallfrösche hatten ihren Preis, und wie üblich jagte der mit dem meisten Geld auch das meiste in die Luft. Wir Grecos hatten kein Geld, bei mir zu Hause war der Beitrag zum Silvesterfeuerwerk spärlich. Mein Vater kaufte eine Schachtel Wunderkerzen, eine Packung Feuerwirbel und eine Packung schmächtiger Raketen. Um Mitternacht drückte er mir als der Ältesten den Drahtstiel einer Wunderkerze oder eines Feuerwirbels in die Hand und zündete sie an. Dann stand ich reglos da, aufgeregt und verängstigt, und starrte auf die spritzenden Funken und auf die kurzen Feuerkreisel dicht an meinen Fingern. Unterdessen steckte er schnell die Stiele der Raketen in eine Glasflasche auf dem Marmorsims des Fensters, hielt die Glut seiner Zigarette an die Zündschnur und schickte begeistert ein leuchtendes Zischen in die Luft. Am Ende warf er die Flasche auf die Straße.

Auch bei Lila zu Hause wurde wenig oder gar nicht geknallt, so dass Rino schon früh rebellierte. Bereits mit zwölf Jahren hatte er sich angewöhnt, wegzugehen und um Mitternacht mit Menschen zu feiern, die beherzter waren als sein Vater. Außerdem war er als umtriebiger Sammler von Blindgängern bekannt, nach denen er Ausschau hielt, sobald das Chaos des Festes vorüber war. Er trug sie bei den Teichen zusammen, zündete sie an und erfreute sich an dem Aufflammen in großer Höhe, an der abschließenden Explosion. Er hatte von dem einen Mal, da er nicht rechtzeitig zurückgewichen war, eine dunkle Narbe an der Hand zurückbehalten, einen großen Fleck.

Zu den vielen offensichtlichen und verborgenen Gründen dieses Silvesterkampfes am Ende des Jahres 1958 muss also auch gezählt werden, dass Rino sich womöglich für seine ärmliche Kindheit schadlos halten wollte. Deshalb machte er sich daran, hier und dort Geld aufzutreiben, um Feuerwerk zu kaufen. Doch alle wussten – und auch er wusste das, trotz des Größenwahns, der ihn gepackt hatte –, dass man gegen die Solaras nicht ankam. Wie jedes Jahr fuhren die zwei Brüder seit Tagen nun in ihrem Millecento hin und her, mit dem Kofferraum voller Knallzeug, das in der Neujahrsnacht Vögel töten, Hunde, Katzen und Ratten verschrecken und die Wohnblocks vom Keller bis zur Dachterrasse erzittern lassen würde. Rino sah ihnen von der Schusterwerkstatt aus grimmig zu und schacherte unterdessen mit Pasquale, mit Antonio und vor allem mit Enzo, der etwas mehr Geld hatte, um ein Arsenal zusammenzubringen, das wenigstens ein bisschen was hermachte.

Eine kleine, unerwartete Änderung der Lage ergab sich, als Lila und ich von unseren Müttern zum Einkaufen für das Silvesteressen in die Salumeria von Stefano Carracci geschickt wurden. Das Geschäft war voller Leute. Hinter dem Ladentisch stand neben Stefano und Pinuccia auch Alfonso, der uns verlegen zulächelte. Wir richteten uns auf eine lange Wartezeit ein. Doch Stefano winkte mir zu, unmissverständlich mir, und flüsterte seinem Bruder etwas ins Ohr. Mein Klassenkamerad kam hinter dem Ladentisch hervor und fragte mich, ob wir einen Einkaufszettel dabeihätten. Wir gaben ihn ihm, und er verschwand. Nach fünf Minuten war unser Einkauf erledigt.

Wir packten alles in unsere Taschen, bezahlten bei Donna Maria und gingen hinaus. Doch nach wenigen Schritten rief mich nicht Alfonso, sondern Stefano, wirklich Stefano, mit seiner schönen, männlichen Stimme:

»Lenù!«

Er holte uns ein. Er wirkte ruhig, lächelte herzlich. Der einzige kleine Makel an ihm war sein weißer Kittel voller Fettflecken. Er wandte sich, im Dialekt, an uns beide, sah aber mich an:

»Möchtet ihr zur Silvesterparty zu uns nach Hause kommen? Alfonso liegt viel daran.«

Don Achilles Frau und seine Kinder führten auch nach der Ermordung des Vaters ein sehr zurückgezogenes Leben: die Kirche, die Salumeria, das traute Heim, bestenfalls mal eine kleine Feier, bei der man nicht fehlen durfte. Diese Einladung war etwas Neues. Ich wies auf Lila und antwortete:

»Wir sind schon eingeladen, wir feiern mit ihrem Bruder und vielen Freunden.«

»Sagt auch Rino Bescheid und euren Eltern. Unsere Wohnung ist groß genug, und für das Feuerwerk gehen wir auf die Terrasse.«

Lila mischte sich mit einem abweisenden Ton ein:

»Bei uns feiern auch Pasquale und Carmen Peluso mit ihrer Mutter.«

Dieser Satz sollte jeder weiteren Unterhaltung ein Ende machen. Alfredo Peluso saß in Poggioreale, weil er Don Achille ermordet hatte, und Don Achilles Sohn konnte unmöglich Alfredos Kinder einladen, um in seinem Haus auf das neue Jahr anzustoßen. Aber Stefano sah Lila mit einem durchdringenden Blick an, als hätte er sie bisher noch nicht bemerkt, und wie selbstverständlich warf er hin:

»In Ordnung, kommt alle zusammen. Wir trinken Spumante und tanzen, neues Jahr, neues Glück.«

Diese Worte beeindruckten mich sehr. Ich sah zu Lila, sie war verwirrt. Sie brummte:

»Wir müssen erst mit meinem Bruder sprechen.«

»Sagt mir Bescheid.«

»Und das Feuerwerk?«

»Was ist damit?«

»Wir bringen unseres mit, und du?«

Stefano lächelte.

»Wie viel Feuerwerk wollt ihr denn?«

»Jede Menge.«

Er wandte sich wieder an mich.

»Kommt alle zu mir, und ich verspreche euch, dass wir noch bei Sonnenaufgang Raketen abschießen werden.«

21

Auf dem ganzen Rückweg konnten wir uns vor Lachen nicht mehr halten und sagten Dinge wie:

»Das macht er für dich.«

»Nein, für dich.«

»Er ist verliebt, und um dich bei sich zu haben, lädt er sogar die Kommunisten ein, sogar die Mörder seines Vaters.«

»Was erzählst du denn da? Er hat mich ja nicht mal angesehen.«

Rino hörte sich Stefanos Vorschlag an und sagte sofort nein. Doch sein Wunsch, die Solaras zu besiegen, ließ ihn schwanken, und er sprach mit Pasquale darüber, der fuchsteufelswild wurde. Enzo dagegen brummte: »In Ordnung, ich komme, wenn ich kann.« Und unsere Eltern freuten sich sehr über die Einladung, denn für sie existierte Don Achille nicht mehr, und seine Kinder und seine Frau waren hochanständige, wohlhabende Leute, mit denen befreundet zu sein eine Ehre war.

Lila wirkte zunächst benommen, so als hätte sie vergessen, wo sie war, Straßen, Rione, Schusterwerkstatt. Dann tauchte sie eines späten Nachmittags mit der Miene eines Menschen bei mir auf, der den absoluten Durchblick hat, und sagte:

»Wir haben uns geirrt: Stefano will weder mich noch dich.«

Wir erörterten das, wie es unsere Art war, indem wir Wahrheit und Dichtung durcheinanderwarfen. Wenn er uns nicht wollte, was wollte er dann? Wir überlegten, dass auch Stefano daran interessiert sein musste, den Solaras eine Lektion zu erteilen. Erinnerten uns daran, dass Michele auf dem Fest von Gigliolas Mutter Pasquale rauswerfen ließ und sich so in die Angelegenheiten der Carraccis eingemischt hatte, da er Stefano als jemanden hingestellt hatte, der das Andenken seines Vaters nicht verteidigen kann. Wenn man es recht bedachte, hatten die zwei Brüder bei dieser Gelegenheit nicht nur Pasquale brüskiert, sondern auch Stefano. Und deshalb setzte er nun noch einen drauf, um sie zu ärgern: Er versöhnte sich endgültig mit den Pelusos, ja, er lud sie zu Silvester sogar in sein Haus ein.

»Und was hat er davon?«, fragte ich Lila.

»Keine Ahnung. Es soll wohl eine Geste sein, zu der im Rione niemand bereit wäre.«

»Des Verzeihens?«

Lila schüttelte skeptisch den Kopf. Sie versuchte, zu verstehen, wir versuchten beide, zu verstehen, denn etwas zu verstehen, gefiel uns ungemein. Stefano schien nicht der Typ zu sein, der verzeihen konnte. Lila zufolge hatte er etwas anderes im Sinn. Ausgehend von einer ihrer fixen Ideen der letzten Zeit, also seit sie angefangen hatte, sich mit Pasquale zu unterhalten, glaubte sie ganz allmählich, die Lösung gefunden zu haben.

»Weißt du noch, wie ich Carmela eingeredet habe, sie könnte mit Alfonso gehen?«

»Ja.«

»So etwas in der Art hat Stefano im Sinn.«

»Carmela zu heiraten?«

»Mehr noch.«

Lila zufolge wollte Stefano alles auf null stellen. Er wollte versuchen, aus dem *Früher* auszubrechen. Wollte nicht wie unsere Eltern so tun, als wäre nichts gewesen, sondern im Gegenteil einen Satz geltend machen wie: »Ich weiß, mein Vater war der, der er war, doch jetzt bin ich da, wir sind da, und damit basta.« Kurz, er wollte dem ganzen Rione zu verstehen geben, dass er nicht Don Achille war und dass auch die Pelusos nicht der ehemalige Tischler waren, der ihn umgebracht hatte. Diese These gefiel uns, sie wurde sofort zur Gewissheit, und dem jungen Carracci galt unsere ganze Sympathie. Wir beschlossen, uns auf seine Seite zu stellen.

Wir erklärten nun Rino, Pasquale und Antonio, dass Stefanos Einladung mehr als nur eine Einladung war, dass wichtige Zusammenhänge dahintersteckten, dass er gewissermaßen sagte: »Vor uns hat es schlimme Dinge gegeben, unsere Väter haben sich auf die eine oder andere Weise nicht korrekt verhalten, wir wollen das von nun an im Kopf behalten und zeigen, dass wir Kinder besser sind als sie.«

»Besser?«, erkundigte sich Rino interessiert.

»Besser«, sagte ich. »Das ganze Gegenteil der Solara-Brüder, die noch schlimmer sind als ihr Großvater und ihr Vater.«

Ich redete hitzig, auf Italienisch, als wäre ich in der Schule. Lila warf mir einen erstaunten Blick zu, und Rino, Pasquale und Antonio brabbelten verlegen vor sich hin. Pasquale versuchte sogar, mir auf Italienisch zu antworten, ließ es aber gleich wieder sein. Er sagte finster:

»Das Geld, mit dem Stefano noch mehr Geld macht, hat sein Vater auf dem Schwarzmarkt ergaunert. Da, wo jetzt die Salumeria ist, war früher die Tischlerei meines Vaters.«

Lila kniff die Augen zusammen, sie waren kaum noch zu sehen.

»Stimmt. Aber wollt ihr auf der Seite von einem stehen, der was verändern will, oder auf der Seite der Solaras?«

Pasquale sagte stolz, teils aus Überzeugung und teils aus sichtlicher Eifersucht, weil Stefano in Lilas Worten unerwartet viel Gewicht bekommen hatte:

»Ich stehe auf meiner Seite, und fertig.«

Doch er war ein anständiger Junge, dachte noch einmal nach und überlegte es sich anders. Er sprach mit seiner Mutter und diskutierte mit seiner ganzen Familie. Giuseppina, die eine unermüdliche, rechtschaffene Arbeiterin gewesen war, unbeschwert und überschwenglich, und sich nach der Verhaftung ihres Mannes in eine welke, vom Unglück gezeichnete Frau verwandelt hatte, wandte sich an den Pfarrer. Der Pfarrer schaute in Stefanos Laden vorbei, redete lange mit Donna Maria und danach nochmals mit Giuseppina Peluso. Am Ende waren alle der Ansicht, dass das Leben schon schwer genug sei und dass es für alle besser wäre, wenn man aus Anlass des neuen Jahres die Spannungen verringerte. So trafen am 31. Dezember gegen 23.30 Uhr, nach dem Silvesteressen, die verschiedenen Familien – die des ehemaligen Tischlers, die des Pförtners, des Schusters, des Gemüsehändlers und die Melinas, die zur Feier des Tages großen Wert auf ihr Äußeres gelegt hatte – tröpfchenweise im vierten Stock ein, in Don Achilles alter, verhasster Wohnung, um gemeinsam das neue Jahr zu feiern.

22

Stefano empfing uns sehr herzlich. Ich weiß noch, dass er sorgfältig gekämmt war, das Gesicht vor Aufregung leicht gerötet, er trug ein weißes Hemd mit Krawatte und eine blaue Weste. Ich fand ihn hinreißend mit seinen noblen Manieren. Ich rechnete nach, dass er fast sieben Jahre älter war als Lila und ich, und dachte zugleich, dass es nicht viel wert war, mit meinem Altersgenossen Gino zu gehen: Als ich ihn gefragt hatte, ob er mit zu den Carraccis komme, hatte er mir gesagt, er könne nicht, weil seine Eltern ihn nach Mitternacht nicht aus dem Haus ließen, es sei zu gefährlich. Ich wollte einen erwachsenen Freund, keinen kleinen Jungen, wollte einen jungen Mann wie Stefano, Pasquale, Rino, Antonio, Enzo. Ich sah sie den ganzen Abend über an, ging dicht an ihnen vorbei. Spielte nervös an meinen Ohrringen und mit dem silbernen Armband meiner Mutter. Ich fühlte mich wieder schön und wollte die Bestätigung dafür in ihren Augen lesen. Doch offenbar hatten sie alle nur das Mitternachtsfeuerwerk im Kopf. Sie fieberten ihrem Krieg unter Männern entgegen und schienen nicht einmal Lila zu beachten.

Stefano war besonders freundlich zu Signora Peluso und zu Melina, die kein Wort sagte, sie hatte einen verstörten Blick und eine lange Nase, war jedoch sorgfältig gekämmt, trug Ohrringe und wirkte mit ihrem schwarzen Witwenkleid wie eine vornehme Signora. Um Mitternacht füllte der Hausherr das Glas seiner Mutter und gleich darauf das von Pasquales Mutter mit Spumante. Wir tranken auf alles Wunderbare, was das neue Jahr uns bringen würde, dann schwärmten wir in Richtung Dachterrasse aus, die Alten und die Kinder mit Mantel und Schal, denn es war bitterkalt. Mir fiel auf, dass der Einzige, der lustlos zurückblieb, Alfonso war. Aus Höflichkeit rief ich ihn, doch er hörte mich nicht oder tat so, als hörte er mich nicht. Ich lief hinauf. Über meinem Kopf sah ich einen überwältigenden, eisigen Himmel voller Sterne und Finsternis.

Die Jungen waren im Pullover, Pasquale und Enzo sogar in Hemdsärmeln. Lila und ich, Ada und Carmela trugen leichte Kleidchen wie auf den Tanzpartys und zitterten vor Kälte und Aufregung. Schon zischten die ersten Raketen los, durchpflügten den Himmel und explodierten in farbenfrohen Blüten. Schon war der dumpfe Aufprall alter Gegenstände zu hören, die aus den Fenstern flogen, Geschrei und Gelächter. Der ganze Rione krakeelte, warf Knallfrösche. Ich zündete Wunderkerzen und Feuerwirbel für die Kinder an, es gefiel mir, in ihren Augen das gleiche ängstliche Staunen zu sehen, das ich als kleines Mädchen empfunden hatte. Lila überredete Melina, mit ihr zusammen ein bengalisches Feuer anzuzünden, der farbige Feuerstrahl sprühte und knisterte. Die zwei schrien auf vor Freude und fielen sich in die Arme.

Rino, Stefano, Pasquale, Enzo und Antonio trugen Kisten, Kartons und Schachteln mit Feuerwerk heran, voller Stolz auf die viele Munition, die sie hatten anhäufen können. Auch Alfonso betätigte sich, doch nur lasch, und auf den Druck seines Bruders reagierte er gereizt. Rino dagegen, der völlig überdreht war, schien ihn einzuschüchtern. Er schubste ihn grob herum, riss ihm die Sachen aus der Hand und behandelte ihn wie einen kleinen Jungen. So zog sich Alfonso, anstatt sich aufzuregen, schließlich zurück und mischte sich kaum noch unter die anderen. Streichhölzer flammten auf, die Ältesten zündeten sich mit gewölbten Händen gegenseitig Zigaretten an und redeten ernst und freundschaftlich miteinander. Wäre dies ein Bürgerkrieg gewesen, wie etwa der zwischen Romulus und Remus, zwischen Marius und Sulla, zwischen Cäsar und Pompeius, hätten sie dieselben Gesichter, dieselben Blicke, dieselben Posen gehabt.

Außer Alfonso stopften sich alle Jungen Böller und Knallfrösche in die Hemden, bauten Raketenreihen in leeren Flaschen auf. Mir, Lila, Ada und Carmela trug der immer hitzigere, immer lauter schreiende Rino auf, jeden ständig und rechtzeitig mit neuer Munition zu versorgen. Dann wurden die Kleinen, die Jungen und die nicht mehr so Jungen – meine Brüder Peppe und Gianni, doch auch mein Vater und der Schuster, der der Älteste von allen war – in der Dunkelheit und in der Kälte geschäftig, zündeten Lunten an und warfen Feuerwerkskörper über die Brüstung oder schickten sie in den Himmel, all dies in einer zunehmend aufgeheizten Jubelstimmung mit Rufen wie »Hast du die Farben gesehen? Madonna, was für ein Knall!«, »Los, weiter!«, nur etwas beeinträchtigt von Melinas erschrockenem und schmachtendem Stöhnen und von Rino, der meinen Brüdern die Böller entriss und sie selbst anzündete, wobei er schrie, sie würden sie vergeuden, weil sie sie wegschleuderten, ohne darauf zu warten, dass die Zündung wirklich Feuer fing.

Das funkensprühende Toben der Stadt ließ allmählich nach und erlosch, so dass nun der Lärm der Autos mit ihren Hupen zu hören war. Weite Teile des dunklen Himmels wurden wieder sichtbar. Trotz des Qualms, trotz der Lichtblitze war der Balkon der Solaras nun wieder besser zu erkennen.

Sie waren nicht weit entfernt, wir sahen sie. Den Vater, die Söhne, ihre Verwandten und Freunde hatte ebenso wie uns die Lust am Chaos gepackt. Alle im Rione wussten, dass das, was es bisher gegeben hatte, noch gar nichts gewesen war, die Solaras würden erst dann loslegen, wenn die armen Schlucker mit ihren mickrigen Feiern fertig waren, mit ihrem kläglichen Geknister und ihren Sprühregen in Silber und Gold, erst dann, wenn sie die unumschränkten Herren dieses Festes sein würden.

Und so kam es auch. Das Feuer von ihrem Balkon verstärkte sich abrupt, Himmel und Straße begannen wieder zu explodieren. Bei jedem Abschuss, vor allem, wenn der Knall des Feuerwerkskörpers vernichtend gewesen war, ertönten von ihrem Balkon begeisterte Unflätigkeiten. Doch überraschenderweise antworteten Stefano, Pasquale, Antonio und Rino mit weiteren Knallern und mit ebensolchen Obszönitäten. Auf eine Rakete der Solaras reagierten sie mit einer Rakete, auf einen Böller mit einem Böller, am Himmel entfalteten sich wunderbare Blumenkronen, unten flammte die Straße auf und erzitterte, und irgendwann stieg Rino auf die Brüstung, grölte Schimpfwörter und warf extrem starke Böller, während seine Mutter vor Entsetzen aufschrie und kreischte: »Komm weg da, du fällst noch runter!«

Melina wurde von Panik erfasst und stieß schrille, langgezogene Schreie aus. Ada schnaufte, es war ihre Aufgabe, sie wegzubringen, doch Alfonso gab ihr ein Zeichen, nahm sich der Sache an und führte die Witwe nach unten. Meine Mutter hinkte ihnen sogleich nach, und die anderen begannen ihre Kinder fortzuziehen. Die Knaller der Solaras wurden immer heftiger, eine ihrer Raketen flog nicht in den Himmel, sondern krachte ohrenbetäubend mit einem roten Aufblitzen und erstickendem Rauch gegen die Brüstung unserer Terrasse.

»Das haben die mit Absicht gemacht!«, schrie Rino außer sich zu Stefano hinüber.

Stefano, ein dunkler Umriss in der Kälte, machte ihm Zeichen, sich zu beruhigen. Er lief in eine Ecke, wo er eigenhändig eine Kiste deponiert hatte, die wir Mädchen nicht hatten anrühren dürfen, griff hinein und forderte die anderen auf, sich auch zu bedienen.

»Enzo«, schrie er, ohne auch nur noch eine Spur der sanften Töne des Kaufmanns in der Stimme, »Pascà, Rino, Antò, hierher, los, hierher, jetzt zeigen wir denen mal, was wir haben!«

Alle liefen lachend herbei. Sie wiederholten: »Ja, zeigen wir's ihnen, hier, ihr Arschlöcher, nehmt das!«, und sie vollführten unflätige Gesten in Richtung des Solara-Balkons. Wir beobachteten ihre wilden, schwarzen Gestalten und zitterten vor Kälte immer mehr. Wir waren nicht von Interesse, spielten nicht die geringste Rolle.

Auch mein Vater war wieder hinuntergegangen, zusammen mit dem Schuster. Und Lila, ich weiß nicht, war stumm, ganz gefangen von dem Schauspiel wie von einem Rätsel.

Sie erlebte das, was ich bereits erwähnte, das, was sie später als Auflösung bezeichnete. Es war – erzählte sie mir –, als zöge in einer Vollmondnacht über dem Meer die Masse eines pechschwarzen Unwetters am Himmel herauf, verschlänge alles Licht, zerfräße den Rand des Mondes und entstellte die helle Scheibe, indem sie sie auf ihre wahre Natur einer rohen, leblosen Materie reduzierte. Lila bildete sich ein, sah, spürte – als wäre es Realität –, wie ihr Bruder zerbarst. Vor ihren Augen verlor Rino die Physiognomie, die er gehabt hatte, so lange sie zurückdenken konnte, die Physiognomie eines großzügigen, ehrlichen Jungen, die angenehmen Züge eines zuverlässigen Menschen, die geliebte Gestalt desjenigen, der sie seit jeher, seit sie denken konnte, zum Lachen gebracht hatte, der ihr geholfen und sie beschützt hatte. Dort, inmitten heftigsten Geknalls, in der Kälte, im Qualm, der in der Nase brannte, und im beißenden Schwefelgestank verletzte etwas die organische Struktur ihres Bruders und übte einen so starken Druck auf ihn aus, dass es seine Konturen sprengte, die Materie sich wie eine unförmige Masse ausbreitete und ihr, Lila, zeigte, woraus er wirklich bestand. Jede Sekunde dieser Silvesternacht erfüllte sie mit Entsetzen, sie hatte das Gefühl, dass dadurch, wie Rino sich bewegte und wie er sich nach allen Seiten ausdehnte, jede Kontur verschwand und auch ihre eigenen Konturen immer weicher und nachgiebiger wurden. Sie hatte Mühe, die Beherrschung zu wahren, doch es gelang ihr. Ihre Beklemmung war ihr kaum anzumerken. Tatsache ist, dass ich im Trubel der Explosionen und Farben wenig auf sie achtete. Mir fiel aber ihre zunehmend verängstigte Miene auf. Ich bemerkte auch, dass sie die Schattengestalt ihres Bruders – des Emsigsten, Großmäuligsten von allen, desjenigen, der am maßlosesten die fürchterlichsten Beschimpfungen in Richtung des Solara-Balkons brüllte – mit Abscheu anstarrte. Sie, die im Allgemeinen vor nichts Angst hatte, schien entsetzt zu sein. Doch über diese Eindrücke dachte ich erst später nach. Damals waren sie mir nicht bewusst. Carmela und Ada waren mir näher als Lila. Wie üblich schien sie keinerlei Bedürfnis nach männlicher Aufmerksamkeit zu haben. Wir dagegen konnten uns, so in der Kälte, inmitten dieses Chaos, ohne diese Aufmerksamkeit nicht wichtig fühlen. Uns wäre es lieber gewesen, Stefano oder Enzo oder Rino hätten mit diesem Krieg aufgehört, uns einen Arm um die Schulter gelegt, ihre Hüfte gegen unsere gedrückt und uns Komplimente gemacht. Stattdessen standen wir Mädchen eng beisammen, um uns zu wärmen, während sie sich überschlugen, um nach Zylindern mit dicken Zündschnüren zu greifen, verblüfft über Stefanos nie versiegende Reserven an Knallzeug, erstaunt über seine Großzügigkeit und betroffen bei dem Gedanken, wie viel Geld man einzig für die Befriedigung, zu gewinnen, in Kometenschweife, Funken, Knaller und Rauch verwandeln konnte.

Sie wetteiferten wer weiß wie lange mit den Solaras, Explosionen auf der einen und auf der anderen Seite, als wären Terrasse und Balkon Schützengräben, der ganze Rione zuckte und bebte. Man wusste überhaupt nicht mehr, was los war, Donnerschläge, zerbrochene Fensterscheiben, ein durchlöcherter Himmel. Selbst als Enzo schrie: »Sie haben aufgehört, sie haben nichts mehr!«, machten unsere weiter, vor allem Rino machte weiter, bis keine einzige Zündschnur mehr da war. Da stimmten sie alle ein Triumphgeheul an, hüpften herum und umarmten sich. Schließlich beruhigten sie sich, Stille kehrte ein.

Doch sie währte nicht lange, sie wurde in der Ferne vom anschwellenden Weinen eines Kindes unterbrochen, von Geschrei und Beschimpfungen, von Autos, die sich durch die von Müll verstopften Straßen vorwärtsschoben. Dann sahen wir Blitze auf dem Balkon der Solaras und hörten es knallen. Rino schrie enttäuscht: »Die fangen wieder an!« Doch Enzo, der in Sekundenschnelle begriffen hatte, was vor sich ging, war der Erste, der uns ins Haus drängte, und nach ihm auch Pasquale, auch Stefano. Nur Rino stieß noch immer wüste Beschimpfungen aus, wobei er sich über die Terrassenbrüstung beugte, so dass Lila Pasquale beiseiteschob und zu ihrem Bruder hastete, um ihn hereinzuziehen, und ihn nun ihrerseits lauthals beschimpfte. Wir Mädchen rannten schreiend nach unten. Nur um zu gewinnen, feuerten die Solaras Pistolenschüsse auf uns ab.

23

In dieser Nacht ist mir, wie gesagt, viel entgangen. Überwältigt von der Partystimmung, von der brenzligen Situation und vom Herumwirbeln der Jungen, von deren Körpern eine größere Hitze ausging als vom Feuerwerk am Himmel, hatte ich aber vor allem Lila vernachlässigt. Dabei vollzog sich gerade damals ihre erste innerliche Veränderung.

Was sie da erlebt hatte, ich sagte es schon, hatte ich nicht mitbekommen, dieser Vorgang war kaum erkennbar gewesen. Doch seine Auswirkungen bemerkte ich beinahe sofort. Sie wurde fauler. Obwohl ich keine Schule hatte, stand ich schon zwei Tage später frühmorgens auf, um mit ihr zusammen die Schusterwerkstatt zu öffnen und ihr beim Putzen zu helfen, aber von Lila keine Spur. Sie kam spät, war mürrisch, und wir spazierten durch den Rione, wobei wir einen großen Bogen um die Schusterei machten.

»Gehst du nicht zur Arbeit?«
»Nein.«
»Und warum nicht?«
»Ich habe keine Lust mehr.«
»Und was ist mit den neuen Schuhen?«
»Die sind noch Zukunftsmusik.«

»Und was jetzt?«

Nicht einmal sie schien zu wissen, was sie wollte. Sie schien nur sehr besorgt über ihren Bruder zu sein, viel mehr als noch kurz zuvor. Und unmittelbar ausgehend von dieser Besorgnis begann sie nun anders über Reichtum zu reden. Wir zwei hatten noch immer den dringlichen Wunsch, reich zu werden, das stand außer Frage, doch das Ziel war nicht mehr dasselbe wie in unserer Kindheit: keine Schatztruhen mehr, keine funkelnden Münzen und Edelsteine mehr. Nun war Geld in ihrem Kopf anscheinend zu einer Art Zement geworden: Es verstärkte, stützte, festigte dieses und jenes. Es verfestigte sich vor allem in Rinos Kopf. Das Paar Schuhe, das sie zusammen hergestellt hatten, hielt er bereits für vollendet, er wollte es Fernando zeigen. Doch Lila wusste nur zu gut (und ihr zufolge wusste es auch Rino), dass ihr Werk noch Fehler aufwies, dass ihr Vater die Schuhe prüfen und sie wegwerfen würde. Daher sagte sie zu Rino, sie seien noch lange nicht fertig, der Weg zur eigenen Schuhfabrik sei steinig. Aber er wollte nicht mehr warten, wollte schnellstens so werden wie die Solara-Brüder, wie Stefano, und Lila konnte ihn nicht zur Vernunft bringen. Plötzlich schien Reichtum an sich sie gar nicht mehr zu interessieren. Über Geld redete sie nun ohne jede Schwärmerei, es war lediglich ein Mittel, um zu verhindern, dass ihr Bruder sich in Schwierigkeiten brachte. »Alles meine Schuld«, räumte sie zumindest mir gegenüber ein. »Ich habe ihn glauben lassen, das Geld liegt auf der Straße.« Aber da es dort nicht lag, fragte sie sich mit finsterem Blick, was sie sich ausdenken müsse, um ihn ruhigzustellen.

Rino war tatsächlich außer sich. Fernando warf Lila, zum Beispiel, nie vor, dass sie nicht mehr in die Werkstatt kam, im Gegenteil, er zeigte sich ihr gegenüber froh darüber, dass sie zu Hause blieb und ihrer Mutter half. Doch ihr Bruder war stinkwütend, und schon in den ersten Januartagen wurde ich Zeugin eines weiteren bösen Streits. Rino kam uns mit gesenktem Kopf entgegen, versperrte uns den Weg und sagte zu Lila: »Komm sofort wieder arbeiten.« Lila antwortete, sie denke nicht mal im Traum daran. Da zerrte er an ihrem Arm, sie widersetzte sich mit einer derben Beleidigung, Rino gab ihr eine Ohrfeige und schrie sie an: »Dann scher dich nach Hause und hilf Mama!« Sie gehorchte und ging, ohne sich von mir zu verabschieden.

Am 6. Januar, dem Tag der Befanabescherung, erreichte der Konflikt seinen Höhepunkt. Offenbar war Lila aufgewacht und hatte neben ihrem Bett eine mit Kohlen gefüllte Socke gefunden. Sie wusste, dass die von Rino kam, und zum Frühstück deckte sie für alle den Tisch außer für ihn. Dann kam ihre Mutter. Ihr Sohn hatte ihr einen Strumpf mit Bonbons und Schokolade an den Stuhl gehängt, was sie sehr rührend fand, diesen Jungen liebte sie besonders. Als sie daher sah, dass an Rinos Platz nicht gedeckt war, wollte sie das nachholen, doch Lila hinderte sie daran. Während Mutter und Tochter sich in die Haare gerieten, erschien Rino, und Lila bewarf ihn sofort mit einem Stück Kohle.

Ihr Bruder lachte, weil er das für ein Spiel hielt und dachte, sein Scherz habe ihr gefallen. Als er aber sah, dass Lila es ernst meinte, versuchte er sie festzuhalten und wollte sie schlagen. In dem Moment kam, in Unterwäsche, Fernando mit einem Pappkarton in der Hand herein.

»Nun seht euch mal an, was mir die Befana gebracht hat«, sagte er, und ihm war anzumerken, dass er sehr aufgebracht war.

Er nahm die neuen, von seinen beiden Kindern heimlich angefertigten Schuhe aus dem Karton. Vor Überraschung blieb Lila der Mund offen stehen. Sie hatte nichts von dieser Aktion gewusst, Rino hatte im Alleingang beschlossen, dem Vater ihre Arbeit als Befanageschenk zu präsentieren.

Als sie auf dem Gesicht ihres Bruders ein kleines, amüsiertes und zugleich ängstliches Lächeln sah, als sie den alarmierten Blick bemerkte, mit dem er die Miene seines Vaters ausforschte, glaubte sie, die Bestätigung für das zu haben, was sie inmitten von Rauch und Knallern auf der Terrasse so erschreckt hatte: Rino hatte seine gewohnten Umrisse verloren, sie hatte nun einen konturlosen Bruder, von dem etwas ausgehen konnte, was nicht wiedergutzumachen war. In diesem Lächeln, in diesem Blick sah sie etwas unerträglich Armseliges, das umso unerträglicher war, als sie ihren Bruder nach wie vor liebte und das Bedürfnis hatte, an seiner Seite zu bleiben, um ihm zu helfen und von ihm Hilfe zu erhalten.

»Die sind aber schön«, sagte Nunzia, die von der ganzen Schuhgeschichte nichts wusste.

Wortlos und mit dem Gesicht eines zornigen Randolph Scott setzte sich Fernando und zog sich erst den rechten, dann den linken Schuh an.

»Die Befana hat sie wirklich für meine Füße gemacht.«

Er stand auf, prüfte sie und ging vor den Augen seiner Familie in der Küche auf und ab.

»Wirklich bequem«, stellte er fest.

»Das sind Schuhe für feine Leute«, sagte seine Frau und warf ihrem Sohn begeisterte Blicke zu.

Fernando setzte sich wieder. Er zog die Schuhe aus und besah sie sich von oben, von unten, von innen, von außen.

»Diese Schuhe stammen wirklich von Meisterhand«, sagte er, allerdings ohne dass sich seine Miene auch nur ein bisschen aufhellte. »Gut gemacht, Befana.«

Jedem seiner Worte war anzuhören, wie sehr er litt und wie sehr der Schmerz seinen Wunsch steigerte, alles kurz und klein zu schlagen. Doch davon schien Rino nichts mitzubekommen. Mit jeder sarkastischen Bemerkung seines Vaters wuchs sein Stolz, er lächelte mit hochrotem Gesicht und gab unfertige Sätze von sich: »Ich habe das so gemacht, Papà; das habe ich hinzugefügt; ich dachte, dass ...« Lila dagegen wollte raus aus der Küche, um dem unmittelbar bevorstehenden Wutausbruch des Vaters zu entgehen, konnte sich aber nicht aufraffen, sie wollte ihren Bruder nicht im Stich lassen.

»Sie sind leicht und zugleich robust«, fuhr Fernando fort. »Da ist nichts hingepfuscht. Und vor allem habe ich sie noch nie bei irgendwem gesehen, mit dieser breiten Spitze sind sie wirklich originell.«

Er zog sie erneut an und band sie zu. Dann sagte er: »Dreh dich mal um, Rino, ich muss mich bei der Befana bedanken.«

Rino hielt das für einen Scherz, der ihre lange Auseinandersetzung endgültig beilegen sollte, und drehte sich um, glücklich und verlegen zugleich. Doch kaum hatte er sich umgewandt, trat sein Vater ihm brutal in den Hintern, beschimpfte ihn als Rindvieh und Vollidiot und warf mit allem nach ihm, was ihm in die Finger kam, am Ende auch mit den Schuhen.

Lila ging erst dazwischen, als ihr Bruder, der anfangs nur bemüht war, sich vor den Fausthieben und Tritten zu schützen, nun ebenfalls herumschrie und Stühle umwarf, Teller zerschlug, weinte, schwor, er wolle sich lieber umbringen, als weiter kostenlos für seinen Vater zu arbeiten, und seine Mutter, die übrigen Geschwister und die Nachbarn in Angst und Schrecken versetzte. Doch vergeblich. Vater und Sohn mussten sich erst bis ans Ende ihrer Kräfte abreagieren. Dann arbeiteten sie wieder zusammen, stumm, mit ihrer Verzweiflung eingeschlossen in der kleinen Werkstatt.

Eine Zeitlang wurde nicht mehr über die Schuhe gesprochen. Lila beschloss endgültig, dass ihre Aufgabe darin bestand, ihrer Mutter zu helfen, einkaufen zu gehen, zu kochen, zu waschen, die Wäsche in der Sonne aufzuhängen, und sie ging nie wieder in die Schusterei. Der deprimierte, schmollende Rino empfand das Ganze als eine unbegreifliche Ungerechtigkeit und verlegte sich darauf, von seiner Schwester zu verlangen, dass sie ihm Socken, Unterhosen und Hemden wohlsortiert in sein Fach legte, dass sie ihn bediente und ihm Respekt zollte, wenn er von der Arbeit kam. War etwas nicht zu seiner Zufriedenheit, regte er sich auf und sagte Gehässigkeiten zu ihr wie: »Nicht mal ein Hemd kannst du bügeln, du mieses Stück Scheiße.« Sie zuckte mit den Schultern, widersprach nicht und erledigte ihre Pflichten mit Umsicht und Sorgfalt.

Rino war selbst natürlich auch nicht froh über sein Verhalten, er wand sich, versuchte, sich zu beruhigen, und unternahm nicht wenige Anläufe, um wieder so wie früher zu werden. An guten Tagen, etwa am Sonntagmorgen, strich er witzelnd um Lila herum und schlug einen freundlichen Ton an: »Bist du sauer auf mich, weil ich das ganze Lob für die Schuhe allein einheimsen wollte? Das habe ich nur getan«, log er, »damit Papà nicht auch auf dich wütend ist.« Dann sagte er: »Hilf mir, was sollen wir denn jetzt machen? Wir können doch nicht aufhören, ich muss hier raus.« Lila schwieg. Sie kochte, bügelte, küsste ihn manchmal auf die Wange, um ihm zu zeigen, dass sie nicht mehr böse auf ihn war. Doch inzwischen war er schon wieder wütend geworden und schlug am Ende jedes Mal etwas kaputt.

Er schrie sie an, sie habe ihn verraten und sie werde ihn nochmals verraten, da sie früher oder später irgendeinen Blödmann heiraten, weggehen und ihn für immer im Elend sitzenlassen werde.

Manchmal, wenn niemand zu Hause war, ging Lila in die Kammer, in der sie die Schuhe versteckt hatte, und befühlte sie, betrachtete sie, selbst erstaunt darüber, dass sie, so oder so, da waren, dass sie aus einer kleinen Zeichnung in einem Schulheft entstanden waren. Die ganze Mühe vergebens.

24

Ich ging wieder zur Schule, wurde in den aufreibenden Rhythmus hineingezogen, den unsere Lehrer uns auferlegten. Viele meiner Schulkameraden begannen nachzulassen, das Klassenzimmer lichtete sich. Gino kassierte ein Ungenügend nach dem anderen und bat mich um Hilfe. Ich versuchte, ihm zu helfen, doch er wollte eigentlich nur, dass ich ihn abschreiben ließ. Ich ließ ihn abschreiben, doch er strengte sich nicht an. Sogar beim Abschreiben passte er nicht auf, er gab sich keine Mühe, etwas zu verstehen. Auch Alfonso hatte Schwierigkeiten, obwohl er viel disziplinierter war. Eines Tages, als er in Griechisch abgefragt wurde, brach er in Tränen aus, was für einen Jungen als höchst blamabel galt. Es war deutlich zu sehen, dass er lieber gestorben wäre, als auch nur eine Träne vor der Klasse zu vergießen, doch er konnte nicht anders. Wir waren alle still und sehr betroffen, außer Gino, der, vielleicht wegen der Anspannung, vielleicht aber auch aus Freude darüber, dass es auch für seinen Banknachbarn schlecht lief, laut loslachte. Nach der Schule sagte ich beim Hinausgehen zu ihm, dass wir wegen dieses Lachens nicht mehr zusammen seien. Er reagierte mit einer besorgten Frage: »Hast du was für Alfonso übrig?« Ich erklärte ihm, dass ich ganz einfach für ihn nichts mehr übrighätte. Er stammelte, wir hätten doch gerade erst angefangen, das sei nicht richtig. Zwischen uns als Paar war nicht viel gelaufen. Wir hatten uns einmal geküsst, aber ohne Zunge, er hatte versucht, meine Brust anzufassen, ich war wütend geworden, hatte ihn weggestoßen. Er bat mich, noch eine Weile mit ihm zu gehen, doch ich blieb bei meinem Entschluss. Ich wusste, dass es mir nichts ausmachen würde, darauf zu verzichten, ständig in seiner Begleitung zur Schule und nach Hause zu gehen.

Wenige Tage nach meiner Trennung von Gino erzählte mir Lila im Vertrauen, dass sie fast gleichzeitig zwei Liebeserklärungen erhalten hatte, die ersten in ihrem Leben. Eines Morgens hatte Pasquale sie eingeholt, als sie zum Einkaufen ging. Er sah müde aus, war sehr aufgeregt. Sagte, er habe sich Sorgen gemacht, weil er sie nicht mehr in der Schusterwerkstatt gesehen hatte, und habe gedacht, sie sei krank. Da er sie nun aber gesund und munter antreffe, sei er glücklich. Während er sprach, war allerdings nicht die Spur von Glück in seinem Gesicht. Er hatte gestockt, als wäre er kurz vor dem Ersticken, und um den Hals freizubekommen, hatte er beinahe schon geschrien, dass er verliebt in sie sei. Er sei so sehr in sie verliebt, dass er, wenn sie einverstanden wäre, mit ihrem Bruder sprechen wollte, mit ihren Eltern, mit egal wem, um sich auf der Stelle mit ihr zu verloben. Ihr verschlug es die Sprache, und einige Minuten dachte sie, er mache Witze. Zwar hatte ich ihr tausend Mal gesagt, dass Pasquale ein Auge auf sie geworfen hatte, doch sie hatte mir nicht geglaubt. Nun aber stand er fast mit Tränen in den Augen da, an einem herrlichen Frühlingstag, und flehte sie an, sagte, sein Leben hätte keinen Sinn mehr, wenn sie ihn zurückwiese. Wie schwer es doch war, den Wirrwarr der Liebe aufzulösen. Sehr vorsichtig und ohne ein einziges Mal nein zu sagen, hatte Lila Worte gefunden, um ihn abzuweisen. Sie sagte, sie habe ihn auch sehr gern, aber nicht so wie einen Liebhaber. Sagte weiter, sie werde ihm ewig dankbar für alles sein, was er ihr erklärt hatte: Faschismus, Resistenza, Monarchie, Republik, Schwarzmarkt, Comandante Lauro, MSI, Democrazia Cristiana, Kommunismus. Aber eine Verlobung, nein, sie werde sich niemals mit irgendwem verloben. Und schließlich: »Euch alle, Antonio, dich, Enzo, liebe ich, wie ich Rino liebe.« Da hatte Pasquale leise gesagt: »Ich liebe dich aber nicht so, wie ich Carmela liebe.« Er hatte sich aus dem Staub gemacht und war wieder arbeiten gegangen.

»Und die zweite Liebeserklärung?«, fragte ich neugierig, aber auch leicht besorgt.

»Da kommst du nie drauf.«

Die zweite Liebeserklärung war von Marcello Solara gekommen.

Als ich diesen Namen hörte, spürte ich einen Stich in der Brust. Wenn Pasquales Liebe schon ein Beweis dafür war, wie sehr Lila gefallen konnte, bedeutete die Liebe Marcellos, eines gutaussehenden, reichen jungen Mannes mit Auto, der hart, brutal und Camorra-Mitglied war, also daran gewöhnt, sich jede zu nehmen, die er haben wollte, in meinen Augen und in den Augen aller meiner Altersgenossinnen trotz seines miserablen Rufs oder vielleicht sogar deswegen einen gewaltigen Aufstieg, den Übergang vom mageren, kleinen Mädchen zu einer Frau, die jeden um den Finger wickeln konnte.

»Und wie ist das abgelaufen?«

Marcello hatte am Steuer seines Millecento gesessen, allein, ohne seinen Bruder, und hatte sie gesehen, als sie auf dem Stradone nach Hause ging. Er fuhr nicht neben ihr her und sprach nicht durch das Autofenster mit ihr. Er ließ den Wagen, mit offener Tür, mitten auf der Straße stehen und ging zu ihr. Lila setzte ihren Weg fort, er ihr nach. Er flehte sie an, ihm sein früheres Verhalten zu verzeihen, und gab zu, dass sie alles Recht der Welt gehabt hätte, ihn mit dem Schustermesser zu töten. Bewegt erinnerte er sie daran, wie wunderbar sie auf der Party von Gigliolas Mutter zusammen Rock 'n' Roll getanzt hatten, ein Zeichen dafür, wie gut sie zusammenpassten. Schließlich hatte er sie mit Komplimenten überhäuft: »Wie groß du geworden bist, was für schöne Augen du hast, wie schön du bist.« Dann erzählte er ihr einen Traum, den er in der Nacht zuvor gehabt hatte: Darin bat er sie, sich mit ihm zu verloben, sie willigte ein, er schenkte ihr einen Ring, der dem Verlobungsring seiner Großmutter zum Verwechseln ähnlich sah, mit drei Diamanten besetzt. Schließlich hatte Lila, die die ganze Zeit weitergegangen war, ihr Schweigen gebrochen. Sie fragte: »In diesem Traum habe ich ja gesagt?« Marcello bestätigte das, und sie entgegnete: »Dann war es wirklich ein Traum, denn du bist ein Tier, du und jeder aus deiner Familie, dein Großvater, dein Vater, dein Bruder, und mit dir würde ich mich nicht mal verloben, wenn du sagen würdest, dass du mich sonst umbringst.«

»Das hast du zu ihm gesagt?«

»Sogar noch mehr.«

»Was denn?«

Als Marcello ihr gekränkt geantwortet hatte, dass er sehr zärtliche Gefühle für sie hege, dass er Tag und Nacht voller Liebe nur an sie denke, dass er also kein Tier sei, sondern ein Mensch, der sie liebe, gab sie zurück, wenn ein Mensch sich so verhalte, wie er sich Ada gegenüber verhalten habe, und wenn dieser Mensch in der Silvesternacht anfange, mit einer Pistole auf andere zu schießen, sei es eine Beleidigung für alle Tiere, wenn man ihn als Tier bezeichnete. Schließlich begriff Marcello, dass sie es ernst meinte, dass er für sie tatsächlich viel weniger war als eine Kröte oder ein Salamander, und war plötzlich sehr niedergeschlagen. Er murmelte matt: »Mein Bruder war derjenige, der geschossen hat.« Noch während er sprach, wurde ihm klar, dass sie ihn nach diesem Satz noch mehr verachten würde. Na und ob. Lila beschleunigte ihren Schritt, und als er ihr nachlief, schrie sie ihn an: »Hau ab!«, und rannte los. Da blieb Marcello stehen, als wüsste er nicht mehr, wo er war und was er tun sollte, mit hängendem Kopf kehrte er zu seinem Millecento zurück.

»Das hast du mit Marcello Solara gemacht?«
»Ja.«
»Du bist ja verrückt. Erzähl bloß keinem, dass du ihn so behandelt hast.«

Dieser Rat kam mir sogleich überflüssig vor, ich hatte das nur gesagt, um auszudrücken, dass mir ihre Geschichte am Herzen lag. Lila ging den Dingen gern auf den Grund und malte sie sich in ihrer Phantasie aus, aber sie beteiligte sich nie an Klatsch und Tratsch, im Gegensatz zu uns, die wir in einem fort tratschten. Über Pasquales Liebe sprach sie nur mit mir, ich habe nie gehört, dass sie jemand anders davon erzählt hatte. Doch über Marcello Solara redete sie mit allen. Und so kam es, dass ich Carmela traf, die zu mir sagte: »Hast du gehört? Deine Freundin hat Marcello Solara einen Korb gegeben.« Ich traf Ada, und sie sagte: »Deine Freundin hat Marcello Solara allen Ernstes einen Korb gegeben.« Pinuccia Carracci flüsterte mir in der Salumeria ins Ohr: »Stimmt es, dass deine Freundin Marcello Solara einen Korb gegeben hat?« Und sogar Alfonso fragte mich eines Tages in der Schule erstaunt: »Deine Freundin hat Marcello Solara einen Korb gegeben?«

Als ich Lila wiedersah, sagte ich:

»Es ist nicht gut, dass du es überall herumerzählt hast. Marcello wird stinkwütend sein.«

Sie zuckte nur mit den Schultern. Sie hatte mit ihren Geschwistern, mit dem Haushalt, mit ihrer Mutter, mit ihrem Vater zu tun und hielt sich nicht lange mit Reden auf. Inzwischen, seit der Silvesternacht, kümmerte sie sich nur noch um häusliche Dinge.

25

Tatsächlich: Lila interessierte sich das ganze restliche Schuljahr kein bisschen für das, was ich in der Schule tat. Als ich sie fragte, welche Bücher sie sich aus der Bibliothek hole, was sie denn so lese, antwortete sie grantig: »Ich hole mir überhaupt nichts mehr, von Büchern bekomme ich Kopfschmerzen.«

Mir war das Lernen, das Lesen, mittlerweile zu einer angenehmen Gewohnheit geworden. Doch schnell musste ich erkennen, dass die Schule oder auch die Besuche in Maestro Ferraros Bibliothek, seit Lila mich nicht mehr anstachelte, seit sie mir beim Lernen und bei der Lektüre nicht mehr zuvorkam, aufgehört hatten, eine Art Abenteuer für mich zu sein, und nur noch etwas waren, was ich gut konnte und wofür ich viel Lob erhielt.

Dies wurde mir bei zwei Gelegenheiten besonders bewusst.

Einmal ging ich mit meinem bereits vollgestempelten Ausweis in die Bibliothek, um mir neue Bücher zu holen, und der Maestro lobte mich zunächst für meine regelmäßigen Besuche, erkundigte sich dann aber nach Lila, wobei er sehr bedauerte, dass weder sie noch ihre Familie sich weiterhin Bücher ausliehen. Es ist schwer zu erklären warum, doch dieses Bedauern tat mir weh. Für mich war es das Zeichen eines ehrlichen Interesses an Lila, etwas, das viel schwerer wog als die Komplimente für meine Disziplin einer eifrigen Leserin. Ich dachte, wenn Lila auch nur ein Buch im Jahr auslieh, hinterließ sie auf diesem Buch ihre Spuren, die der Maestro bei der Rückgabe bemerkte, während ich keine Spuren hinterließ, ich stand nur für die Verbissenheit, mit der ich wahllos ein Buch nach dem anderen las.

Die zweite Gelegenheit hatte mit den Gepflogenheiten an der Schule zu tun. Der Lehrer für Literatur hatte unsere Italienischaufsätze korrigiert (ich erinnere mich noch an das Thema: »Die verschiedenen Phasen der Tragödie der Dido«), und während er sich für gewöhnlich auf ein paar Worte beschränkte, mit denen er meine übliche Acht oder Neun begründete, lobte er mich diesmal ausführlich vor der ganzen Klasse und verriet erst zum Schluss, dass er mir, allen Ernstes, eine Zehn gegeben hatte. Nach der Stunde rief er mich auf dem Flur zu sich, wahrhaft begeistert davon, wie ich das Thema behandelt hatte, und als der Religionslehrer vorbeikam, hielt er ihn auf und erzählte ihm überschwenglich von meinem Aufsatz. Einige Tage vergingen, und ich stellte fest, dass Gerace sich nicht darauf beschränkt hatte, dem Priester davon zu erzählen, sondern meine Arbeit auch bei anderen Lehrern herumgezeigt hatte und nicht nur bei denen meiner Klassenstufe. Einige Lehrer aus der Oberstufe lächelten mir nun auf dem Flur zu und ließen sogar ein paar Worte fallen. Eine Lehrerin aus der Eins A, zum Beispiel, Professoressa Galiani, die alle schätzten und alle mieden, weil sie in dem Ruf stand, Kommunistin zu sein und mit zwei, drei Bemerkungen jede unzureichende Argumentation zunichtemachen konnte, hielt mich in der Vorhalle auf und zeigte sich besonders über den Kerngedanken meines Aufsatzes begeistert, nämlich dass sich das wohltätige Wesen der Städte in ein bösartiges verwandelte, wenn die Liebe aus ihnen verbannt war. Sie fragte mich:

»Was verstehst du unter einer ›Stadt ohne Liebe‹?«

»Ein seines Glückes beraubtes Volk.«

»Nenn mir ein Beispiel.«

Ich dachte an die Diskussionen, die ich den ganzen September über mit Lila und Pasquale geführt hatte, und empfand sie mit einem Mal als die wahre Schule, viel wahrer als die, in die ich jeden Tag ging.

»Italien unter dem Faschismus, Deutschland unter dem Nazismus, wir Menschen alle zusammen in der Welt von heute.«

Sie musterte mich mit wachsendem Interesse. Sagte,

ich schreibe sehr gut, empfahl mir einige Bücher und erbot sich, sie mir zu leihen. Schließlich erkundigte sie sich, was mein Vater von Beruf sei, ich antwortete: »Pförtner in der Stadtverwaltung.« Mit nachdenklich gesenktem Kopf ging sie davon.

Professoressa Galianis Interesse schmeichelte mir natürlich, hatte aber weiter keine Folgen, der Schulalltag kehrte wieder ein. Daher schien mir mein kleiner Aufstieg, bereits in der ersten Klasse der gymnasialen Unterstufe, zu einer Schülerin, die als sehr gut galt, schon bald nichts Besonderes mehr zu sein. Was besagte er denn schon? Vor allem wohl, dass es sehr nützlich gewesen war, mit Lila zu lernen und sich auszutauschen, sie als Ansporn und Halt gehabt zu haben beim Eintritt in die Welt außerhalb des Rione mit all ihren Dingen, Menschen, Landschaften und mit all den Gedanken aus den Büchern. Gewiss, sagte ich mir, der Aufsatz über Dido war ohne Zweifel von mir, dieses Talent, schöne Sätze zu formen, war meines. Gewiss, das, was ich über Dido geschrieben hatte, stammte von mir. Aber hatte ich es nicht gemeinsam mit ihr erarbeitet, hatten wir uns nicht gegenseitig beflügelt, war meine Leidenschaft nicht durch ihre verstärkt worden? Und diese Idee mit der Stadt ohne Liebe, die den Lehrern so gefiel, hatte ich sie nicht von Lila, auch wenn ich sie dann mit meinen Fähigkeiten weiterentwickelt hatte? Was sollte ich daraus schließen?

Ich begann auf weiteres Lob zu warten, das meine eigenständige Klugheit belegen sollte. Aber als Gerace uns erneut eine Arbeit über die Königin von Karthago schreiben ließ (»Aeneas und Dido: die Begegnung zweier Flüchtlinge«), war er nicht begeistert, er gab mir nur eine Acht. Durch Professoressa Galiani kam ich dagegen in den Genuss einer herzlichen Aufmerksamkeit und zu der erfreulichen Entdeckung, dass sie die Latein- und Griechischlehrerin von Nino Sarratore war, der in die Eins A ging. Ich hatte ermutigende Aufmerksamkeit und Anerkennung wirklich dringend nötig und hoffte, ich könnte sie wenigstens von ihm erhalten. Ich hoffte, er würde sich an mich erinnern, wenn seine Lehrerin mich in seiner Klasse lobte, und mich endlich einmal ansprechen. Doch nichts dergleichen geschah, nach wie vor sah ich ihn nur flüchtig beim Hinaus- oder Hineingehen, immer mit einer gedankenversunkenen Miene, und nie ein Blick von ihm. Einmal lief ich ihm auf dem Corso Garibaldi und durch die Via Casanova sogar nach, in der Hoffnung, dass er mich bemerkte und sagte: »Ciao, wie ich sehe, haben wir denselben Weg, ich habe schon viel von dir gehört.« Doch er lief mit gesenktem Kopf weiter und drehte sich kein einziges Mal um. Ich hatte genug, verachtete mich. Deprimiert bog ich in den Corso Novara ein und ging nach Hause.

Ich machte Tag für Tag weiter, damit beschäftigt, meinen Lehrern, meinen Schulkameraden und mir selbst immer mehr zu beweisen, wie beharrlich und fleißig ich war. Doch währenddessen wuchs in mir ein Gefühl der Einsamkeit, ich merkte, dass ich ohne Elan lernte.

Also erzählte ich Lila von Maestro Ferraros Bedauern und bat sie, wieder in die Bibliothek zu gehen. Ich deutete ihr gegenüber an, wie gut meine Arbeit über Dido aufgenommen worden war, allerdings ohne ihr zu sagen, was ich geschrieben hatte, und gab ihr zu verstehen, dass dieser Erfolg auch ihrer war. Lustlos hörte sie mir zu, womöglich erinnerte sie sich gar nicht mehr daran, wie wir uns über diese Gestalt unterhalten hatten, sie hatte andere Sorgen. Sobald ich ihr die Gelegenheit dazu ließ, erzählte sie mir, dass Marcello Solara nicht wie Pasquale aufgegeben hatte. Er stellte ihr noch immer nach. Wenn sie einkaufen ging, folgte er ihr, ohne sie zu behelligen, bis zu Stefanos Laden, bis zu Enzos Gemüsekarren, nur um sie zu sehen. Wenn sie aus dem Fenster schaute, entdeckte sie ihn unten an der Ecke, wo er darauf wartete, dass sie sich zeigte. Diese Hartnäckigkeit machte ihr Angst. Sie fürchtete, ihr Vater würde dahinterkommen und vor allem Rino würde dahinterkommen. Die Aussicht, es könnte zu einem dieser Männergefechte kommen, die darauf hinausliefen, dass sie sich jeden zweiten Tag prügelten, erschreckte sie, im Rione gab es unzählige davon. Sie fragte: »Was habe ich denn an mir?« Sie empfand sich als dürr und hässlich, warum also war Marcello dermaßen fixiert auf sie? »Stimmt irgendwas nicht mit mir?«, fragte sie. »Ich bringe andere dazu, das Falsche zu tun.«

Diesen Gedanken äußerte sie nun oft. In ihr hatte sich die Überzeugung festgesetzt, ihrem Bruder mehr geschadet als genützt zu haben. »Man braucht ihn sich nur anzusehen«, sagte sie. Auch nachdem sich der Plan von der Schuhfabrik Cerullo zerschlagen hatte, war Rino davon besessen, so reich zu werden wie die Solaras und wie Stefano, oder noch reicher, und konnte sich nicht mit der Alltäglichkeit der Werkstattarbeit abfinden. In dem Bemühen, ihre frühere Begeisterung neu zu entfachen, sagte er zu Lila: »Wir haben Köpfchen, Lina, uns zwei hält keiner auf, sag mir, was wir tun sollen.« Er wollte sich auch ein Auto kaufen und einen Fernseher, und er verachtete Fernando, der den Wert dieser Dinge nicht erkannte. Besonders seit Lila bekundete, dass sie ihm nicht länger helfen wolle, behandelte er sie übler als eine Dienstmagd. Vielleicht merkte er nicht einmal, dass er sich zum Schlechten entwickelt hatte, doch sie, die ihn jeden Tag vor Augen hatte, war äußerst beunruhigt. Einmal sagte sie zu mir:

»Ist dir mal aufgefallen, dass die Leute, wenn sie aufwachen, hässlich sind, völlig entstellt, und keinen Durchblick haben?«

So war Rino ihrer Meinung nach geworden.

26

An einem Sonntagabend Mitte April, ich erinnere mich noch genau, gingen wir zu fünft aus: Lila, ich, Carmela, Pasquale und Rino. Wir Mädchen trugen unsere besten Kleider, und kaum waren wir aus dem Haus, schminkten wir unsere Lippen und malten uns auch die Augen ein wenig an. Wir nahmen die überfüllte U-Bahn. Rino und Pasquale waren die ganze Fahrt über dicht bei uns und passten auf wie die Schießhunde. Sie befürchteten, jemand könnte uns anfassen, aber niemand tat das, unsere Begleiter wirkten allzu gefährlich.

Wir schlenderten zu Fuß den Toledo hinunter. Lila wollte unbedingt zur Via Chiaia, zur Via Filangieri und dann zur Via dei Mille gehen, bis zur Piazza Amedeo, Gegenden, in denen bekanntlich die Reichen und Schönen verkehrten. Rino und Pasquale waren dagegen, konnten oder wollten uns aber nicht erklären, warum, und reagierten nur mit einem Gegrunze im Dialekt und schimpften auf Leute, die sie als Lackaffen bezeichneten. Wir drei schlossen uns zusammen und ließen nicht locker. Da hörten wir ein Hupen. Wir drehten uns um und erkannten den Millecento der Solaras. Die zwei Brüder nahmen wir gar nicht wahr, so beeindruckt waren wir von den Mädchen, die ihre Arme aus dem Autofenster streckten und winkten: Es waren Gigliola und Ada. Sie sahen phantastisch aus, trugen schöne Kleider, schöne Frisuren, schöne, glitzernde Ohrringe. Sie fuchtelten mit den Händen und riefen uns fröhliche Grüße zu. Rino und Pasquale verzogen das Gesicht, Carmela und ich reagierten vor Überraschung gar nicht. Nur Lila rief ihnen hocherfreut etwas zu und winkte mit weitausholenden Gesten zurück, während das Auto in Richtung Piazza Plebiscito verschwand.

Eine Weile schwiegen wir, dann sagte Rino düster zu Pasquale, er habe schon immer gewusst, dass Gigliola eine Schlampe sei, Pasquale pflichtete ihm mit ernster Miene bei.

Keiner der beiden erwähnte Ada, Antonio war ihr Freund, und sie wollten ihn nicht beleidigen. Doch Carmela redete auch über Ada sehr abfällig. Ich empfand vor allem Verdruss. Blitzschnell war dieses Bild der Stärke vorübergezogen, vier junge Menschen in einem Auto, das war die richtige Art, den Rione zu verlassen und zu feiern. Unsere Art war die falsche: zu Fuß, schlecht gekleidet, mittellos. Am liebsten wäre ich sofort wieder nach Hause gegangen. Aber als hätte es diese Begegnung gar nicht gegeben, bestand Lila erneut darauf, dorthin zu schlendern, wo die elegante Welt verkehrte. Sie hakte sich bei Pasquale ein, kreischte, lachte und benahm sich so, wie ihrer Meinung nach die Parodie eines reichen Menschen aussah, mit einem Wort, sie wackelte mit dem Hintern und erging sich in einem breiten Lächeln und in weichlichen Gesten. Wir Mädchen zögerten einen Augenblick und taten es ihr dann gleich, verbittert von der Vorstellung, dass Gigliola und Ada im Millecento ihren Spaß mit den gutaussehenden Solaras hatten, während wir zu Fuß unterwegs waren, in Begleitung von Rino, der Schuhe besohlte, und Pasquale, der als Maurer arbeitete.

Unsere natürlich nicht laut ausgesprochene Unzufriedenheit musste sich indes auch den zwei Jungen mitgeteilt haben, denn sie wechselten einen Blick, seufzten und gaben nach. »Na gut«, sagten sie, und wir bogen in die Via Chiaia ein.

Es war, als hätten wir eine Grenze passiert. Ich erinnere mich noch an das dichte Gedränge und an das Gefühl beschämender Andersartigkeit. Ich achtete nicht auf die jungen Männer, sondern auf die Mädchen, auf die Damen. Sie waren vollkommen anders als wir. Sie schienen eine andere Luft geatmet zu haben, andere Speisen gegessen zu haben, sich auf einem anderen Stern gekleidet zu haben, gelernt zu haben, auf einem Windhauch zu gehen. Mir stand der Mund offen. Umso mehr als ich am liebsten stehen geblieben wäre, um mir in Ruhe ihre Kleider und Schuhe anzusehen, die Brillen, die sie trugen, falls sie welche trugen, während sie vorübergingen und mich gar nicht zu bemerken schienen. Sie bemerkten keinen von uns fünfen. Wir waren unsichtbar. Oder uninteressant. Mehr noch, wenn ihr Blick manchmal auf uns fiel, wandten sie sich sofort wie angewidert ab. Sie bemerkten nur sich selbst untereinander.

Das spürten wir alle. Niemand sprach darüber, doch wir sahen, dass Rino und Pasquale auf diesen Straßen nur die Bestätigung dessen fanden, was sie ohnehin schon wussten, und das verdarb ihnen die Laune, die Gewissheit, nicht dazuzugehören, verbitterte sie, während wir Mädchen dieses Ausgeschlossensein erst in jenem Moment und mit gemischten Gefühlen entdeckten. Wir fühlten uns unwohl und zugleich verzaubert, hässlich, doch auch veranlasst, uns vorzustellen, wie wir werden könnten, wenn wir die Gelegenheit hätten, eine andere Erziehung zu erhalten und uns angemessen zu kleiden, zu schminken und herauszuputzen. Um den Abend zu retten, begannen wir zu kichern und zu spotten.

»Würdest du jemals so ein Kleid anziehen?«

»Nicht mal für Geld!«

»Ich schon.«

»Na prima, dann siehst du aus wie ein Hefekloß, genau wie die da.«

»Und hast du die Schuhe gesehen?«

»Ach, Schuhe war'n das?«

Wir zogen lachend und herumalbernd weiter bis zum Palazzo Cellamare. Pasquale, der es peinlichst vermied, neben Lila zu gehen, und sich sofort höflich von ihr gelöst hatte, als sie sich bei ihm eingehakt hatte (er sprach sie oft an, das ja, und freute sich offenkundig, ihre Stimme zu hören, sie anzuschauen, doch es war unverkennbar, dass ihn auch die kleinste Berührung aus der Fassung brachte und ihn vielleicht sogar zu Tränen gerührt hätte), Pasquale also hielt sich an meiner Seite und fragte sarkastisch:

»Sind die Mädchen in deiner Schule auch so?«

»Nein.«

»Dann ist es keine gute Schule.«

»Es ist ein humanistisches Gymnasium«, sagte ich pikiert.

»Nein, sie ist nicht gut«, beharrte er. »Wenn da nicht solche Leute rumrennen, ist sie nicht gut, da kannst du Gift drauf nehmen. Sie ist nicht gut, stimmt's, Lila?«

»Gut?«, sagte Lila und zeigte auf eine Blondine, die

uns in Begleitung eines hochgewachsenen brünetten jungen Mannes in einem schneeweißen Pullover mit V-Ausschnitt entgegenkam. »Wenn da keine ist wie die da, ist deine Schule zum Kotzen.« Sie lachte laut los.

Die junge Frau war ganz in Grün gekleidet: grüne Schuhe, grüner Rock, grüne Jacke, und auf dem Kopf trug sie – vor allem das hatte Lila zum Lachen gebracht – eine Melone wie die von Charlie Chaplin, ebenfalls in Grün.

Ihre Heiterkeit steckte uns an. Als das Paar an uns vorüberging, machte Rino eine dreckige Bemerkung darüber, was die Signorina in Grün mit der Melone tun sollte, und Pasquale blieb stehen und stützte sich mit dem Arm an einer Hauswand ab, weil er sich vor Lachen nicht mehr halten konnte. Die Frau und ihr Begleiter gingen noch ein paar Schritte weiter, dann blieben sie stehen. Der Mann im weißen Pullover drehte sich um, sofort von der Frau am Arm zurückgehalten. Er machte sich los, kam zurück und wandte sich mit einem Schwall von Beleidigungen direkt an Rino. Dann ging alles sehr schnell. Rino schlug ihn mit einem Fausthieb ins Gesicht nieder und schrie:

»Wie hast du mich genannt? Ich hab's nicht verstanden, sag's noch mal, wie hast du mich genannt? Pascà, hast du gehört, wie der mich genannt hat?«

Die Heiterkeit von uns Mädchen verwandelte sich schlagartig in Entsetzen. Als Erste stürzte sich Lila auf ihren Bruder, noch bevor er den Mann auf dem Boden mit Fußtritten traktieren konnte, und zog ihn weg, mit einem ungläubigen Gesicht, als setzten sich die unzähligen Einzelteile unseres Lebens, von unserer Kindheit bis zu unserem damaligen fünfzehnten Lebensjahr, nun zu einem klaren Bild zusammen, das ihr in jenem Moment allerdings unwahrscheinlich erschien.

Wir drängten Rino und Pasquale weg, während die Signorina mit der Melone ihrem Freund aufhalf. Lilas Ungläubigkeit schlug in verzweifelte Wut um. Noch während sie ihren Bruder wegzog, überschüttete sie ihn mit den vulgärsten Schimpfworten, zerrte an seinem Arm und drohte ihm. Rino hielt sie mit einer Hand in Schach, lachte gereizt und wandte sich an Pasquale:

»Meine Schwester denkt, hier wird gespielt, Pascà«, sagte er mit irrem Blick im Dialekt. »Meine Schwester denkt, wenn ich sage, wir sollten nicht hierher gehen, könnte sie sich als besonders schlau aufspielen, als die, die ja immer alles besser weiß, und erst recht hierher gehen.« Nach einer kurzen Atempause fügte er hinzu: »Hast du gehört, dass dieser Pisser mich als Bauerntölpel bezeichnet hat? Als Bauerntölpel, mich? Bauerntölpel?« Und noch immer außer Atem: »Meine Schwester hat mich hierher gebracht, und jetzt kann sie mal sehen, ob ich mich als Bauerntölpel bezeichnen lasse, sie kann sehen, was ich mache, wenn man mich als Bauerntölpel bezeichnet.«

»Immer mit der Ruhe, Rino«, antwortete Pasquale finster, wobei er sich fortwährend alarmiert umschaute.

Rino regte sich immer noch auf, aber gedämpft. Lila

dagegen beruhigte sich. Auf der Piazza dei Martiri blieben wir stehen. Pasquale sagte kalt zu Carmela:

»Ihr geht jetzt nach Hause.«

»Wir allein?«

»Ja.«

»Nein.«

»Carmè, keine Diskussion: Verschwindet!«

»Wir kennen den Weg doch nicht.«

»Hör auf zu lügen.«

»Los«, sagte Rino zu Lila, um Gelassenheit bemüht. »Hier hast du Geld, kauft euch unterwegs ein Eis.«

»Wir sind zusammen losgegangen, und wir gehen auch zusammen zurück.«

Rino verlor erneut die Geduld und versetzte ihr einen heftigen Stoß:

»Wirst du wohl aufhören? Ich bin dein großer Bruder, du tust, was ich dir sage. Mach, dass du wegkommst, los, hau ab, sonst schlag ich dir den Schädel ein, bevor du bis drei zählen kannst!«

Ich sah, dass er es ernst meinte, und zog Lila am Arm. Auch sie begriff, dass sie in Gefahr war:

»Das sage ich Papà.«

»Ist mir scheißegal. Na los, wird's bald, verschwinde, ein Eis hast du auch nicht verdient!«

Unsicher entfernten wir uns auf der Via Santa Caterina. Doch kurz darauf überlegte Lila es sich anders, machte halt und erklärte, sie wolle zu ihrem Bruder zurück. Wir versuchten, sie zu überreden, bei uns zu bleiben, aber sie wollte nichts davon wissen. Während wir noch debattierten, bemerkten wir eine Gruppe von fünf, sechs jungen Männern, sie sahen aus wie die Ruderer, die wir auf unseren Sonntagsspaziergängen unterhalb des Castel dell'Ovo manchmal bewundert hatten. Alle waren groß, kräftig gebaut und gut gekleidet. Einige hatten einen Knüppel in der Hand. Sie gingen mit raschen Schritten an der Kirche vorbei und nahmen Kurs auf die Piazza. Unter ihnen war auch der junge Mann, den Rino ins Gesicht geschlagen hatte, sein Pullover mit dem V-Ausschnitt war blutbefleckt.

Lila befreite sich aus meinem Griff und lief weg, Carmela und ich ihr nach. Wir kamen gerade rechtzeitig, um zu sehen, wie Rino und Pasquale Seite an Seite zum Denkmal in der Mitte der Piazza zurückwichen und die Männer mit den Knüppeln zu ihnen rannten und sie verprügelten. Wir schrien um Hilfe, begannen zu weinen und Passanten anzuhalten, doch die Knüppel waren furchteinflößend, die Leute mischten sich nicht ein. Lila packte einen der Angreifer am Arm, wurde jedoch zu Boden geschleudert. Ich sah Pasquale auf den Knien, mit Fußtritten traktiert, sah Rino, der sich mit dem Arm vor den Stockschlägen zu schützen versuchte. Da hielt ein Auto an, es war der Millecento der Solaras.

Marcello stieg unverzüglich aus, zog zunächst Lila hoch und stürzte sich dann, angestachelt von ihr, die vor Wut schrie und nach ihrem Bruder rief, ins Gewühl, wo er Fausthiebe austeilte und einsteckte. Erst jetzt stieg Michele aus dem Wagen, öffnete in aller Ruhe den Kofferraum, nahm etwas heraus, das wie ein glänzendes

Stück Eisen aussah, und mischte sich ins Kampfgetümmel, wobei er mit einer eiskalten Brutalität zuschlug, wie ich sie in meinem Leben hoffentlich nie wieder sehen muss. Rino und Pasquale standen fuchsteufelswild auf, prügelten, umklammerten, zerrten und kamen mir vor wie zwei Fremde, vom Hass völlig verändert. Die gutgekleideten jungen Männer wurden in die Flucht geschlagen. Michele gesellte sich zu Pasquale, der aus der Nase blutete, doch Pasquale stieß ihn grob zurück und fuhr sich mit dem Ärmel seines weißen Hemdes übers Gesicht, dann sah er die feuchten, roten Flecken. Marcello hob ein Schlüsselbund vom Boden auf und gab es Rino, der sich widerwillig bedankte. Die Leute, die sich vorher verdrückt hatten, kamen nun neugierig näher. Ich war vor Angst wie gelähmt.

»Bringt die Mädchen hier weg«, sagte Rino zu den Solara-Brüdern, in dem verbindlichen Tonfall eines Menschen, der eine Bitte äußert, von der er weiß, dass sie unumgänglich ist.

Marcello drängte uns ins Auto, Lila zuerst, die sich heftig sträubte. Wir quetschten uns alle auf den Rücksitz, eine auf dem Schoß der anderen, dann fuhren wir los. Ich drehte mich nach Pasquale und Rino um, die sich in Richtung der Uferstraße entfernten, Pasquale hinkte. Mir war, als hätte unser Rione sich ausgedehnt und sich ganz Neapel einverleibt, auch die Straßen der gesitteten Leute. Im Auto gab es sofort Ärger. Gigliola und Ada waren sauer und regten sich über die unbequeme Fahrt auf. »So geht das nicht!«, protestierten sie. »Dann steigt doch aus und geht zu Fuß!«, schrie Lila, und sie gerieten sich in die Haare. Amüsiert hielt Marcello an. Gigliola stieg aus und setzte sich mit den langsamen Bewegungen einer Prinzessin nach vorn, auf Micheles Schoß. So fuhren wir weiter, mit Gigliola und Michele, die sich vor unseren Augen in einer Tour küssten. Ich schaute Gigliola an und sie mich, während sie weiter leidenschaftlich herumknutschte. Ich wandte sofort den Kopf ab.

Lila sagte kein Wort, bis wir wieder im Rione waren. Marcello machte ein, zwei Bemerkungen und suchte ihren Blick im Rückspiegel, doch sie antwortete ihm nicht. Wir ließen uns weit von zu Hause absetzen, damit wir nicht im Auto der Solaras gesehen wurden. Den restlichen Weg legten wir fünf Mädchen zu Fuß zurück. Mit Ausnahme von Lila, die vor Wut und Sorge außer sich zu sein schien, waren wir alle begeistert vom Verhalten der zwei Brüder. »Großartig«, sagten wir. »Das haben sie gut gemacht.« Gigliola wiederholte in einem fort: »Na und ob«, »Was habt ihr denn gedacht?«, »Aber sicher«, mit der Miene eines Menschen, der, da er in der Solara-Bar arbeitete, genau wusste, was für edle Leute die Solaras doch waren. Irgendwann fragte sie mich, allerdings spöttisch:

»Und wie läuft's in der Schule?«
»Gut.«
»Aber so viel Spaß wie ich hast du nicht.«
»Das ist eine andere Art von Spaß.«
Als sie, Carmela und Ada sich verabschiedeten und

in ihren Hauseingängen verschwanden, sagte ich zu Lila:

»Auf alle Fälle sind die Reichen schlimmer als wir.«

Sie antwortete nicht. Ich fügte vorsichtig hinzu:

»Die Solaras sind vielleicht Scheißkerle, doch zum Glück waren sie da. Die aus der Via dei Mille hätten Rino und Pasquale umbringen können.«

Energisch schüttelte sie den Kopf. Sie war noch blasser als sonst und hatte dunkle Ringe unter den Augen. Sie teilte meine Meinung nicht, doch sie sagte nicht warum.

27

Ich wurde mit einer Neun in allen Fächern versetzt und sollte sogar etwas bekommen, was sich Stipendium nannte. Von den gut vierzig, die wir ursprünglich gewesen waren, blieben zweiunddreißig übrig. Gino war sitzengeblieben, Alfonso musste in drei Fächern zu den Nachprüfungen im September. Auf Drängen meines Vaters besuchte ich Maestra Oliviero. Meine Mutter war dagegen, es passte ihr nicht, dass die Oliviero ihre Nase in unsere Familienangelegenheiten steckte und sich anmaßte, an ihrer Stelle über ihre Kinder zu entscheiden. Ich erschien mit den üblichen zwei in der Solara-Bar gekauften Päckchen, Zucker und Kaffee, um mich für ihre Anteilnahme an meinem Werdegang zu bedanken.

Sie fühlte sich nicht wohl, hatte etwas im Hals, was ihr wehtat, doch sie lobte mich sehr, gratulierte mir zu meinem großen Eifer und sagte, ich sei ein wenig zu blass, sie wolle ihre Cousine auf Ischia anrufen und fragen, ob sie mich eine Weile aufnehmen könne. Ich bedankte mich und erzählte meiner Mutter nichts von dieser Möglichkeit. Ich wusste schon vorher, dass sie mich auf keinen Fall fahren lassen würde. Ich auf Ischia? Ich allein auf einem Fährboot unterwegs auf dem Meer? Und ich allen Ernstes im Badeanzug am Strand, um schwimmen zu gehen?

Nicht einmal Lila erzählte ich davon. Innerhalb weniger Monate hatte ihr Leben auch den Hauch von Abenteuer verloren, der mit der erträumten Schuhfabrik hereingeweht war, und ich hatte keine Lust, mit meiner Versetzung, mit meinem Stipendium oder mit meinen in Aussicht stehenden Ferien auf Ischia anzugeben. Anscheinend liefen die Dinge nun besser. Marcello Solara stellte ihr nicht mehr nach. Aber nach der Schlägerei auf der Piazza dei Martiri war etwas vorgefallen, was sie vollkommen verblüfft hatte. Marcello war in der Schusterwerkstatt aufgetaucht, um sich nach Rinos Befinden zu erkundigen, und hatte dadurch vor allem Fernando, der sich geehrt fühlte, in Aufregung versetzt. Doch Rino, der seinem Vater wohlweislich nichts von dem Vorfall erzählt hatte (um die blauen Flecke in seinem Gesicht und auf seinem Körper zu erklären, hatte er behauptet, von der Lambretta eines seiner Freunde gefallen zu sein), Rino also hatte befürchtet, Marcello könnte ein Wort zu viel sagen, weshalb er ihn unverzüglich auf die Straße hinausgedrängt hatte. Sie waren ein paar Schritte gegangen. Rino hatte sich unwillig bei ihm bedankt, sowohl für sein Eingreifen als auch für die Freundlichkeit, vorbeizukommen, um zu sehen, wie es ihm gehe. Nach wenigen Minuten hatten sie sich voneinander verabschiedet. Als Rino in die Werkstatt zurückgekehrt war, hatte sein Vater gesagt:

»Endlich machst du mal was richtig.«
»Was denn?«
»Die Freundschaft mit Marcello Solara.«
»Da gibt's keine Freundschaft, Papà.«
»Dann bist du also noch genau so ein Trottel wie bisher.«

Fernando wollte damit sagen, dass etwas im Gange war und dass sein Sohn, wie immer der die Geschichte mit den Solaras auch nennen wollte, gut daran täte, sie voranzutreiben. Er hatte recht. Marcello war einige Tage später wiedergekommen, um die Schuhe seines Großvaters neu besohlen zu lassen, dann hatte er Rino zu einer Spritztour eingeladen, dann hatte er ihm Autofahren beibringen wollen, dann hatte er ihn gedrängt, die Fahrerlaubnis zu machen, und sich erboten, am Steuer seines Millecento mit ihm zu üben. Vielleicht war das keine Freundschaft, doch zweifellos hatten die Solaras ein Auge auf Rino geworfen.

Lila, die von diesen Besuchen in der Schusterei ausgeschlossen war, seit sie dort keinen Fuß mehr hineinsetzte, wurde im Gegensatz zu ihrem Vater immer besorgter, als sie all das hörte. Zunächst erinnerte sie sich an das Feuerwerksgefecht und dachte: ›Rino hasst die Solaras zu sehr, um sich einwickeln zu lassen.‹ Doch dann musste sie einsehen, dass Marcellos Aufmerksamkeiten auf ihren großen Bruder noch mehr Eindruck machten als auf ihre Eltern. Rinos Haltlosigkeit war zwar nichts Neues mehr für sie, trotzdem regte sie sich darüber auf, wie die Solara-Brüder ihn beeinflussten und eine Art zufriedenen Affen aus ihm machten.

»Was ist denn schon dabei?«, wandte ich ihr gegenüber ein.

»Sie sind gefährlich.«

»Hier ist doch alles gefährlich.«

»Hast du gesehen, was Michele auf der Piazza dei Martiri aus dem Auto genommen hat?«

»Nein.«

»Eine Eisenstange.«

»Die anderen hatten Knüppel dabei.«

»Du verstehst nicht, Lenù, die Stange war angespitzt. Wenn Michele gewollt hätte, hätte er sie einem von denen in die Brust rammen können oder in den Bauch.«

»Ja, und du hast Marcello mit dem Schustermesser bedroht.«

Sie wurde ärgerlich, sagte, das verstünde ich nicht. Und wahrscheinlich war das auch so. Er war ihr Bruder, nicht meiner. Ich dachte gern über alles nach, während sie ganz andere Zwänge hatte, sie wollte Rino vor diesem Umgang bewahren. Aber sobald sie eine kritische Bemerkung machte, verbot er ihr den Mund, drohte ihr und schlug sie manchmal auch. Daher entwickelte sich die Geschichte weiter, ob Lila wollte oder nicht, so dass eines Abends Ende Juni – ich war gerade bei Lila und half ihr, Bettwäsche zusammenzulegen oder etwas anderes – die Wohnungstür aufging und Rino in Begleitung von Marcello hereinkam.

Rino hatte ihn zum Essen eingeladen, und Fernando, der kurz zuvor todmüde aus der Werkstatt gekommen war, fühlte sich zunächst gestört, dann jedoch geehrt, er empfing ihn herzlich. Ganz zu schweigen von Nunzia: Sie flatterte umher, bedankte sich für die drei Flaschen guten Wein, die Marcello mitgebracht hatte, und zog die anderen Kinder in die Küche, damit sie nicht störten.

Zusammen mit Lila wurde auch ich in die Essensvorbereitungen einbezogen.

»Ich schütte ihm Rattengift ins Essen«, sagte Lila wütend am Herd, und wir kicherten, doch Nunzia wies uns zurecht.

»Er ist gekommen, weil er dich heiraten will«, zog ich Lila auf. »Er hält bestimmt bei deinem Vater um deine Hand an.«

»Da hat er sich aber geschnitten.«

»Wieso?«, fragte Nunzia besorgt. »Gibst du ihm etwa einen Korb, wenn er dich will?«

»Pff, das hab' ich doch längst.«

»Wirklich?«

»Ja.«

»Aber was redest du denn da?«

»Es stimmt«, bestätigte ich.

»Das darf dein Vater nie erfahren, der bringt dich um.«

Während des Essens führte nur Marcello das Wort. Es war offensichtlich, dass er sich selbst eingeladen hatte. Rino, der sich nicht getraut hatte, ihn abzuweisen, war bei Tisch überwiegend still oder lachte grundlos. Marcello sprach fast ausschließlich mit Fernando, vergaß jedoch nie, Nunzia, Lila und mir Wasser oder Wein nachzuschenken. Er erzählte dem Hausherrn, wie sehr er im Rione als hervorragender Schuster geschätzt werde. Erzählte, dass sein Vater stets anerkennend über sein, Fernandos, großes Können spreche. Erzählte, dass Rino für seine Schusterqualitäten grenzenlos bewundert werde.

Fernando war gerührt, was wohl auch ein wenig am Wein lag. Er stammelte etwas Lobendes über Silvio Solara und verstieg sich sogar zu der Behauptung, Rino sei ein fleißiger Arbeiter und auf dem besten Weg, ein Fachmann zu werden. Nun lobte Marcello den Drang, vorwärtszukommen. Erzählte, sein Großvater habe in einem Kellerloch angefangen, sein Vater habe sich vergrößert und heute sei die Solara-Bar eben das, was sie sei, allseits bekannt, und die Leute kämen aus ganz Neapel, um dort Kaffee zu trinken oder Pasta zu essen.

»Das ist doch maßlos übertrieben!«, rief Lila. Ihr Vater warf ihr einen vernichtenden Blick zu.

Doch Marcello lächelte sie bescheiden an und räumte ein:

»Stimmt, vielleicht habe ich ein bisschen übertrieben, aber doch nur, um zu sagen, dass Geld in Bewegung bleiben muss. Man beginnt mit einem Kellerloch, und im Laufe der Generationen kann viel daraus werden.«

An diesem Punkt begann er, offensichtlich zu hauptsächlich Rinos Leidwesen, die Idee zu preisen, Schuhe herzustellen. Er hatte nun nur noch Augen für Lila, als lobte er, indem er die Tatkraft der Generationen pries, vor allem sie. Er sagte: »Wenn jemand sich imstande fühlt, wenn er talentiert ist, wenn er gute Dinge entwerfen kann, die Anklang finden, warum es dann nicht probieren?« Er sprach in einem angenehmen, sympathischen Dialekt und wandte den Blick nicht eine Sekunde von meiner Freundin. Ich spürte, sah, dass er in sie verliebt war, wie es in den Schlagern besungen wird, dass er sie gern geküsst, gern ihren Atem geatmet hätte, dass sie mit ihm hätte tun können, was sie wollte, dass sie für ihn alle nur denkbaren Vorzüge einer Frau besaß.

»Ich weiß«, sagte er abschließend, »dass Ihre Kinder ein sehr schönes Paar Schuhe angefertigt haben, in einer 43, genau meine Größe.«

Ein tiefes Schweigen breitete sich aus. Rino starrte auf seinen Teller und wagte nicht, zu seinem Vater aufzuschauen. Nur das Geflatter des Stieglitzes am Fenster war zu hören. Fernando sagte gedehnt:

»Ja, die sind tatsächlich in Größe 43.«

»Ich würde sie mir sehr gern mal ansehen, falls es Ihnen nichts ausmacht.«

Fernando brummelte:

»Ich weiß gar nicht, wo die sind. Nunzia, weißt du es?«

»Sie hat sie«, sagte Rino und wies auf seine Schwester.

Lila sah Marcello geradewegs ins Gesicht, dann sagte sie:

»Ich hatte sie, ja, ich hatte sie in die Kammer gestellt. Aber dann hat Mama neulich gesagt, ich soll aufräumen, und da habe ich sie weggeworfen. Sie haben ja sowieso niemandem gefallen.«

Rino brauste auf:

»Du lügst doch, hol sofort die Schuhe!«

Auch Fernando sagte gereizt:

»Na los, hol sie.«

Lila platzte an ihren Vater gewandt heraus:

»Wieso willst du sie denn jetzt auf einmal? Ich habe sie weggeworfen, weil du gesagt hast, sie gefallen dir nicht.«

Fernando schlug mit der flachen Hand auf den Tisch, der Wein in den Gläsern zitterte.

»Steh auf und hol die Schuhe, aber ein bisschen plötzlich!«

Lila schob ihren Stuhl zurück, sie stand auf.

»Ich hab' sie weggeworfen«, wiederholte sie matt und verließ den Raum.

Sie kam nicht mehr zurück.

Die Zeit verging in tiefem Schweigen. Der Erste, der unruhig wurde, war Marcello. Er sagte ehrlich besorgt:

»Vielleicht habe ich einen Fehler gemacht, ich wusste nicht, dass es Probleme gibt.«

»Es gibt keine Probleme«, sagte Fernando und zischte seiner Frau zu:

»Sieh nach, was deine Tochter treibt.«

Nunzia ging hinaus. Als sie zurückkam, war sie sehr verlegen, Lila war verschwunden. Wir suchten die Wohnung nach ihr ab, sie war nicht da. Wir riefen aus dem Fenster, nichts. Marcello verabschiedete sich niedergeschlagen. Kaum war er gegangen, schrie Fernando seine Frau an:

»Ich schwör's bei Gott, diesmal bringe ich sie um, deine Tochter!«

Rino schloss sich den Drohungen seines Vaters an, Nunzia brach in Tränen aus. Ich stahl mich erschrocken davon. Sobald ich die Tür geschlossen hatte und im Treppenflur stand, rief mich Lila. Sie war im obersten Stockwerk, ich ging auf Zehenspitzen zu ihr hoch. Sie kauerte im Halbdunkel an der Tür zur Dachterrasse. Auf dem Schoß hatte sie die Schuhe, zum ersten Mal sah ich sie vollkommen fertiggestellt. Sie schimmerten im funzligen Licht einer Glühlampe, die an einem Kabel herunterhing.

»Was hätte es dir denn ausgemacht, sie ihm zu zeigen?«, fragte ich verwirrt.

Sie schüttelte energisch den Kopf.

»Er darf sie nicht mal anfassen.«

Sie wirkte überfordert von ihrer eigenen Überreaktion. Ihre Unterlippe zitterte, was ihr sonst nie geschah.

Behutsam überredete ich sie, in die Wohnung zurückzukehren, sie konnte ja nicht bis in alle Ewigkeit dort oben hocken. Ich brachte sie in der Hoffnung nach Hause, dass meine Anwesenheit sie schützen würde. Doch es setzte trotzdem Geschrei und Gezeter und auch Ohrfeigen. Fernando brüllte, nur aus einer Laune heraus habe sie ihn vor einem hochangesehenen Gast blamiert. Rino riss ihr die Schuhe aus der Hand und behauptete, sie gehörten ihm, die ganze Arbeit hätte er geleistet. Sie begann zu weinen und sagte leise: »Ich habe auch daran gearbeitet. Aber es wäre besser gewesen, wenn ich es nicht getan hätte, du bist ja bloß noch eine wildgewordene Bestie.« Nunzia war es, die dieser Qual ein Ende bereitete. Sie, die sich sonst stets unterordnete, wurde aschfahl, und mit einer Stimme, die nicht ihre übliche war, befahl sie ihren Kindern und sogar ihrem Mann, sofort aufzuhören, ihr die Schuhe zu geben und kein einziges Widerwort mehr zu sagen, wenn sie nicht wollten, dass sie aus dem Fenster sprang. Sofort gab Rino ihr die Schuhe, und damit war die Sache für dieses Mal erledigt. Ich schlich mich davon.

28

Doch Rino gab nicht auf, in den folgenden Tagen attackierte er seine Schwester unaufhörlich mit Worten und Schlägen. Jedes Mal, wenn ich Lila begegnete, hatte sie einen neuen blauen Fleck. Irgendwann fügte sie sich. Eines Morgens hatte er sie gezwungen, mit ihm zusammen loszugehen, in die Werkstatt. Unterwegs suchten beide mit vorsichtigen Manövern nach einer Möglichkeit, ihren Krieg zu beenden. Rino sagte, ihr Wohl liege ihm sehr am Herzen, doch sie kümmere sich um niemandes Wohl, weder um das ihrer Eltern noch um das ihrer Geschwister. Lila fragte leise: »Was ist denn dein Wohl, was ist denn das Wohl unserer Familie? Lass hören!« Er offenbarte ihr einen Schritt nach dem anderen, was ihm vorschwebte.

»Wenn Marcello die Schuhe gefallen, wird Papà seine Meinung ändern.«

»Wohl kaum.«

»Aber sicher. Und wenn Marcello sie sogar kauft, wird Papà einsehen, dass deine Entwürfe gut sind, dass sie Geld bringen, und dann können wir loslegen.«

»Wir drei?«

»Ich, er und vielleicht auch du. Papà kann ein Paar Schuhe mit allem Drum und Dran in vier, höchstens fünf Tagen hinkriegen. Und ich kann das auch, wenn ich mir Mühe gebe, du wirst schon sehen. Wir machen sie, verkaufen sie und investieren das Geld wieder, wir machen sie, verkaufen sie und investieren das Geld wieder.«

»Und an wen verkaufen wir sie, immer an Marcello Solara?«

»Die Solaras machen einen Haufen Geschäfte und kennen die richtigen Leute. Die machen Reklame für uns.«

»Und das machen sie kostenlos?«

»Wenn sie eine kleine Beteiligung wollen, geben wir sie ihnen.«

»Warum sollten sie sich denn mit einer kleinen Beteiligung zufriedengeben?«

»Weil ich bei ihnen einen Stein im Brett habe.«

»Bei den Solaras?«

»Allerdings.«

Lila seufzte.

»Pass auf, ich rede mit Papà, und dann sehen wir, was er davon hält.«

»Untersteh dich!«

»So oder gar nicht.«

Rino schwieg äußerst gereizt.

»Na gut. Dann rede du mit ihm, du kannst das besser.«

Noch am selben Tag erzählte Lila Fernando beim Abendessen, während ihr Bruder mit hochrotem Gesicht danebensaß, dass Marcello nicht nur ein großes Interesse an dem Unternehmen mit den Schuhen bekundet habe, sondern durchaus beabsichtigen könnte, sie auch zu kaufen, und dass er in seinen Kreisen sogar reichlich Werbung für ihr Produkt machen würde, falls das Ganze für ihn finanziell reizvoll wäre, natürlich mit einer kleinen Beteiligung an den Verkäufen als Gegenleistung.

»Das habe ich gesagt«, erklärte Rino mit gesenktem Blick, »nicht Marcello.«

Fernando sah seine Frau an. Lila begriff, dass sie

schon miteinander gesprochen hatten und zu einer stillen Übereinkunft gekommen waren.

»Morgen stelle ich eure Schuhe ins Schaufenster«, sagte er. »Wenn jemand sie sehen, anprobieren oder kaufen will, scheißegal was, muss er zuerst zu mir kommen. Ich bin hier derjenige, der das Sagen hat.«

Einige Tage später ging ich an der Schusterwerkstatt vorbei. Rino arbeitete, Fernando arbeitete, beide mit krummem Rücken und gesenktem Kopf. Ich sah mir das Schaufenster an. Zwischen Schuhcremedosen und Schnürsenkeln entdeckte ich die schönen, wohlgeformten Schuhe der Marke Cerullo. Genau das stand hochtrabend auf einem an die Scheibe geklebten Zettel, sicherlich von Rino geschrieben: »Hier Schuhe der Marke Cerullo«. Vater und Sohn warteten darauf, dass das Glück an ihre Tür klopfte.

Doch Lila war skeptisch, mürrisch. Sie gab absolut nichts auf die naiven Vermutungen ihres Bruders und war beunruhigt wegen der undurchsichtigen Eintracht zwischen Vater und Mutter. Kurz, sie rechnete mit dem Schlimmsten. Eine Woche verging, und kein Mensch interessierte sich für die Schuhe im Schaufenster, nicht einmal Marcello. Nur weil er von Rino dazu gedrängt und fast schon in die Werkstatt gezerrt wurde, würdigte Solara sie eines Blickes, allerdings so, als hätte er ganz andere Dinge im Kopf. Er probierte sie zwar an, sagte aber, sie seien etwas zu eng, zog sie sofort wieder aus und verschwand ohne ein anerkennendes Wort, so als hätte er Bauchschmerzen und müsste schnellstens nach Hause. Enttäuschung bei Vater und Sohn. Doch wenige Minuten später erschien Marcello erneut. Rino sprang mit strahlender Miene auf und streckte ihm die Hand entgegen, als wäre schon allein durch diese Rückkehr ein wie auch immer gearteter Vertrag zustande gekommen. Marcello ignorierte ihn und wandte sich direkt an Fernando. In einem Atemzug sagte er:

»Ich habe sehr ernste Absichten, Don Fernà. Ich bitte Sie um die Hand Ihrer Tochter Lina.«

29

Rino reagierte auf diese Wendung mit einem heftigen Fieber, das ihn tagelang von der Arbeit abhielt. Als es schlagartig wieder verschwand, zeigte er beunruhigende Symptome. Er stand mitten in der Nacht auf, obwohl er schlief, tappte stumm und äußerst unruhig zur Tür und versuchte, sie zu öffnen, indem er mit weit aufgerissenen Augen herumfuhrwerkte. Erschrocken brachten Nunzia und Lila ihn zurück ins Bett.

Fernando dagegen, der zusammen mit seiner Frau Marcellos wahre Absichten sofort erraten hatte, sprach in aller Ruhe mit seiner Tochter. Er erklärte ihr, dass Marcellos Antrag nicht nur für ihre, Lilas, Zukunft von Bedeutung sei, sondern für die der ganzen Familie. Er sagte, sie sei noch ein Kind und müsse nicht sofort ja sagen, fügte aber hinzu, dass er als ihr Vater ihr rate, einzuwilligen. Eine lange Verlobungszeit zu Hause werde sie nach und nach an den Gedanken der Ehe gewöhnen.

Lila antwortete ebenfalls in aller Ruhe. Sie wolle sich eher in den Teichen ertränken, als sich mit Marcello Solara verloben und ihn heiraten. Daraus ergab sich ein heftiger Streit, der sie aber nicht umstimmte.

Bei dieser Nachricht war ich wie vor den Kopf geschlagen. Ich wusste längst, dass Marcello sich unbedingt mit Lila verloben wollte, doch nie wäre ich auf die Idee gekommen, dass man in unserem Alter einen Heiratsantrag erhalten konnte. Aber Lila hatte einen bekommen, sie, die noch keine fünfzehn war, nie heimlich mit einem Jungen gegangen war und sich nie mit einem geküsst hatte. Ich stellte mich sofort hinter sie. Heiraten? Marcello Solara? Und womöglich auch noch Kinder kriegen? Nein, ausgeschlossen. Ich bestärkte sie in diesem neuen Kampf gegen ihren Vater und schwor, dass ich ihr zur Seite stehen würde, obwohl Fernando seine Ruhe bereits wieder verloren hatte und ihr nun drohte, ihr zu ihrem Besten alle Knochen zu brechen, wenn sie eine so gute Partie ausschlüge.

Aber ich hatte keine Gelegenheit, an ihrer Seite zu bleiben. Mitte Juli geschah etwas, womit ich hätte rechnen können, das mich jedoch unverhofft traf und überwältigte. An einem späten Nachmittag kehrte ich nach Hause zurück, nachdem ich mit Lila auf unserem üblichen Spaziergang durch den Rione darüber beratschlagt hatte, was ihr gerade geschah und wie man da wieder herauskam. Meine Schwester Elisa öffnete mir die Tür. Aufgeregt erzählte sie, im Esszimmer sitze ihre Lehrerin, Maestra Oliviero. Sie rede gerade mit unserer Mutter.

Schüchtern betrat ich den Raum, und meine Mutter grummelte gereizt:

»Maestra Oliviero meint, du brauchst Erholung, du hättest dich zu sehr angestrengt.«

Verständnislos sah ich die Lehrerin an. Eigentlich schien sie diejenige zu sein, die Erholung brauchte, blass war sie, und ihr Gesicht war aufgedunsen. Sie sagte zu mir:

»Gestern hat meine Cousine geantwortet. Du kannst zu ihr nach Ischia fahren und bis Ende August dortbleiben. Sie nimmt dich gern auf, du musst ihr nur ein bisschen im Haushalt helfen.«

Sie sprach mit mir, als wäre sie meine Mutter und als wäre meine wirkliche Mutter – die mit dem schlimmen Bein und dem schielenden Auge – ein Nichts und deshalb nicht weiter zu beachten. Zu allem Überfluss ging sie nicht sofort nach dieser Mitteilung, sondern hielt sich noch gut eine Stunde damit auf, mir eines nach dem anderen die Bücher zu zeigen, die sie mir mitgebracht hatte und leihen wollte. Sie erklärte mir, welche ich zuerst lesen sollte und welche erst später, nahm mir das hochheilige Versprechen ab, sie in Papier einzuschlagen, bevor ich sie las, und trug mir auf, sie ihr zum Sommerende alle ohne das kleinste Eselsohr zurückzugeben. Meine Mutter hielt sich geduldig zurück. Sie blieb aufmerksam sitzen, machte mit dem wegrutschenden

Auge allerdings einen verwirrten Eindruck. Erst als die Maestra endlich aufgebrochen war und sich geringschätzig von ihr verabschiedet hatte, ohne ein Tätscheln für meine Schwester übrigzuhaben, die sich sehr darüber gefreut hätte und stolz darauf gewesen wäre, explodierte sie. Voller Groll wegen der erlittenen Demütigung, die sie ihrer Ansicht nach mir zu verdanken hatte, fuhr sie mich an:

»Die Signorina muss sich auf Ischia erholen, die Signorina hat sich überarbeitet. Los, mach das Abendessen, sonst setzt es was!«

Doch zwei Tage später war sie es, die mich zum Fährboot brachte, nachdem sie meine Maße genommen und mir noch in aller Eile einen Badeanzug genäht hatte, den sie sich irgendwo abgeschaut hatte. Auf dem Weg zum Hafen und während sie mir die Fahrkarte besorgte und wir darauf warteten, dass ich an Bord gehen konnte, bestürmte sie mich mit Ratschlägen. Ihre größte Sorge war die Überfahrt. »Hoffentlich ist das Meer nicht zu stürmisch«, sagte sie wie zu sich selbst und beteuerte, dass sie jeden Tag mit mir nach Coroglio gefahren sei, um meinen Schnupfen auszutrocknen, als ich drei oder vier Jahre alt gewesen sei, dass das Meer herrlich gewesen sei und ich schwimmen gelernt hätte. Doch ich erinnerte mich weder an Coroglio noch an das Meer, noch daran, dass ich schwimmen konnte, und das sagte ich ihr. Sie schlug einen grollenden Ton an, wie um zu sagen, dass mein eventuell bevorstehendes Ertrinken nicht ihr anzulasten sei – sie habe getan, was nötig war, um es zu verhindern –, sondern ausschließlich meiner Vergesslichkeit. Dann legte sie mir ans Herz, auch bei ruhiger See nicht weit hinauszuschwimmen und zu Hause zu bleiben, wenn es stürmte oder die rote Flagge gehisst war. »Vor allem darfst du nicht mal mit den Füßen ins Wasser, wenn du einen vollen Magen hast oder deine Regel«, sagte sie. Bevor sie sich verabschiedete, bat sie einen alten Matrosen, auf mich aufzupassen. Als das Boot ablegte, war ich ängstlich und glücklich zugleich. Zum ersten Mal verließ ich mein Zuhause, machte ich eine Reise, eine Fahrt übers Meer. Der breite Körper meiner Mutter verlor sich – zusammen mit dem Rione, zusammen mit Lilas Geschichte – immer mehr in der Ferne und verschwand.

30

Ich blühte auf. Die Cousine der Maestra hieß Nella Incardo und wohnte in Barano. Ich kam mit dem Bus in den Ort und fand ihr Haus ohne Schwierigkeiten. Nella erwies sich als eine freundliche Walküre, sehr fröhlich, redselig und unverheiratet. Sie vermietete ihre Räume an Urlauber und behielt nur ein kleines Zimmer und die Küche für sich. Ich sollte in der Küche schlafen. Jeden Abend musste ich mein Bett aufbauen und morgens alles wieder wegräumen (Bretter, Gestell, Matratze). Ich hatte feste Pflichten: um halb sieben aufstehen, für Nella und ihre Feriengäste Frühstück machen – als ich kam, wohnte gerade ein englisches Ehepaar mit zwei Kindern bei ihr –, Tassen und Schüsseln abräumen und abwaschen, den Tisch für das Abendbrot decken und vor dem Schlafengehen das Geschirr spülen. Die restliche Zeit hatte ich frei. Ich konnte mit Blick aufs Meer auf der Terrasse sitzen und lesen oder auf einem steilen, weißen Weg zum langgestreckten, breiten Strand mit seinem schwarzen Sand hinuntergehen, zur Spiaggia dei Maronti.

Mit all der Angst, die meine Mutter mir gemacht hatte, und mit all den Problemen, die mir mein Körper bereitete, vertrieb ich mir anfangs die Zeit vollständig bekleidet auf der Terrasse und schrieb Lila täglich einen Brief voller Fragen, Witzeleien und hellbegeisterter Beschreibungen der Insel. Doch eines Morgens zog Nella mich auf: »Wie läufst du denn herum? Zieh dir einen Badeanzug an!« Als ich ihn anhatte, prustete sie los und meinte, der sei was für alte Schachteln. Sie nähte mir einen, der ihrer Ansicht nach moderner war, in einem schönen Blau, an der Brust tief ausgeschnitten und am Po enger anliegend. Ich probierte ihn an, und sie war begeistert, es sei an der Zeit, dass ich ans Meer ginge, sagte sie, Schluss mit der Terrassenhockerei.

Tags darauf machte ich mich mit einem Badetuch und einem Buch sehr ängstlich und neugierig auf den Weg zum Maronti-Strand. Die Strecke schien gar kein Ende zu nehmen, und ich traf niemanden, der hinauf- oder hinunterging. Der Strand war unermesslich weit und menschenleer. Der grobkörnige Sand knirschte bei jedem Schritt. Vom Meer kam ein kräftiger Geruch und ein scharfes, eintöniges Rauschen.

Lange stand ich da und betrachtete diese große Wassermasse. Dann setzte ich mich auf mein Handtuch, unschlüssig, was ich tun sollte. Schließlich stand ich wieder auf und tauchte meine Füße ins Wasser. Wie hatte es sein können, dass ich in einer Stadt wie Neapel wohnte, ohne jemals auf die Idee gekommen zu sein, im Meer zu baden? Und doch war es so. Vorsichtig ging ich weiter hinein, so dass mir das Wasser erst bis zu den Knöcheln, dann bis zu den Oberschenkeln reichte. Ich knickte mit dem Fuß um und tauchte unter. Panisch fuchtelte ich mit den Armen, verschluckte mich, kam wieder an die Oberfläche, an die Luft. Ich bemerkte, dass sich meine Arme und Beine wie von selbst bewegten, um mich über Wasser zu halten. Also konnte ich tatsächlich schwimmen. Meine Mutter hatte mich wirklich ans Meer mitgenommen, als ich klein war, und ich hatte schwimmen gelernt, während sie ihre Sandkur machte. Ihr Bild blitzte vor mir auf. Sie war jünger, nicht so verwelkt, und saß in einem geblümten weißen Kleid am schwarzen Strand in der Mittagssonne, das gute Bein bis zum Knie vom Kleid bedeckt und das schlimme vollständig im heißen Sand eingegraben.

Das Salzwasser und die Sonne ließen meine entzündeten Aknepusteln sofort verschwinden. Ich holte mir einen Sonnenbrand, wurde braun. Ich wartete auf Post von Lila, wir hatten uns beim Abschied versprochen, uns zu schreiben, doch es kam nichts. Mit der Familie, die bei Nella wohnte, übte ich mich ein wenig in englischer Konversation. Sie sahen, dass ich lernen wollte, und sprachen mich nun häufiger freundlich an, ich machte große Fortschritte. Die stets vergnügte Nella ermutigte mich, und so begann ich die Dolmetscherin für sie zu spielen. Gleichzeitig ließ sie keine Gelegenheit aus, um mich mit Komplimenten zu überhäufen. Als die ausgezeichnete Köchin, die sie war, tat sie mir riesige Portionen auf. Sie sagte, bei meiner Ankunft sei ich ein Hänfling gewesen, doch dank ihrer Pflege sähe ich jetzt großartig aus.

Kurz, die letzten zehn Julitage erfüllten mich mit einem bis dahin nicht gekannten Wohlbehagen. Ich erlebte, was sich in meinem Leben noch oft wiederholen sollte: die Freude am Neuen. Mir gefiel alles: früh aufzustehen, das Frühstück zu machen, den Tisch abzuräumen, durch Barano zu schlendern, den Weg zum Maronti-Strand hinauf- und hinunterzukraxeln, in der Sonne zu liegen und zu lesen, ins Wasser zu gehen, weiterzulesen. Ich hatte keine Sehnsucht nach meinem Vater, nach meinen Geschwistern, nach meiner Mutter, nach den Straßen des Rione, nach unserem kleinen Park. Nur Lila fehlte mir, Lila, die nicht auf meine Briefe antwortete. Ich befürchtete, dass sie etwas Schönes oder Schlimmes erlebte, ohne dass ich dabei war. Es war eine alte Angst, eine Angst, die mich nie verlassen hatte, die Angst, mein Leben könnte an Intensität und Gewicht verlieren, wenn ich Teile ihres Lebens verpasste. Der Umstand, dass sie mir nicht antwortete, verstärkte diese Sorge noch. Sosehr ich mich auch bemühte, ihr in meinen Briefen die Besonderheit meiner Tage auf Ischia zu schildern, schienen mir meine Wortkaskaden und ihr Schweigen doch nur ein Beleg dafür zu sein, dass mein Leben zwar herrlich, aber so ereignisarm war, dass mir genug Zeit blieb, ihr jeden Tag zu schreiben, während ihres zwar trübe, doch vollkommen ausgefüllt war.

Erst Ende Juli sagte mir Nella, dass nach den Engländern am ersten August eine Familie aus Neapel anreisen werde. Sie komme nun das zweite Jahr zu ihr. Sehr anständige, vornehme Leute, überaus freundlich und kultiviert. Besonders der Mann, ein wahrer Gentleman, der ihr stets etwas sehr Nettes sage. Dazu der älteste Sohn, ein wirklich hübscher Junge, groß, dünn, aber kräftig, in diesem Jahr werde er siebzehn. »Dann bist du nicht mehr allein«, sagte sie, und ich wurde verlegen, wurde sofort unruhig wegen dieses Jungen, der nun kommen sollte, und bekam Angst, dass wir keine zwei Worte miteinander wechseln würden und ich ihm nicht gefiel.

Vor ihrer Abreise ließen mir die Engländer einige ihrer Romane da, damit ich mich im Lesen üben konnte, und auch ihre Adresse, damit ich sie unbedingt besuchte, falls ich irgendwann die Absicht haben sollte, nach England zu fahren. Als sie weg waren, musste ich Nella helfen, die Zimmer zu putzen, die Wäsche zu wechseln und die Betten neu zu beziehen. Das tat ich gern, und als ich die Fußböden wischte, rief sie mir aus der Küche zu:

»Du bist wirklich ein kluges Mädchen, sogar Englisch kannst du lesen! Reichen dir die Bücher, die du mitgebracht hast, denn nicht aus?«

Unentwegt lobte sie mich mit lauter Stimme dafür, wie diszipliniert ich doch sei, wie verständig ich doch sei, wie viel ich doch den ganzen Tag und abends auch noch läse. Als ich zu ihr in die Küche kam, hatte sie ein Buch in der Hand. Sie sagte, das habe ihr der Signore geschenkt, der tags darauf kommen werde, er habe es selbst geschrieben. Sie habe es immer auf ihrem Nachttisch liegen, jeden Abend lese sie ein Gedicht daraus, erst leise und dann laut. Inzwischen kenne sie alle auswendig.

»Sieh mal, was er mir hineingeschrieben hat«, sagte sie und gab mir das Buch.

Es war *Proben der Heiterkeit* von Donato Sarratore. Darin stand: *Der süßen Nella gewidmet und ihren Marmeladen*.

31

Ich schrieb sofort an Lila, Seite um Seite, auf denen ich meine Besorgnis, meine Freude, meine Fluchtimpulse schilderte und leidenschaftlich die Augenblicke vorwegnahm, in denen ich Nino Sarratore wiedersehen und mit ihm zum Maronti-Strand gehen würde, in denen wir gemeinsam baden, Mond und Sterne betrachten und unter demselben Dach schlafen würden. Ich dachte nur noch an die aufregende Zeit zurück, als er mir vor Ewigkeiten – wie lange war das her! – mit seinem Bruder an der Hand seine Liebe erklärt hatte. Damals waren wir noch Kinder, doch nun fühlte ich mich erwachsen, fast schon alt.

Am folgenden Tag ging ich zur Bushaltestelle, um den Feriengästen mit ihrem Gepäck zu helfen. Ich war sehr aufgewühlt, hatte die ganze Nacht nicht geschlafen. Der Bus kam, die Reisenden stiegen aus. Ich erkannte Donato Sarratore, erkannte Lidia, seine Frau, erkannte Marisa, obwohl sie sich sehr verändert hatte, erkannte die stets abseits stehende Clelia, erkannte den kleinen Pino, der nun ein ernster Junge war, und konnte mir denken, dass das Kerlchen, das seiner Mutter gerade auf dem Kopf herumtanzte, das Baby gewesen war, das unter dem Hagel von Melinas Wurfgeschossen noch im Kinderwagen gelegen hatte, als ich die Familie Sarratore das letzte Mal vollständig gesehen hatte. Doch Nino sah ich nicht.

Marisa umarmte mich mit einer stürmischen Begeisterung, die ich nicht erwartet hätte. In all den Jahren hatte ich mich nie, wirklich nie, an sie erinnert, während sie sagte, sie habe oft mit großer Sehnsucht an mich gedacht. Als ich die gemeinsame Zeit im Rione erwähnte und ihren Eltern erzählte, dass ich die Tochter des Pförtners Greco sei, verzog ihre Mutter missmutig das Gesicht und lief zu ihrem Jüngsten, den sie packte und wegen irgendetwas ausschimpfte, während Donato Sarratore sich dem Gepäck zuwandte, ohne auch nur einen

Satz fallenzulassen wie: »Was macht denn dein Vater so?«

Ich war deprimiert. Die Sarratores richteten sich in ihren Zimmern ein, und ich ging mit Marisa ans Meer. Sie kannte sich am Maronti-Strand und auf ganz Ischia bestens aus und war ungeduldig, nach Porto, zum Hafen, zu kommen, wo mehr los war, oder nach Forio, nach Casamicciola, überallhin, nur nicht nach Barano, wo ihrer Meinung nach die pure Ödnis herrschte. Sie erzählte mir, dass sie eine Ausbildung zur Sekretärin angefangen habe und einen Freund habe, den ich schon bald kennenlernen würde, da er sie – heimlich – besuchen wolle. Schließlich sagte sie etwas, das mir das Herz bis zum Hals schlagen ließ. Sie wisse alles über mich, wisse, dass ich aufs Gymnasium gehe, dass ich sehr gut in der Schule sei und dass ich mit dem Apothekersohn Gino ging.

»Wer hat dir das erzählt?«

»Mein Bruder.«

Also hatte Nino mich doch erkannt, also wusste er, wer ich war, also war er nicht unaufmerksam gewesen, sondern vielleicht schüchtern, vielleicht befangen, vielleicht voller Scham wegen der Liebeserklärung, die er mir als kleiner Junge gemacht hatte.

»Mit Gino ist es schon lange aus«, sagte ich. »Dein Bruder ist schlecht informiert.«

»Der hat nur die Schule im Kopf, es ist schon viel, dass er mir von dir erzählt hat, normalerweise ist er mit seinen Gedanken sonst wo.«

»Kommt er nicht her?«

»Er kommt, wenn mein Vater abreist.«

Sie sprach sehr kritisch über Nino. Er habe keine Gefühle. Begeistere sich für nichts, rege sich zwar nicht auf, sei aber auch nicht nett. Er sei verschlossen, das Einzige, was ihn interessiere, sei die Schule. Nichts könne ihn erfreuen, er sei eiskalt. Der einzige Mensch, der ihn ein wenig aus der Reserve locken könne, sei sein Vater. Nicht dass sie sich stritten, Nino sei ein respektvoller, gehorsamer Sohn. Aber Marisa wusste, dass er Donato nicht ausstehen konnte. Sie dagegen liebe ihn sehr. Er sei der beste und klügste Mann der Welt.

»Bleibt dein Vater lange? Wann fährt er wieder?«, fragte ich mit einem wohl etwas übertriebenen Interesse.

»Er bleibt nur drei Tage. Er muss arbeiten.«

»Dann kommt Nino in drei Tagen?«

»Ja. Er hat behauptet, er müsse der Familie eines Freundes beim Umzug helfen.«

»Und das ist gelogen?«

»Er hat keine Freunde. Und nicht mal für unsere Mutter, die Einzige, für die er überhaupt was übrighat, würde er einen Stein von hier nach da räumen, also erst recht nicht einem Freund helfen.«

Wir gingen schwimmen und trockneten bei einem Spaziergang am Wasser. Lachend zeigte sie mir etwas, das mir noch nicht aufgefallen war. Weiter oben am dunklen Strand lagen weiße, reglose Figuren. Marisa zog mich kichernd über den glühend heißen Sand dorthin, bis man erkannte, dass es Menschen waren. Lebende, mit Schlamm bedeckte Menschen. Sie machten irgendeine Heilkur. Wir legten uns in den Sand, wälzten uns herum, schubsten uns und ahmten die mumienhaften Gestalten nach. Das machte uns großen Spaß, dann gingen wir erneut ins Wasser.

Am Abend aß Familie Sarratore in der Küche und bat auch Nella und mich an ihren Tisch. Es wurde ein schöner Abend. Lidia erwähnte den Rione mit keiner Silbe, doch als der erste Anflug von Feindseligkeit vorüber war, erkundigte sie sich nach mir. Als Marisa ihr erzählte, dass ich sehr fleißig sei und dieselbe Schule wie Nino besuchte, wurde sie ausgesprochen freundlich. Der Netteste von allen war jedoch Donato Sarratore. Er machte Nella viele Komplimente, lobte mich für meine schulischen Leistungen, war sehr zuvorkommend zu Lidia, spielte mit dem kleinen Ciro, bestand darauf, abzuräumen, und verbot mir, das Geschirr zu spülen.

Ich beobachtete ihn eingehend und hatte den Eindruck, dass er anders war, als ich ihn in Erinnerung hatte. Gewiss, er war dünner und hatte sich einen Schnauzbart wachsen lassen, doch abgesehen von seinem Äußeren lag etwas Unergründliches in seinem Verhalten. Vielleicht erschien er mir väterlicher als mein Vater, und er war ungewöhnlich zuvorkommend.

Dieser Eindruck verstärkte sich in den folgenden zwei Tagen noch. Wenn wir an den Strand gingen, erlaubte Donato weder Lidia noch uns, irgendetwas zu tragen.

Sowohl auf dem Hinweg als auch auf dem Rückweg, wo es steil bergauf ging, schleppte er den Sonnenschirm und die Taschen mit den Badetüchern und dem Proviant. Er überließ uns das Gepäck nur, wenn Ciro quengelte und auf dem Arm getragen werden wollte. Er hatte einen dürren, wenig behaarten Körper. Seine Badehose hatte eine unbestimmte Farbe und schien aus keinem gewebten Stoff, sondern aus leichter Wolle zu sein. Er schwamm viel, doch ohne sich weit von uns zu entfernen, er wollte Marisa und mir den Freistil zeigen. Seine Tochter bewegte sich im Wasser wie er, mit den gleichen äußerst maßvollen, langsamen Armbewegungen, und sofort begann ich die beiden nachzuahmen. Er sprach häufiger Italienisch als Dialekt und neigte besonders mir gegenüber dazu, sich mit einiger Verbissenheit gedrechselte Sätze und ungewöhnliche Umschreibungen auszudenken. Er lud uns – mich, Lidia und Marisa – fröhlich zu einem Strandlauf ein, zur Kräftigung der Muskulatur, und brachte uns unterwegs mit Grimassen, verstelltem Stimmchen und komischen Bewegungen zum Lachen. Wenn er mit seiner Frau badete, ließen sie sich dicht nebeneinander treiben, unterhielten sich leise und lachten viel. Am Tag seiner Abreise bedauerte ich, dass er wegfuhr, so wie Marisa es bedauerte, so wie Lidia es bedauerte, so wie Nella es bedauerte. Das Haus wirkte totenstill, wie ein Grab, obwohl unsere Stimmen darin erklangen. Der einzige Trost war, dass nun endlich Nino kommen würde.

32

Ich wollte Marisa überreden, ihn vom Hafen abzuholen, doch das lehnte sie ab, sie sagte, so viel Aufmerksamkeit verdiene ihr Bruder nicht. Nino kam am Abend. Hochgewachsen, spindeldürr, in einem hellblauen Hemd, dunklen Hosen, Sandalen und mit einer Tasche über der Schulter. Er zeigte sich in keiner Weise überrascht, mich auf Ischia, in diesem Haus, anzutreffen, so dass ich annahm, sie hätten in Neapel ein Telefon und Marisa hätte Gelegenheit gehabt, ihm Bescheid zu geben. Bei Tisch antwortete er einsilbig, zum Frühstück erschien er nicht. Er wachte spät auf, wir gingen spät zum Strand, er trug wenig oder gar kein Gepäck. Er stürzte sich unverzüglich und entschlossen ins Wasser und schwamm ohne die zur Schau gestellte Könnerschaft seines Vaters wie selbstverständlich aufs offene Meer hinaus. Er verschwand, und ich fürchtete, er könnte ertrunken sein, doch weder Marisa noch Lidia machten sich Sorgen. Fast zwei Stunden später tauchte er wieder auf und begann zu lesen, wobei er eine Zigarette nach der anderen rauchte. Er las den ganzen Tag über, ohne ein einziges Wort mit uns zu wechseln, und drapierte die Zigarettenstummel in einer Zweierreihe im Sand. Auch ich begann zu lesen und schlug Marisas Einladung zu einem Strandspaziergang aus. Das Abendessen schlang er schnell hinunter, dann ging er aus. Mit den Gedanken bei ihm räumte ich den Tisch ab und spülte das Geschirr. Ich baute in der Küche mein Bett auf, las und wartete auf ihn. Ich las bis um eins, dann schlief ich bei Licht und mit dem offenen Buch auf der Brust ein. Am Morgen erwachte ich bei ausgeschaltetem Licht, das Buch war zugeklappt. Ich nahm an, er sei das gewesen, und eine nie zuvor gefühlte Verliebtheit flammte in mir auf.

Innerhalb weniger Tage verbesserte sich die Situation. Ich bemerkte, dass er mich manchmal ansah und dann den Blick abwandte. Ich fragte ihn, was er lese, erzählte ihm, was ich las. Wir unterhielten uns über unsere Bücher, was Marisa langweilte. Anfangs schien er mir aufmerksam zuzuhören, dann begann er, genau wie Lila, zu reden und kam, von seinen Gedankengängen mitgerissen, immer mehr in Fahrt. Da ich mir wünschte, dass er meine Klugheit zur Kenntnis nahm, versuchte ich, ihn zu unterbrechen und mitzureden, doch das war schwierig, schien er sich doch nur über meine Anwesenheit zu freuen, wenn ich schweigend zuhörte, was ich schon bald resigniert tat. Im Übrigen sagte er Dinge, die zu denken ich mich unfähig fühlte oder die ich jedenfalls nicht mit der gleichen Sicherheit formulieren konnte wie er, und er sagte sie in einem starken, fesselnden Italienisch.

Marisa bewarf uns manchmal mit Sandbällen, und manchmal schrie sie: »Hört doch mal auf, wen interessiert denn dieser Dostojewski, wen interessieren diese Karamasows?« Dann verstummte Nino abrupt und ging mit gesenktem Kopf am Wasser davon, bis er nur noch ein kleiner Punkt war. Ich plauderte ein Weilchen mit Marisa über ihren Freund, der sie nicht mehr heimlich besuchen kommen konnte, was sie zum Weinen brachte. Währenddessen fühlte ich mich immer besser, es war kaum zu glauben, dass das Leben so sein konnte. ›Vielleicht‹, dachte ich, ›ist das Leben der Mädchen aus der Via dei Mille – das der einen ganz in Grün, zum Beispiel – immer so.‹

Alle drei, vier Tage kam Donato Sarratore, blieb aber höchstens vierundzwanzig Stunden, dann fuhr er zurück. Er sagte, er denke nur noch an den 13. August, denn dann werde er volle zwei Wochen in Barano sein. Sobald sein Vater erschien, wurde Nino zu einem Schatten. Er aß, verschwand, tauchte spätnachts wieder auf und sagte kein einziges Wort. Er hörte Donato mit einem milden, nachgiebigen Lächeln zu. Egal, was sein Vater sagte, er stimmte ihm nicht zu, widersprach aber auch nicht. Nur als Donato den ersehnten 13. August erwähnte, äußerte er sich kurz darauf energisch und in aller Deutlichkeit. Er erinnerte seine Mutter – seine Mutter und nicht Donato – daran, dass er unmittelbar nach Ferragosto, also nach dem 15. August, nach Neapel zurückmüsse, weil er mit einigen Schulkameraden verabredet sei, sie wollten sich in einem Landhaus in der Gegend von Avellino treffen und sich an die Schulaufgaben setzen. »Das ist gelogen«, flüsterte Marisa mir zu. »Er hat überhaupt nichts auf.« Seine Mutter lobte ihn, sein Vater auch. Donato kam sogar unverzüglich auf eines seiner Lieblingsthemen zu sprechen: Nino habe das Glück, ein Gymnasium zu besuchen, wohingegen er nur bis zur zweiten Klasse der Gewerbeschule hatte gehen dürfen, bevor er arbeiten musste; aber wenn er die Bildungsmöglichkeiten seines Sohnes gehabt hätte, wer weiß, wie weit er es gebracht hätte. Abschließend sagte er: »Lerne, Ninù, los, mach deinem Papà alle Ehre, und tu das, was mir nicht vergönnt war.«

Diese Reden waren Nino lästiger als alles andere. Nur um wegzukommen, lud er mich und Marisa manchmal ein, mit ihm zusammen auszugehen. Zu seinen Eltern sagte er mürrisch, als verursachten wir nichts als Ärger: »Sie wollen Eis essen, sie wollen spazieren gehen, ich nehme sie mit.«

Bei solchen Gelegenheiten stürzte Marisa glücklich davon, um sich zurechtzumachen, und ich bedauerte, dass ich immer nur die üblichen drei alten Kleider hatte. Allerdings schien es Nino wenig zu interessieren, ob ich schön oder hässlich war. Kaum hatten wir das Haus verlassen, begann er zu reden, was Marisa deprimierend fand, sie sagte, sie hätte lieber zu Hause bleiben sollen. Doch ich hing an Ninos Lippen. Mich wunderte sehr, dass er im Gedränge von Porto, zwischen den jungen und weniger jungen Männern, die Marisa und mich anstarrten, lachten und versuchten, mit uns anzubändeln, auch nicht einen Bruchteil der Gewaltbereitschaft zeigte, die Pasquale, Rino, Antonio und Enzo an den Tag gelegt hatten, wenn uns bei unserem gemeinsamen Ausflug jemand zu lange angesehen hatte. Als bedrohlicher Bewacher unserer Körper taugte er wenig. Vielleicht ließ er es zu, dass alles mögliche um uns her geschah, weil er von den Dingen, die ihm durch den Kopf gingen, und von dem Drang, mir davon zu erzählen, abgelenkt war.

So kam es, dass Marisa sich mit einigen Jungen aus Forio anfreundete und diese sie in Barano besuchten, dass Marisa sie zu uns an den Maronti-Strand mitnahm und dass sie schließlich jeden Abend ausging. Wir schlenderten zwar zu dritt nach Porto, doch kaum dort angekommen, verschwand sie mit ihren neuen Freunden, während wir einen Spaziergang am Meer machten (wäre Pasquale je so großzügig zu Carmela gewesen oder Antonio zu Ada?). Gegen zehn Uhr trafen wir uns wieder und gingen zusammen nach Hause.

Eines Abends, als wir allein waren, sagte Nino unvermittelt, er habe, als er klein war, Lila und mich sehr um unsere Beziehung beneidet. Er habe uns von Weitem gesehen, immer zusammen, immer plaudernd, und hätte sich gern mit uns angefreundet, habe sich aber nicht getraut. Dann lächelte er und fragte:

»Erinnerst du dich noch an die Liebeserklärung, die ich dir gemacht habe?«

»Ja.«

»Ich mochte dich so sehr.«

Ich wurde knallrot und flüsterte unnötigerweise:

»Danke.«

»Ich dachte, wir würden uns verloben und alle drei für immer zusammenbleiben, ich, du und deine Freundin.«

»Alle drei zusammen?«

Er lachte über den kleinen Jungen, der er gewesen war.

»Ich hatte keine Ahnung, was eine Verlobung ist.«

Dann erkundigte er sich nach Lila.

»Ist sie weiter zur Schule gegangen?«

»Nein.«

»Und was tut sie jetzt?«

»Sie hilft ihren Eltern.«

»Sie war sehr gut in der Schule, man konnte ihr nicht das Wasser reichen. Sie hat mir den Kopf vernebelt.«

Genau das sagte er – *sie hat mir den Kopf vernebelt* –, und ich, die sich zunächst nur etwas unwohl gefühlt hatte, weil er mir praktisch gesagt hatte, dass seine Liebeserklärung nur der Versuch gewesen war, sich in die Beziehung zwischen Lila und mir zu mischen, litt nun wirklich Qualen, ich spürte ein Stechen in der Brust.

»So ist sie nicht mehr«, sagte ich. »Sie hat sich verändert.«

Am liebsten hätte ich hinzugefügt: »Hast du gehört, was die Lehrer in der Schule über mich sagen?« Zum Glück konnte ich mich beherrschen. Nach diesem Gespräch schrieb ich Lila nicht mehr. Es fiel mir schwer, ihr zu berichten, was ich gerade erlebte, und sie antwortete ohnehin nie. Ich kümmerte mich lieber um Nino. Ich wusste, dass er spät aufstand, und erfand alle möglichen Ausreden, um nicht mit den anderen zu frühstücken. Ich wartete auf ihn, um mit ihm zum Strand zu gehen, packte seine Sachen, trug sie für ihn, und wir badeten zusammen. Doch wenn er hinausschwamm, fühlte ich mich nicht in der Lage, mit ihm mitzuhalten. Ich kehrte ans Ufer zurück und folgte mit besorgten Blicken der Spur, die er im Wasser hinterließ, und dem schwarzen Punkt, der sein Kopf war. Ich geriet in Panik, wenn ich ihn aus den Augen verlor, und war glücklich, wenn ich ihn zurückkehren sah. Kurz, ich liebte ihn, wusste das und war froh darüber, dass ich ihn liebte.

Inzwischen rückte Ferragosto immer näher. Eines Abends sagte ich zu ihm, ich hätte keine Lust, nach Porto zu gehen, sondern wolle lieber einen Spaziergang am Maronti-Strand machen, es sei Vollmond. Ich hoffte, er würde mitkommen und nicht mit seiner Schwester ausgehen, die unbedingt nach Porto wollte, wo sie nun, wie sie mir erzählt hatte, so etwas wie einen festen Freund hatte, mit dem sie herumknutschte und ihren anderen Freund in Neapel betrog. Aber Nino schloss sich Marisa an. Konsequent, wie ich war, schlug ich den steinigen Weg zum Strand ein. Der Sand war kalt und lag schwarzgrau im Mondlicht, das Meer atmete kaum. Kein Mensch war zu sehen, und ich weinte in meiner Einsamkeit. Was war ich, wer war ich? Ich fühlte mich schön, hatte keine Pickel mehr, Sonne und Meer hatten mich schlank gemacht, und doch bekundete der Junge, der mir gefiel und dem ich gefallen wollte, keinerlei Interesse für mich. Womit war ich gebrandmarkt, mit welchem Schicksal geschlagen? Ich dachte an den Rione wie an einen Schlund, aus dem entkommen zu wollen illusorisch war. Da hörte ich den Sand knirschen, drehte mich um und sah Ninos Schatten. Er setzte sich zu mir. In einer Stunde sollte er seine Schwester abholen. Er war nervös, seine linke Ferse schlug auf den Sand. Diesmal redete er nicht über Bücher, er begann plötzlich von seinem Vater zu sprechen.

»Ich werde mein Leben lang versuchen, nicht so zu werden wie er«, sagte er, als handelte es sich um eine Mission.

»Er ist doch nett.«
»Das sagen alle.«
»Ja, und?«

Höhnisch verzog er das Gesicht, was ihn für einen Augenblick hässlich aussehen ließ.

»Wie geht es Melina?«

Verblüfft sah ich ihn an. Ich hatte mich wohlweislich gehütet, Melina in diesen Tagen voller angeregter Gespräche zu erwähnen, und nun fing er selbst von ihr an.

»So lala.«

»Er war ihr Liebhaber. Er wusste genau, wie labil sie ist, aber er hat sie trotzdem genommen, aus purer Eitelkeit. Aus Eitelkeit würde er jedem wehtun, ohne irgendein Schuldbewusstsein. Er ist nämlich davon überzeugt, alle glücklich zu machen, und glaubt, man verzeihe ihm alles. Er geht jeden Sonntag in die Kirche. Behandelt uns Kinder rücksichtsvoll. Und er ist sehr zuvorkommend zu meiner Mutter. Doch er betrügt sie in einer Tour. Er ist ein Heuchler, er kotzt mich an.«

Ich wusste nicht, was ich sagen sollte. Im Rione geschahen schreckliche Dinge, Väter und Söhne bekamen sich häufig in die Haare, Rino und Fernando zum Beispiel. Doch die Brutalität dieser wenigen sorgfältig formulierten Sätze tat mir besonders weh. Nino hasste seinen Vater von ganzem Herzen, deshalb sprach er so oft über die Brüder Karamasow. Doch das war nicht der springende Punkt. Was mich zutiefst verunsicherte, war, dass Donato Sarratore nach dem, was ich mit eigenen Augen gesehen und mit eigenen Ohren gehört hatte, nichts derart Abstoßendes an sich hatte. Er war ein Vater, wie ihn sich jedes Kind wünschte, und Marisa vergötterte ihn geradezu. Und überhaupt, wenn sein Vergehen in der Fähigkeit zu lieben bestand, sah ich darin nichts Verwerfliches. Auch von meinem Vater erzählte meine Mutter wütend, was er alles angestellt hatte. Deshalb fand ich diese scharfen Sätze, diesen schneidenden Ton entsetzlich. Ich murmelte:

»Er und Melina wurden von der Leidenschaft übermannt wie Dido und Aeneas. So was ist schmerzhaft, aber auch sehr ergreifend.«

»Er hat meiner Mutter vor Gott die Treue geschworen!«, platzte er heraus. »Er respektiert weder sie noch Gott.« Aufs Äußerste erregt sprang er auf, seine schönen Augen glänzten. »Nicht einmal du verstehst mich«, sagte er und lief mit langen Schritten davon.

Ich holte ihn ein, mein Herz schlug heftig.

»Ich verstehe dich«, sagte ich leise und fasste ihn schüchtern am Arm.

Wir hatten uns bisher nie auch nur flüchtig berührt,

dieser Kontakt verbrannte mir die Finger, ich ließ ihn auf der Stelle wieder los. Er beugte sich zu mir und küsste mich auf den Mund, es war ein federleichter Kuss.

»Morgen fahre ich ab«, sagte er.

»Aber der Dreizehnte ist doch erst übermorgen.«

Er antwortete nicht. Wir kehrten nach Barano zurück und plauderten über Bücher, dann holten wir Marisa in Porto ab. Ich spürte seinen Mund noch auf meinem.

33

Ich weinte die ganze Nacht in der stillen Küche. Bei Tagesanbruch schlief ich ein. Nella weckte mich vorwurfsvoll. Sie sagte, Nino habe auf der Terrasse gefrühstückt, um mich nicht zu stören. Er war weg.

Hastig zog ich mich an, sie sah, dass ich litt. »Na, lauf«, sagte sie gutmütig. »Vielleicht kommst du noch rechtzeitig.« Ich lief nach Porto und hoffte, dass das Boot noch nicht abgelegt hatte, doch es war schon weit vom Ufer entfernt.

Meine Tage waren trostlos. Beim Aufräumen der Zimmer fand ich ein Lesezeichen aus blauem Karton, das Nino gehörte, und versteckte es unter meinen Sachen. Abends in der Küche in meinem Bett roch ich daran, küsste es, fuhr mit der Zungenspitze darüber und weinte. Mein eigener Liebeskummer rührte mich an, mein Weinen nährte sich aus sich selbst.

Dann trat Donato Sarratore seine zwei Wochen Urlaub an. Er bedauerte, dass Nino schon weg war, freute sich aber, dass er zum Lernen zu seinen Freunden in die Gegend von Avellino gefahren war. »Er nimmt die Dinge wirklich ernst«, sagte er zu mir. »So wie du. Ich bin stolz auf ihn, so wie dein Vater bestimmt auch stolz auf dich ist.«

Die Anwesenheit dieses Mannes beruhigte mich. Er wollte Marisas neue Freunde kennenlernen und lud sie eines Abends zu einem großen Lagerfeuer am Strand ein. Er kümmerte sich selbst darum, alles auffindbare Holz aufzuhäufen, und leistete uns Teenagern bis spätnachts Gesellschaft. Marisas sozusagen fester Freund klimperte auf der Gitarre und Donato sang dazu, er hatte eine wunderbare Stimme. Zu fortgeschrittener Stunde begann er selbst zu spielen, und das nicht schlecht, er verlegte sich auf tanzbare Stücke. Einige fingen auch an zu tanzen, allen voran Marisa.

Ich betrachtete diesen Mann und dachte: ›Er und sein Sohn haben absolut nichts gemeinsam. Nino ist hochgewachsen und hat ein zart geschnittenes Gesicht, seine Stirn ist unter pechschwarzen Haaren verborgen und sein Mund stets leicht geöffnet, mit einladenden Lippen. Donato dagegen ist von mittlerer Statur, hat markante Züge, große Geheimratsecken und einen zusammengekniffenen, nahezu lippenlosen Mund. Nino schaut mit düsteren Augen drein, die hinter die Dinge und Menschen blicken und offenbar Erschreckendes sehen. Donatos Blick ist stets entgegenkommend, bewundert das äußere Erscheinungsbild aller Dinge und Menschen und lächelt ihnen unablässig zu. Nino trägt, genauso wie Lila, etwas in sich, das ihn auffrisst, es ist eine Gabe und ein Schmerz zugleich. Die zwei sind unzufrieden, geben sich nicht auf, fürchten das, was um sie her geschieht. Dieser Mann nicht, er scheint jede Äußerung des Lebens zu lieben, als besäße jede gelebte Sekunde eine unbeschränkte Helligkeit.‹

Seit jenem Abend kam Ninos Vater mir vor wie ein starkes Heilmittel nicht nur gegen die Düsternis, in die mich sein Sohn gestürzt hatte, da er nach einem fast unmerklichen Kuss abgereist war, sondern auch – wie ich erstaunt feststellte – gegen die Düsternis, in die Lila mich gestürzt hatte, weil sie auf keinen meiner Briefe geantwortet hatte. ›Sie und Nino kennen sich kaum‹, dachte ich. ›Sie hatten nie Umgang miteinander, und trotzdem haben sie wohl sehr viel Ähnlichkeit miteinander. Sie brauchen nichts und niemanden und wissen immer, was geht und was nicht. Aber wenn sie sich nun irren? Was ist denn so besonders schrecklich an Marcello Solara und was an Donato Sarratore?‹ Ich begriff das nicht. Ich liebte sowohl Lila als auch Nino, und sie fehlten mir auf unterschiedliche Weise, doch ich war auch diesem verhassten Vater dankbar, der mich und uns alle ernst nahm, der uns in jener Nacht am Maronti-Strand Freude und Ruhe schenkte. Plötzlich war ich froh, dass keiner der beiden auf der Insel war.

Ich begann wieder zu lesen und schrieb Lila einen letzten Brief, in dem ich ihr mitteilte, dass ich ihr nicht mehr schreiben würde, da sie mir nie antwortete. Stattdessen hielt ich mich an Familie Sarratore. Ich fühlte mich, als wäre ich die Schwester von Marisa, von Pinuccio und von dem kleinen Ciro, der mich sehr liebte und nur bei mir nicht frech war, sondern friedlich spielte, wir gingen zusammen Muscheln suchen. Lidia, deren Feindseligkeit mir gegenüber endgültig in Sympathie und Zuneigung umgeschlagen war, lobte mich oft für die Sorgfalt, mit der ich alles tat: den Tisch decken, die Zimmer aufräumen, das Geschirr spülen, mich mit dem Kleinen beschäftigen, lesen und lernen. Eines Morgens ließ sie mich ein Strandkleid anprobieren, das ihr zu eng war, und da sowohl Nella als auch Donato Sarratore, die eilig herbeigerufen wurden, damit sie ihr Urteil abgaben, begeistert waren, weil es mir so gut stand, schenkte sie es mir. Manchmal schien sie mich Marisa geradezu vorzuziehen. Sie sagte: »Sie ist faul und eitel, ich habe sie schlecht erzogen, sie lernt nichts. Du dagegen bist bei allem, was du tust, sehr verständig.« – »Genau wie Nino«, fügte sie einmal hinzu. »Nur dass du ein sonniges Gemüt hast, während er in einem fort gereizt ist.« Wenn Donato solche Kritik hörte, fuhr er auf und begann seinen ältesten Sohn in den höchsten Tönen zu loben. »Er ist ein Goldjunge«, sagte er mit einem Bestätigung heischenden Blick zu mir, und ich nickte vehement.

Nach seinen ausgedehnten Schwimmausflügen legte sich Donato zum Trocknen neben mich in die Sonne und griff zu seiner Zeitung *Roma*, etwas anderes las er nicht. Ich wunderte mich, dass jemand, der Gedichte schrieb und sie sogar als Lyrikband veröffentlicht hatte, nie ein Buch zur Hand nahm. Er hatte sich keines mitgebracht und interessierte sich auch nicht für meine. Ab und an las er mir aus einem Artikel vor, Worte und Sätze, die Pasquale und garantiert auch Professoressa Galiani zur Weißglut getrieben hätten. Doch ich hielt den Mund. Ich wollte mich nicht mit einem so liebenswürdigen Menschen streiten und die hohe Meinung, die er von mir hatte, aufs Spiel setzen. Einmal las er mir einen ganzen Artikel vor, von Anfang bis Ende, und nach jeder zweiten Zeile wandte er sich lächelnd an Lidia, die ihm ihrerseits mit einem verschwörerischen Lächeln antwortete. Dann fragte er mich:

»Hat er dir gefallen?«

Es war ein Artikel über das Tempo von Zugreisen im Gegensatz zu den Reisen von einst, mit der Kutsche oder zu Fuß auf Feldwegen. Er bestand aus hochtrabenden Sätzen, die Donato ergriffen vorgetragen hatte.

»Ja, sehr«, antwortete ich.

»Sieh mal, wer ihn geschrieben hat: Was steht da?«

Er beugte sich zu mir und hielt mir die Zeitung hin. Ich las beeindruckt:

»Donato Sarratore.«

Lidia prustete los und er auch. Dann ließen sie mich mit Ciro, auf den ich aufpassen sollte, am Strand zurück und badeten wie gewohnt dicht nebeneinander und leise plaudernd. Ich schaute sie an und dachte: ›Arme Melina‹, doch ohne Donato zu grollen. Selbst wenn

Nino recht haben sollte und zwischen den beiden wirklich etwas gewesen war, selbst wenn Donato Lidia wirklich betrogen hatte, konnte ich ihn nun, da ich ihn besser kannte, noch weniger als früher verurteilen, zumal ich den Eindruck hatte, dass auch seine Frau ihn nicht verurteilte, obwohl sie ihn damals gezwungen hatte, mit ihr aus dem Rione wegzuziehen. Was Melina anging, konnte ich auch sie verstehen. Sie hatte die Freuden der Liebe zu diesem alles andere als durchschnittlichen Mann erfahren – einem Zugschaffner, der zudem Dichter und Journalist war –, und ihr labiler Geist hatte sich nicht wieder an die rohe Normalität eines Lebens ohne ihn gewöhnen können. Mir gefielen diese Gedanken. Ich war damals froh über alles, über meine Liebe zu Nino, über meine Traurigkeit, über die Zuneigung, die mich umgab, und über meine Fähigkeit zu lesen, nachzudenken und allein tiefsinnige Gedanken zu wälzen.

34

Ende August, als diese außergewöhnliche Zeit ausklang, gab es zwei wichtige, überraschende Ereignisse an nur einem Tag. Es war der 25. Daran erinnere ich mich deshalb so genau, weil es mein Geburtstag war. Ich stand auf, machte für alle Frühstück und sagte bei Tisch: »Heute werde ich fünfzehn Jahre alt.« Während ich dies sagte, fiel mir ein, dass Lila am 11. August Geburtstag gehabt hatte, doch inmitten all dieser Aufregungen hatte ich es vergessen. Obwohl es üblich war, nur die Namenstage zu feiern – damals zählten Geburtstage nicht viel –, bestanden die Sarratores und Nella darauf, am Abend ein kleines Fest zu veranstalten. Das freute mich. Sie packten ihre Sachen für den Strand zusammen, und ich räumte das Geschirr ab, als der Postbote kam.

Ich schaute aus dem Fenster, er rief mir zu, er habe einen Brief für Greco. Aufgeregt lief ich hinunter. Ich hielt es für ausgeschlossen, dass meine Eltern mir geschrieben hatten. War der Brief also von Lila? Von Nino? Er war von Lila. Ich riss den Umschlag auf. Zum Vorschein kamen fünf eng beschriebene Seiten. Ich verschlang sie, nahm jedoch fast nichts von dem auf, was ich las. Das mag seltsam erscheinen, doch so war es. Bevor mich der Inhalt überwältigte, beeindruckte mich, dass das Geschriebene Lilas Stimme enthielt. Mehr noch. Schon die ersten Zeilen erinnerten mich an *Die blaue Fee*, den einzigen Text, den ich vor diesem Brief von ihr gelesen hatte, abgesehen von ein paar Hausaufgaben in der Grundschule, und mir wurde klar, was mir damals so gefallen hatte. *Die blaue Fee* besaß den gleichen Vorzug, der mich auch jetzt faszinierte: Lila konnte schriftlich reden. Im Gegensatz zu mir, wenn ich schrieb, im Gegensatz zu Donato Sarratore mit seinen Artikeln und Gedichten, im Gegensatz auch zu vielen Schriftstellern, die ich gelesen hatte und die ich las, drückte sie sich, obwohl sie nicht lange zur Schule gegangen war, durchaus mit wohlgesetzten Sätzen und durchaus tadellos aus, wirkte dabei aber keineswegs unnatürlich. Die Künstlichkeit des geschriebenen Wortes war nicht zu spüren. Beim Lesen sah und hörte ich tatsächlich sie. Ihre schriftlich eingefasste Stimme packte mich, fesselte mich noch stärker, als unsere Gespräche von Angesicht zu Angesicht es taten. Sie war vollkommen frei von der Schlacke des gesprochenen Wortes, vom Wirrwarr des Mündlichen. Sie hatte die lebendige Ordnung, die nach meiner Vorstellung der Rede innewohnen müsste, wenn man das Glück gehabt hätte, von Zeus' Kopf abzustammen und nicht von den Grecos oder den Cerullos. Ich schämte mich für die kindischen Seiten, die ich Lila geschrieben hatte, für die Übertreibungen, die Gedankenlosigkeiten, die unechte Fröhlichkeit, den unechten Schmerz. Wer weiß, was Lila von mir gehalten hatte. Voller Geringschätzung und Groll dachte ich an Professor Gerace, der Illusionen in mir geweckt hatte, als er mir eine Neun in Italienisch gab. Die erste Wirkung dieses Briefes auf mich war, dass ich mich mit meinen fünfzehn Jahren, an meinem Geburtstag, wie eine Hochstaplerin fühlte. Die Schule hatte sich in mir getäuscht, und hier war der Beweis, in Lilas Brief.

Dann drang Stück für Stück auch sein Inhalt durch. Lila gratulierte mir zum Geburtstag. Sie habe mir nicht geschrieben, da sie froh gewesen sei, dass ich es mir in der Sonne gutgehen ließ, dass ich mich mit den Sarratores wohlfühlte, dass ich Nino liebte, dass mir Ischia und der Maronti-Strand gefielen, und sie habe mir mit ihren unerfreulichen Geschichten nicht die Ferien vermiesen wollen. Doch nun müsse sie mir unbedingt schreiben. Unmittelbar nach meiner Abreise hatte Marcello Solara mit Fernandos Einverständnis begonnen sie jeden Abend zu besuchen. Er kam um 20.30 Uhr und ging exakt um 22.30 Uhr. Jedes Mal brachte er etwas mit: Gebäck, Pralinen, Zucker, Kaffee. Sie rührte nichts davon an, gewährte ihm keinerlei Vertraulichkeit, und er musterte sie schweigend. Da Lila stets so tat, als wäre er Luft für sie, beschloss er nach der ersten Woche dieser Quälerei, sie zu überraschen. Eines Morgens erschien er in Begleitung eines stämmigen, schweißüberströmten Kerls, der einen riesigen Pappkarton ins Esszimmer stellte. Darin war ein Gerät, von dem wir zwar alle schon gehört hatten, das aber nur wenige im Rione zu Hause hatten: ein Fernseher, ein Apparat mit einem Bildschirm, auf dem genau wie im Kino Bilder zu sehen waren, die jedoch nicht von einem Projektor kamen, sondern aus der Luft. In dem Apparat war ein mysteriöses Ding, das sich Bildröhre nannte. Wegen dieser Röhre, die der stämmige, verschwitzte Mann ständig erwähnte, funktionierte das Gerät tagelang nicht. Dann, nach vielen Versuchen, begann es zu laufen, und nun kam der halbe Rione einschließlich meiner Mutter, meines Vaters und meiner Geschwister zu den Cerullos, um sich dieses Wunderwerk anzusehen. Nur Rino nicht. Es ging ihm besser, sein Fieber war endgültig weg, aber er redete kein Wort mehr mit Marcello. Wenn dieser auftauchte, begann Rino das Fernsehen schlechtzumachen und ging, ohne das Abendessen anzurühren, kurz darauf ins Bett oder aus dem Haus, um bis tief in die Nacht mit Pasquale und Antonio um die Häuser zu ziehen. Lila dagegen behauptete, sie liebe das Fernsehen. Besonders gern saß sie zusammen mit Melina vor dem Apparat, die jeden Abend kam und lange blieb, schweigend und vollkommen vertieft. Das waren die einzigen friedlichen Momente. Ansonsten entlud sich viel Wut über Lila: die Wut ihres Bruders, weil sie ihn seinem Schicksal als Sklave ihres Vaters überlassen hatte, während sie auf eine Hochzeit zusteuerte, die sie zu einer feinen Signora machen würde, die Wut Fernandos und Nunzias, weil sie nicht nett zu Marcello war und ihn im Gegenteil behandelte wie den letzten Dreck, und schließlich die Wut Marcellos, der sich, ohne dass sie je eingewilligt hatte, zunehmend als ihr Verlobter und sogar als Padrone aufspielte und sich nach seiner stummen Unterwürfigkeit nun auf Annäherungsversuche und auf misstrauische Fragen verlegte, danach, wohin sie tagsüber gehe, mit wem sie sich treffe, ob sie schon einen festen Freund vor ihm gehabt habe und ob sie irgendwer auch nur flüchtig berührt habe. Da sie ihm nicht antwortete oder sich, schlimmer noch, über ihn lustig machte, indem sie ihm von Küssen und Umarmungen mit nicht existenten Liebhabern erzählte, sagte er ihr eines Abends ernst ins Ohr: »Na gut, du nimmst mich auf den Arm, aber weißt du noch, wie du mich damals mit dem Schustermesser bedroht hast? Also, wenn ich höre, dass du einen anderen anhimmelst, bleibt es nicht bei einer Drohung. Ich bring' dich um, und basta, merk dir das!« Lila wusste nicht, wie sie da wieder herauskommen sollte, für alle Fälle trug sie ihre Waffe immer bei sich. Doch sie war entsetzt. Auf den letzten Seiten schrieb sie, sie spüre rings um sich her alles Schlechte des Rione. Dunkel fügte sie hinzu, Gut und Böse seien miteinander verquickt und verstärkten sich gegenseitig. Marcello sei, wenn man es recht bedenke, wirklich eine gute Partie, doch das Gute habe den Geruch des Bösen und das Böse den Geruch des Guten, eine Vermischung, die ihr den Atem nehme. Einige Tage zuvor war etwas geschehen, was ihr wirklich Angst gemacht hatte. Marcello war gegangen, der Fernseher war aus, die Wohnung leer, Rino außer Haus, und ihre Eltern waren auf dem Weg ins Bett. Sie war allein in der Küche und wusch ab, sie war müde, fix und fertig, als es plötzlich einen Knall gab. Sie fuhr herum und sah, dass ein großer Kupfertopf kaputtgegangen war. Einfach so, von allein. Er hing an seinem Haken wie immer, doch in seiner Mitte klaffte ein großes Loch, dessen Ränder hochgebogen und gewunden waren. Der Topf war völlig deformiert, so dass er jede Ähnlichkeit mit einem Topf verloren hatte. Ihre Mutter war im Nachthemd herbeigelaufen und hatte sie bezichtigt, ihn fallen gelassen und ruiniert zu haben. Doch ein Kupfertopf, selbst wenn er herunterfällt, geht nicht auf diese Weise kaputt und verformt sich auch nicht so. »Solche Sachen machen mir Angst«, schrieb Lila abschließend. »Mehr als Marcello, mehr als irgendwer sonst. Ich merke, dass ich eine Lösung finden muss, sonst geht alles kaputt, eines nach dem anderen, alles, alles, alles.« Sie sandte mir Grüße und nochmals viele Glückwünsche, und obwohl sie das Gegenteil wollte, obwohl sie es kaum erwarten konnte, mich wiederzusehen, und obwohl sie dringend meiner Hilfe bedurfte, wünschte sie mir, bei der freundlichen Signora Nella auf Ischia bleiben zu können und nie mehr in den Rione zurückzumüssen.

35

Der Brief beunruhigte mich sehr. Lilas Welt überlagerte, wie üblich, sofort die meine. Alles, was ich ihr im Juli und August geschrieben hatte, kam mir nun banal vor, und mich packte der Drang, dies wiedergutzumachen. Ich ging nicht an den Strand und setzte mich sofort hin, um ihr mit einem ernsthaften Brief zu antworten, der genauso gehaltvoll, klar und zugleich leichtfüßig daherkommen sollte wie ihrer. Doch während mir die früheren Briefe mühelos von der Hand gegangen waren – ich hatte sie seitenweise in wenigen Minuten ohne jede Korrektur aufs Papier geworfen –, schrieb ich diesen hier ein-, zwei-, dreimal und konnte trotzdem Ninos Hass gegen seinen Vater, die Rolle, die Melinas Geschichte bei der Entstehung dieses schlimmen Gefühls gespielt hatte, meine ganze Beziehung zur Familie Sarratore und selbst meine Besorgnis über das, was Lila gerade geschah, nur ungeschickt in Worte fassen. Donato, der eigentlich ein bemerkenswerter Mann war, wurde auf dem Papier zu einem gewöhnlichen Familienvater, und was Marcello anging, so brachte ich nur oberflächliche Ratschläge zustande. Am Ende schien mir nur mein Verdruss darüber, dass Lila einen Fernseher zu Hause hatte und ich nicht, echt zu sein.

Kurz und gut, es gelang mir nicht, ihr zu antworten, obwohl ich auf das Meer, auf die Sonne und auf das Vergnügen verzichtete, mit Ciro, Pino, Clelia, Lidia, Marisa und Donato zusammen zu sein. Zum Glück kam Nella irgendwann mit einem Mandelsirup und leistete mir auf der Terrasse Gesellschaft. Und zum Glück beklagten die Sarratores, als sie vom Strand kamen, dass ich zu Hause geblieben war, und feierten mich weiter. Lidia machte eine dicke Cremetorte, Nella öffnete eine Flasche Wermut, Donato stimmte neapolitanische Lieder an, und Marisa schenkte mir ein Seepferdchen aus Werg, das sie sich am Abend zuvor in Porto gekauft hatte.

Meine Laune besserte sich, aber ich musste immer daran denken, dass Lila in Schwierigkeiten steckte, während es mir gutging und ich gefeiert wurde. Mit einer gewissen Dramatik erzählte ich, dass ich Post von einer Freundin erhalten hätte, die mich brauchte, und ich daher vorzeitig abreisen wolle. »Spätestens übermorgen«, kündigte ich an, ohne allzu sehr daran zu glauben. Im Grunde sagte ich das nur, um zu hören, dass Nella es bedauerte, dass Lidia einwandte, Ciro werde sehr traurig sein, dass Marisa betrübt war und dass Donato bekümmert ausrief: »Und was sollen wir ohne dich anfangen?« Das alles berührte mich und machte mein Fest noch erfreulicher.

Pino und Ciro schlummerten ein. Lidia und Donato brachten die beiden ins Bett. Marisa half mir beim Geschirrspülen, und Nella schlug vor, dass sie früher aufstehen würde, um das Frühstück vorzubereiten, falls ich etwas länger schlafen wollte. Ich wehrte ab, das Frühstück war meine Aufgabe. Nach und nach zogen sich alle zurück, ich blieb allein. Ich baute in der üblichen Ecke mein Bett auf und sondierte die Lage, um Küchenschaben und Mücken ausfindig zu machen. Mein Blick fiel auf die Kupfertöpfe.

Wie eindrucksvoll Lilas Schreibkunst war. Ich betrachtete die Töpfe mit wachsender Unruhe. Mir fiel ein, dass ihr Glanz Lila schon immer gefallen hatte. Nach dem Abwasch polierte sie sie stets mit größter Sorgfalt. Nicht von ungefähr hatte sie vier Jahre zuvor den Blutspritzer, der aus Don Achilles Hals geschossen war, als man ihn erstach, auf einem Kupfertopf platziert. Und dort siedelte sie nun auch ihr Gefühl der Bedrohung an, die Beklemmung wegen der vor ihr liegenden schweren Entscheidung, indem sie einen der Töpfe wie eine Art Signal zerbersten ließ, als hätte seine Form unversehens beschlossen, nicht länger standzuhalten. Konnte ich mir solche Dinge ohne sie ausdenken? Konnte ich jedem Gegenstand Leben einhauchen, ihn im Einklang mit meinem Leben zurechtbiegen? Ich löschte das Licht. Zog mich aus und legte mich mit Lilas Brief und Ninos blauem Lesezeichen ins Bett, diesen für mich größten Kostbarkeiten, die ich damals besaß.

Durch das große Fenster fiel weißes Mondlicht. Ich küsste das Lesezeichen, wie ich es jeden Abend tat, und versuchte, im schwachen Schein den Brief meiner Freundin nochmals zu lesen. Die Kochtöpfe schimmerten, der Tisch knackte, die Zimmerdecke lastete schwer, die Nachtluft und das Meer drängten von den Seiten. Wieder fühlte ich mich beschämt von Lilas Schreibkünsten, von dem, was sie gestalten konnte und ich nicht, meine Augen trübten sich. Natürlich war ich froh, dass sie auch ohne Schulbildung, ohne die Bücher aus der Bibliothek, so gut war, aber zugleich war ich unverzeihlich unglücklich darüber.

Dann hörte ich Schritte und sah Donato Sarratore hereinhuschen, barfuß, in seinem blauen Pyjama. Ich zog die Bettdecke hoch. Er ging zum Wasserhahn, füllte sich ein Glas und trank. Einige Augenblicke blieb er am Spülbecken stehen, dann stellte er das Glas ab und kam an mein Bett. Er kauerte sich neben mich, die Ellbogen auf dem Rand der Bettdecke.

»Ich weiß, dass du wach bist«, sagte er.

»Ja.«

»Denk nicht an deine Freundin, bleib noch hier.«

»Es geht ihr schlecht, sie braucht mich.«

»Ich brauche dich«, sagte er, beugte sich vor und küsste mich ohne die Leichtigkeit seines Sohnes auf den Mund, wobei er meine Lippen mit seiner Zunge auseinanderdrückte.

Ich rührte mich nicht.

Er schob die Decke leicht beiseite, während er mich weiter ausführlich und leidenschaftlich küsste, er tastete nach meiner Brust, streichelte sie unter meinem Nachthemd. Dann fuhr er mit der Hand zwischen meine Beine und drückte mir zwei Finger fest auf mein Höschen. Ich sagte und tat nichts, geschockt und entsetzt über sein Verhalten und über die Lust, die es mir trotzdem bereitete. Sein Bart kratzte an meiner Oberlippe, seine Zunge war rauh. Sein Mund löste sich langsam von meinem, er nahm die Hand weg.

»Morgen Abend machen wir einen schönen Spaziergang am Strand, du und ich«, sagte er mit einer etwas heiseren Stimme. »Ich liebe dich, und ich weiß, dass du mich auch liebst. Nicht wahr?«

Ich schwieg. Wieder berührten seine Lippen meinen Mund, er raunte: »Gute Nacht«, stand auf und verließ die Küche. Noch immer regte ich mich nicht, ich weiß nicht, wie lange nicht. Sosehr ich auch versuchte, die Erinnerung an seine Zunge, an seine Zärtlichkeiten, an den Druck seiner Hand wegzuschieben, es gelang mir nicht. Nino hatte mich warnen wollen. Hatte er gewusst, dass das geschehen würde? Ich empfand einen unbändigen Hass gegen Donato Sarratore und ekelte mich vor mir selbst, vor der Lust, die in meinem Körper zurückgeblieben war. So unwahrscheinlich das heute auch klingen mag, ich hatte mir bis zu jenem Abend nie selbst Lust verschafft, ich kannte sie nicht, sie zu empfinden hatte mich überrascht. Ich verharrte stundenlang in derselben Position. Beim ersten Tageslicht raffte ich mich auf, suchte meine Sachen zusammen, baute das Bett ab, schrieb ein paar Dankeszeilen an Nella und reiste ab.

Die Insel war fast vollkommen still, das Meer ruhig, nur die Gerüche waren sehr intensiv. Mit dem abgezählten Geld, das meine Mutter mir vor mehr als einem Monat gegeben hatte, nahm ich das erste auslaufende Boot. Als es sich in Bewegung setzte und die Insel mit ihren zarten, frühmorgendlichen Farben ein Stück entfernt war, ging mir durch den Kopf, dass ich nun endlich etwas zu erzählen hatte, dem Lila nichts gleichermaßen Denkwürdiges entgegensetzen konnte. Doch im selben Augenblick wurde mir klar, dass mein Abscheu vor Donato Sarratore und der Ekel, den ich vor mir selbst empfand, mich daran hindern würden, den Mund aufzutun. Und so versuche ich hier zum ersten Mal, das überraschende Ende meiner Ferien in Worte zu fassen.

36

Bei meiner Ankunft brütete Neapel in einer stinkenden, welken Hitze. Meine Mutter machte mir ohne eine Bemerkung zu meinem neuen Aussehen – keine Akne mehr, braungebrannt – Vorwürfe, weil ich früher als geplant zurückgekommen war.

»Was hast du denn angestellt?«, fragte sie. »Hast du

dich danebenbenommen? Hat dich die Freundin deiner Lehrerin rausgeworfen?«

Ganz anders mein Vater, dessen Augen leuchteten und der mich mit Komplimenten überhäufte, unter denen, hundertfach wiederholt, eines hervorstach: »Madonna, was für eine schöne Tochter ich habe!« Meine Geschwister sagten verächtlich:

»Du siehst aus wie ein Neger.«

Ich betrachtete mich im Spiegel und war selbst erstaunt. Durch die Sonne waren meine Haare strahlend blond geworden, und mein Gesicht, meine Arme und meine Beine waren wie mit dunklem Gold überzogen. Solange ich zwischen sonnenverbrannten Gesichtern in Ischias Farben gebadet hatte, war mir meine Verwandlung der Umgebung gemäß erschienen. Nun, wieder in der Welt des Rione, wo jedes Gesicht und jede Straße krankhaft blass geblieben waren, kam sie mir übertrieben vor, fast schon unnatürlich. Der Anblick der Leute, der Wohnblocks, des vielbefahrenen, staubigen Stradone wirkte auf mich wie ein Zeitungsbild in miserabler Druckqualität.

Sobald ich konnte, lief ich zu Lila. Ich rief sie vom Hof aus, sie erschien am Fenster, stürmte aus der Tür. Sie umarmte mich, küsste mich und überschüttete mich mit Komplimenten, wie sie es noch nie getan hatte, so dass ich von so viel offenkundiger Zuneigung überwältigt war. Sie war ganz die Alte, und doch hatte sie sich in wenig mehr als einem Monat weiter verändert. Sie sah nicht mehr aus wie ein Mädchen, sondern wie eine

Frau, eine Frau von mindestens achtzehn Jahren, was für mich damals ein biblisches Alter war. Ihre abgetragenen Kleider waren ihr zu kurz und zu eng, als wäre sie innerhalb weniger Minuten aus ihnen herausgewachsen. Sie schnürten ihren Körper über Gebühr ein. Lila war noch gewachsen, hielt sich aufrecht und hatte weibliche Rundungen. Ihr kreideweißes Gesicht über dem dünnen Hals war von einer zarten, außergewöhnlichen Schönheit.

Sie war nervös, immer wieder schaute sie sich auf der Straße um, gab mir aber keine Erklärung dafür. Sie sagte nur »Komm mit« und steuerte mit mir auf Stefanos Salumeria zu. Sich bei mir unterhakend, fügte sie hinzu: »Das kann ich nur mit dir zusammen machen, zum Glück bist du schon zurück. Ich dachte, ich muss bis September warten.«

Nie zuvor waren wir den Weg durch den kleinen Park so eng aneinandergeschmiegt gegangen, so vertraut miteinander, so froh, wieder zusammen zu sein. Sie erzählte mir, dass sich die Lage von Tag zu Tag mehr zuspitze. Erst am Abend zuvor sei Marcello mit Süßigkeiten und Spumante aufgekreuzt und habe ihr einen Brillantring geschenkt. Sie habe ihn angenommen und ihn sich an den Finger gesteckt, um in Gegenwart ihrer Eltern Ärger zu vermeiden, doch an der Tür, kurz bevor er ging, habe sie ihm den Ring schroff wieder in die Hand gedrückt. Marcello habe protestiert, habe sie bedroht, wie er es nun immer häufiger tat, und sei dann in Tränen ausgebrochen. Fernando und Nunzia hätten sofort bemerkt, dass etwas nicht stimmte. Ihre Mutter hatte Marcello ins Herz geschlossen, ihr gefielen die guten Sachen, die er jeden Abend mitbrachte, sie war stolz darauf, Besitzerin eines Fernsehers zu sein, und Fernando hatte aufgehört, sich zu quälen, weil er durch die baldige Verwandtschaft mit den Solaras ohne Angst in die Zukunft schauen konnte. Daher hätten die zwei, kaum dass Marcello weg war, sie stärker als sonst bedrängt, um zu erfahren, was los sei. Das Ende vom Lied: Nach langer Zeit habe Rino sie erstmals wieder verteidigt, er habe geschrien, wenn seine Schwester so eine Dumpfbacke wie Marcello nicht wolle, sei es ihr gutes Recht, ihn abzuweisen, und wenn sie weiter darauf bestünden, Lila mit ihm zusammenzubringen, werde er, Rino, höchstpersönlich alles abfackeln, das Haus, die Schusterwerkstatt, sich selbst und die ganze Familie. Vater und Sohn seien sich in die Haare geraten, Nunzia sei dazwischengegangen, sie hätten die ganze Nachbarschaft geweckt. Doch damit nicht genug. Völlig außer sich, habe Rino sich aufs Bett geworfen, sei auf der Stelle eingeschlafen und habe eine Stunde später einen seiner schlafwandlerischen Anfälle bekommen. Sie hätten ihn in der Küche gefunden, wo er ein Streichholz nach dem anderen angezündet und es an den Gashahn gehalten habe, wie um zu sehen, ob er undicht sei. Entsetzt habe Nunzia Lila geweckt und gesagt: »Rino will uns wahrhaftig alle bei lebendigem Leib verbrennen.« Lila sei zu ihm gestürzt und habe ihre Mutter dann beruhigt: Rino schlafe tief und fest, und im Schlaf sorge er sich, ganz anders als in seinen wachen Stunden, darum, dass kein Gas ausströmte. Sie hatte ihn wieder ins Bett gebracht.

»Ich halte das nicht mehr aus«, sagte sie schließlich zu mir. »Du ahnst nicht, was ich durchmache. Ich muss da irgendwie raus.«

Sie presste sich an mich, als könnte sie sich Kraft von mir holen.

»Du hast es gut«, sagte sie. »Bei dir läuft alles glatt. Du musst mir helfen.«

Ich antwortete, sie könne immer auf mich zählen. Sie schien erleichtert zu sein, drückte meinen Arm und flüsterte:

»Sieh mal.«

Weiter vorn sah ich einen roten, funkelnden Fleck.

»Was ist das?«

»Siehst du das denn nicht?«

Ich sah es nicht.

»Das ist Stefanos nagelneues Auto.«

Der Wagen parkte vor der Salumeria, die vergrößert worden war, sie hatte nun zwei Eingänge, es war sehr voll. Die Kunden, die darauf warteten, bedient zu werden, warfen bewundernde Blicke auf dieses Prestigeobjekt. Noch nie hatte man im Rione so einen Flitzer gesehen, ganz Glas und Metall und mit einem Klappverdeck. Gegen diesen Luxusschlitten war der Millecento der Solaras ein Witz.

Ich umrundete den Wagen, während Lila im Schatten stand und auf die Straße spähte, als rechnete sie jeden Augenblick mit einem Überfall. Auf der Schwelle der Salumeria erschien Stefano in seinem Kittel voller Fettflecken. Sein Kopf mit der hohen Stirn wirkte etwas zu groß, was aber nicht unangenehm war. Er kam über die Straße, begrüßte mich herzlich und sagte:

»Gut siehst du aus, wie eine Filmschauspielerin.«

Auch er sah gut aus. Er war wie ich sonnengebräunt. Wir waren vielleicht die Einzigen im ganzen Rione mit einer so gesunden Gesichtsfarbe. Ich sagte:

»Du bist aber braun!«

»Ich habe eine Woche Urlaub gemacht.«

»Wo denn?«

»Auf Ischia.«

»Da war ich auch.«

»Ich weiß, Lina hat es mir erzählt. Ich habe dich gesucht, dich aber nicht gesehen.«

Ich wies auf das Auto.

»Das ist toll.«

Stefano setzte eine Miene bescheidener Zustimmung auf. Er deutete auf Lila und sagte mit einem vergnügten Blick:

»Ich habe es für deine Freundin gekauft, aber sie will das nicht wahrhaben.« Ich schaute Lila an, die dort ernst, mit angespanntem Gesichtsausdruck, im Schatten stand. Stefano sprach sie leicht ironisch an: »Jetzt ist Lenuccia zurück, und was nun?«

Lila sagte übellaunig:

»Na, dann los. Aber vergiss nicht: Sie hast du eingeladen, nicht mich. Ich habe euch nur Gesellschaft geleistet.«

Er lächelte und ging zurück ins Geschäft.

»Was soll das?«, fragte ich verwirrt.

»Keine Ahnung«, antwortete sie, und das hieß, dass sie nicht genau wusste, worauf sie sich da eingelassen hatte. Sie zog ein Gesicht wie bei einer schwierigen Kopfrechenaufgabe, allerdings ohne den sonst üblichen frechen Ausdruck. Sie war sichtlich besorgt, ganz als wagte sie ein Experiment mit ungewissem Ausgang. »Alles hat angefangen, als dieses Auto gekommen ist«, sagte sie. Stefano hatte ihr gegenüber, anfangs wie zum Spaß, doch dann immer ernster beteuert, dieses Auto für sie gekauft zu haben, für das Vergnügen, ihr zumindest einmal die Wagentür aufzuhalten und sie einsteigen zu lassen. »Darin siehst nur du gut aus«, hatte er gesagt. Und seit ihm das Auto Ende Juli übergeben worden war, hatte er sie freundlich immer wieder, doch nicht aufdringlich zu einer Spritztour eingeladen, zunächst mit ihm und Alfonso, dann mit ihm und Pinuccia, dann sogar mit ihm und seiner Mutter. Doch sie hatte jedes Mal abgelehnt. Am Ende hatte sie ihm versprochen: »Ich komme mit, wenn Lenuccia aus Ischia zurück ist.« Und da waren wir nun, und was geschehen sollte, würde geschehen.

»Weiß er von Marcello?«

»Natürlich.«

»Und?«

»Und er lässt nicht locker.«

»Lila, ich habe Angst.«

»Weißt du noch, was wir alles gemacht haben, obwohl wir Angst hatten? Ich habe extra auf dich gewartet.«

Stefano kam ohne Kittel zurück, mit dunklen Haaren, dunklem Gesicht, strahlenden schwarzen Augen, einem weißen Hemd und dunklen Hosen. Er machte die Autotür auf, setzte sich ans Lenkrad und öffnete das Verdeck. Ich wollte mich auf die winzige Rückbank zwängen, doch Lila hielt mich zurück und setzte sich selbst nach hinten. Verlegen nahm ich den Platz neben Stefano, der mit Kurs auf die Neubauten sofort losfuhr.

Mit dem Wind verflog die Hitze. Ich fühlte mich wohl, berauscht von der Geschwindigkeit und von der ruhigen Gewissheit, die von Stefanos Körper ausging. Lila schien mir alles erklärt zu haben, ohne dass sie mir etwas erklärt hatte. Da war dieser brandneue Sportwagen, nur gekauft, um mit ihr diese Fahrt zu unternehmen, die gerade begonnen hatte. Da war dieser junge Mann, der, obwohl er von Marcello Solara wusste, ohne erkennbare Angst gegen Männergesetze verstieß. Und da war ich, Hals über Kopf in diese Geschichte hineingezogen, um mit meiner Anwesenheit heimliche Gespräche zwischen den beiden zu kaschieren und vielleicht sogar eine Freundschaft. Aber welche Art von Freundschaft? Garantiert hatte es mit dieser Autofahrt eine besondere Bewandtnis, und trotzdem hatte Lila mich nicht aufklären können oder wollen. Was hatte sie im Sinn? Sie musste doch wissen, dass sie eine Lawine lostrat, schlimmer als damals, als sie Tintenkügelchen durch die Gegend geschossen hatte. Trotzdem lag es nahe, dass ihr wirklich nichts Konkretes vorschwebte. Sie war so. Sie zerstörte ein Gleichgewicht, nur um zu sehen, wie sie es auf andere Weise wiederherstellen konnte. Und da fuhren wir nun also, die Haare im Wind, Stefano, der mit zufriedener Könnerschaft am Steuer saß, und ich neben ihm, als wäre ich seine Braut. Ich dachte darüber nach, wie er mich angeschaut hatte, als er sagte, ich sähe aus wie eine Filmschauspielerin. Erwog die Möglichkeit, dass ich ihm mehr gefiel als meine Freundin. Dachte mit Entsetzen daran, dass Marcello Solara ihn erschießen könnte. Sein schöner Körper mit den sicheren Bewegungen würde seine Form einbüßen wie der Kupfertopf, von dem Lila mir geschrieben hatte.

Mit einer Fahrt zu den Neubauten sollte vermieden werden, dass wir an der Solara-Bar vorbeikamen.

»Mir ist es egal, ob Marcello uns sieht«, sagte Stefano gleichmütig. »Aber wenn es dir nicht egal ist, geht das in Ordnung.«

Wir fuhren in den Tunnel Richtung Via Marina, der Straße, die Lila und ich vor vielen Jahren entlanggewandert waren, als uns der Regen überrascht hatte. Ich erwähnte diese Geschichte, sie lächelte, und Stefano wollte, dass wir sie ihm erzählten. Wir erzählten sie fröhlich mit allen Einzelheiten und erreichten währenddessen die Granili.

»Na, was sagt ihr, er ist schnell, oder?«

»Verdammt schnell«, sagte ich begeistert.

Lila schwieg. Sie schaute sich um und tippte mir manchmal auf die Schulter, um mich auf die Häuser und das Elend auf den Straßen hinzuweisen, als sähe sie darin die Bestätigung für etwas, was ich unverzüglich begreifen müsste. Dann fragte sie Stefano unumwunden:

»Bist du wirklich anders?«

Er suchte ihren Blick im Rückspiegel.

»Als wer?«

»Du weißt schon.«

Er antwortete nicht sofort. Dann sagte er im Dialekt:

»Willst du die Wahrheit wissen?«

»Ja.«

»Der Wille ist vorhanden, aber ich weiß nicht, wie es ausgehen wird.«

Nun hatte ich die Bestätigung, dass Lila mir so einiges vorenthalten hatte. Diese Anspielungen bewiesen, dass sie vertraut miteinander waren, dass sie schon öfter allein miteinander gesprochen hatten, und dies nicht im Scherz, sondern ernsthaft. Was hatte ich während meiner Zeit auf Ischia verpasst? Ich drehte mich zu ihr um, sie zögerte mit einer Antwort. Ich nahm an, Stefanos unbestimmte Äußerung habe sie verärgert. Sie saß sonnenüberflutet da, die Augen halb geschlossen, die Bluse prall von Busen und Wind.

»Hier ist die Armut noch schlimmer als bei uns«, sagte sie. Und dann lachend und ohne Übergang: »Glaub ja nicht, dass ich vergessen habe, wie du mir in die Zunge stechen wolltest.«

Stefano nickte. »Das waren andere Zeiten«, sagte er.

»Feigling bleibt Feigling, du warst doppelt so groß wie ich.«

Er lächelte verlegen und beschleunigte wortlos in Richtung Hafen. Die Fahrt dauerte kaum eine halbe Stunde, wir kehrten über den Rettifilo und die Piazza Garibaldi zurück.

»Deinem Bruder geht es nicht gut«, sagte Stefano, als wir wieder kurz vor unserem Rione waren. Erneut suchte er sie im Rückspiegel und fragte: »Sind das im Schaufenster die Schuhe, die ihr gemacht habt?«

»Was weißt du denn von den Schuhen?«

»Rino redet über nichts anderes.«

»Und weiter?«

»Sie sind sehr schön.«

Ihre Augen verengten sich zu fast geschlossenen Schlitzen.

»Na, dann kauf sie doch«, sagte sie in ihrer herausfordernden Art.

»Was sollen sie denn kosten?«

»Das musst du meinen Vater fragen.«

Stefano wendete scharf, so dass ich gegen die Tür gedrückt wurde, und wir bogen in die Straße zur Schusterei ein.

»Was soll das?«, fragte sie alarmiert.

»Du hast gesagt, ich soll sie kaufen, also kaufe ich sie.«

Er hielt vor der Schusterwerkstatt, öffnete mir die Tür und bot mir zum Aussteigen seine Hand. Um Lila, die sich allein herauswand und zurückblieb, kümmerte er sich nicht. Wir blieben vor dem Schaufenster stehen, unter den Blicken von Rino und Fernando, die uns mit finsterer Neugier aus der Werkstatt anstarrten. Als Lila uns einholte, öffnete Stefano die Ladentür, ließ mich vorangehen und trat ein, ohne auch ihr den Vortritt zu lassen. Er war ausgesprochen liebenswürdig zu Vater und Sohn und bat darum, sich die Schuhe ansehen zu dürfen. Hastig brachte Rino sie ihm, Stefano begutachtete sie, lobte sie:

»Sie sind zugleich leicht und robust und wirklich schön geschnitten.« Er fragte mich: »Was meinst du, Lenù?«

Ich sagte überaus verlegen:

»Sie sind wunderschön.«

Er wandte sich an Fernando:

»Ihre Tochter hat mir erzählt, Sie hätten alle drei sehr lange daran gearbeitet und hätten vor, noch mehr davon zu machen, auch für Damen.«

»Ja«, sagte Rino mit einem erstaunten Blick zu seiner Schwester.

»Ja«, sagte Fernando verblüfft. »Aber nicht sofort.«

»Und haben Sie nicht, was weiß ich, eine Skizze davon, irgendwas zur Veranschaulichung?«

Rino sagte, leicht erregt, weil er eine Ablehnung befürchtete, zu seiner Schwester:

»Hol mal die Zeichnungen.«

Zu seinem erneuten Erstaunen widersetzte Lila sich nicht. Sie ging nach hinten, kam zurück und hielt ihrem Bruder die Skizzen hin, der sie Stefano weiterreichte. Es waren sämtliche Modelle, die sie sich knapp zwei Jahre zuvor ausgedacht hatte.

Stefano zeigte mir den Entwurf von einem Paar Damenschuhe mit sehr hohem Absatz.

»Würdest du dir die hier kaufen?«

»Ja.«

Wieder betrachtete er die Zeichnungen. Dann setzte er sich auf einen Hocker und zog sich den rechten Schuh aus.

»Welche Größe ist das?«

»Eine 43, die aber fast eine 44 sein könnte«, log Rino.

Lila, die uns immer noch erstaunte, kniete sich vor Stefano auf den Boden und half ihm mit dem Schuhanzieher in den neuen Schuh. Anschließend zog sie ihm den anderen Schuh aus und wiederholte die Prozedur.

Stefano, der bis dahin die Rolle des erfahrenen, kurzentschlossenen Mannes gespielt hatte, war sichtlich durcheinander. Er wartete, bis Lila aufgestanden war, und blieb noch einige Sekunden sitzen, wie um wieder zu Atem zu kommen. Dann stand er auf und ging ein paar Schritte herum.

»Sie sind zu klein«, sagte er.

Rinos Miene wurde düster, enttäuscht.

»Wir können sie in die Maschine spannen und für

dich weiten«, schaltete Fernando sich mit unsicherer Stimme ein.

Stefano sah mich an, fragte:

»Wie stehen sie mir?«

»Gut.«

»Dann nehme ich sie.«

Fernando blieb kühl. Rinos Gesicht hellte sich auf.

»Weißt du, Ste', die sind ein exklusives Cerullo-Modell, die sind nicht billig.«

Stefano lächelte, sein Ton wurde liebenswürdig:

»Meinst du denn, ich würde sie kaufen, wenn sie kein exklusives Cerullo-Modell wären? Wann sind sie fertig?«

Rino warf seinem Vater einen strahlenden Blick zu.

»Wir lassen sie mindestens drei Tage in der Maschine«, sagte Fernando, doch es war klar, dass er am liebsten zehn Tage oder zwanzig oder einen ganzen Monat gesagt hätte, so sehr lag ihm daran, angesichts dieser unerwarteten Neuigkeit Zeit zu gewinnen.

»Na wunderbar. Ihr überlegt euch einen Freundschaftspreis, und ich komme in drei Tagen wieder und hole sie ab.«

Er faltete die Zeichnungen zusammen und steckte sie sich vor unseren verblüfften Augen in die Tasche. Dann schüttelte er Fernando und Rino die Hand und wandte sich zur Tür.

»Die Zeichnungen«, sagte Lila kalt.

»Kann ich sie dir in drei Tagen vorbeibringen?«, fragte Stefano liebenswürdig und öffnete die Tür, ohne eine Antwort abzuwarten. Er ließ mir den Vortritt und ging hinaus.

Ich hatte mich schon neben ihn ins Auto gesetzt, als Lila zu uns kam. Sie war wütend:

»Glaubst du, mein Vater ist bescheuert, glaubst du, mein Bruder ist bescheuert?«

»Wie meinst du das?«

»Wenn du denkst, du kannst dich über meine Familie und mich lustig machen, dann hast du dich geschnitten!«

»Jetzt beleidigst du mich aber. Ich bin nicht Marcello Solara.«

»Und wer bist du dann?«

»Ein Geschäftsmann. Die Schuhe, die du entworfen hast, sind etwas Besonderes. Und ich meine nicht nur die, die ich gekauft habe, ich meine alle.«

»Na und?«

»Also lass mich nachdenken. Wir sehen uns in drei Tagen.«

Lila fixierte ihn, als wollte sie seine Gedanken lesen, sie trat nicht vom Auto zurück. Schließlich sagte sie etwas, was auszusprechen ich mich nie im Leben getraut hätte:

»Hör mal, Marcello hat schon alles mögliche versucht, um mich zu kaufen, aber mich kauft keiner.«

Stefano schaute ihr eine lange Sekunde in die Augen.

»Ich gebe nicht eine lausige Lira aus, wenn ich nicht davon überzeugt bin, dass sie mir nicht hundert bringen kann.«

Er ließ den Motor an, und wir fuhren los. Nun war ich mir sicher. Diese Fahrt war so etwas wie eine nach etlichen Treffen und nach vielen Gesprächen erreichte Einwilligung. Ich sagte matt auf Italienisch:

»Bitte, Stefano, lässt du mich an der Ecke raus? Wenn meine Mutter mich mit dir im Auto sieht, schlägt sie mich grün und blau.«

38

Lilas Leben veränderte sich in diesem September entscheidend. Es war nicht leicht, doch es veränderte sich. Was mich betraf, so war ich in Nino verliebt aus Ischia zurückgekehrt, gebrandmarkt von den Lippen und den Händen seines Vaters und fest davon überzeugt, dass ich wegen dieser Mischung aus Glück und Entsetzen, die ich in mir spürte, Tag und Nacht in Tränen zerfließen würde. Stattdessen machte ich nicht einmal den Versuch, meinen Gefühlen Ausdruck zu verleihen, alles reduzierte sich innerhalb weniger Stunden auf ein normales Maß. Ich verdrängte Ninos Stimme, den Widerwillen gegen den Bart seines Vaters. Die Insel verblasste und verschwand in einem verborgenen Winkel meines Kopfes. Ich schaffte Raum für das, was Lila erlebte.

In den drei Tagen, die auf die atemberaubende Fahrt mit dem Cabrio folgten, besuchte sie unter dem Vorwand, einzukaufen, häufig Stefanos Salumeria, bat mich aber jedes Mal, mitzukommen. Ich tat es mit Herzklopfen, voller Angst, Marcello könnte hereinplatzen, doch auch froh über meine Rolle als großzügig beratende Vertraute, als stille Komplizin, als scheinbares Objekt von Stefanos Aufmerksamkeit. Wir waren kleine Mädchen, auch wenn wir uns für schändlich skrupellos hielten. Mit der uns eigenen Leidenschaft schmückten wir die Tatsachen aus – Marcello, Stefano, die Schuhe – und glaubten, stets alles regeln zu können. »Ich sag' es ihm so«, nahm sie sich vor, und ich schlug eine kleine Änderung vor: »Nein, sag es ihm so.« Dann redeten Stefano und sie mit zusammengesteckten Köpfen in einer Ecke hinter dem Ladentisch, während Alfonso ein paar Worte mit mir wechselte, Pinuccia pikiert die Kunden bediente und Maria an der Kasse ihren Ältesten nicht aus den Augen ließ, der in letzter Zeit wenig Sinn für die Arbeit hatte und den Klatschmäulern Futter gab.

Natürlich improvisierten wir. In diesem ganzen Hin und Her versuchte ich, zu erkennen, was wirklich in Lilas Kopf vor sich ging, um mich auf ihre Ziele einzustellen. Anfangs hatte ich den Eindruck, sie wolle ihrem Vater und ihrem Bruder nur zu etwas Geld verhelfen, indem sie Stefano das einzige Paar Cerullo-Schuhe teuer verkaufte, doch schon bald schien sie mir nur darauf aus zu sein, Marcello loszuwerden und sich dazu des jungen Lebensmittelhändlers zu bedienen. Entscheidend dafür war ein Gespräch, bei dem ich sie fragte:

»Wen von den beiden findest du besser?«

Sie zuckte mit den Schultern.

»Marcello konnte ich noch nie leiden, er ist ein Kotzbrocken.«

»Du würdest dich mit Stefano verloben, nur um dir Marcello vom Hals zu schaffen?«

Sie dachte kurz nach und sagte ja.

Von nun an war das Hauptziel unseres heimlichen Wirkens folgendes: mit allen Mitteln zu verhindern, dass Marcello in Lilas Leben einbrach. Alles Übrige fügte sich beinahe zufällig, und wir beschränkten uns darauf, ihm eine Richtung und manchmal eine regelrechte Orchestrierung zu geben. Zumindest glaubten wir das. Wer allerdings wirklich die Fäden zog, war stets und ausschließlich Stefano.

Drei Tage später ging er pünktlich in die Werkstatt und kaufte die Schuhe, obwohl sie ihm zu klein waren. Fernando und Rino verlangten mit großem Zaudern fünfundzwanzigtausend Lire, waren jedoch sofort bereit, auf zehntausend herunterzugehen. Stefano zuckte nicht mit der Wimper und legte noch zwanzigtausend drauf, für Lilas Zeichnungen, die ihm, wie er sagte, sehr gefielen, er wollte sie rahmen lassen.

»Einrahmen?«, fragte Rino.

»Ja.«

»Wie ein Gemälde?«

»Ja.«

»Hast du meiner Schwester gesagt, dass du auch ihre Zeichnungen kaufst?«

»Ja.«

Doch dabei beließ Stefano es nicht. In den folgenden Tagen schaute er wieder in der Schusterei vorbei und eröffnete Vater und Sohn, er habe die an ihre Werkstatt grenzenden Räume gemietet. »Sie sind jetzt erst mal da«, sagte er. »Und wenn ihr euch irgendwann vergrößern wollt, denkt dran, dass ich euch zur Verfügung stehe.«

Bei den Cerullos beratschlagte man lange darüber, was dieser Satz zu bedeuten hatte. »Uns vergrößern?« Als Lila sah, dass sie nicht von allein darauf kamen, sagte sie:

»Er schlägt euch vor, aus der Werkstatt ein Geschäft zur Herstellung von Cerullo-Schuhen zu machen.«

»Und das Geld dafür?«, fragte Rino vorsichtig.

»Das steckt er hinein.«

»Das hat er dir gesagt?«, fragte der alarmierte Fernando zweifelnd und von Nunzia bedrängt.

»Das hat er euch gesagt«, sagte Lila und zeigte auf Vater und Bruder.

»Ist ihm klar, dass handgefertigte Schuhe teuer sind?«

»Das habt ihr ihm ja bewiesen.«

»Und wenn sie sich nicht verkaufen?«

»Dann habt ihr eure Arbeit in den Sand gesetzt und er sein Geld.«

»Und das war's?«

»Das war's.«

Es waren aufregende Tage für die ganze Familie. Marcello rückte in den Hintergrund. Er kam abends um halb neun, und das Essen war noch nicht fertig. Häufig fand er sich allein mit Melina und Ada vor dem Fernseher wieder, während die Cerullos in einem anderen Zimmer tuschelten.

Am meisten begeistert war natürlich Rino, der wieder Elan, Farbe und gute Laune bekam, und so, wie er dick befreundet mit den Solaras gewesen war, wurde er nun ein enger Freund von Stefano, Alfonso, Pinuccia und sogar von Donna Maria. Als Fernando endlich jeden Vorbehalt aufgab, kam Stefano in die Werkstatt, und nach einer kurzen Besprechung gelangte man zu einer mündlichen Vereinbarung, der zufolge Stefano alle Ausgaben bestreiten würde und die beiden Cerullos mit der Produktion sowohl des Modells beginnen würden, das Lila und Rino bereits fertiggestellt hatten, als auch mit allen anderen Modellen, immer unter der Voraussetzung, dass sie sich die eventuellen Gewinne je zur Hälfte teilten. Er zog die Entwürfe aus der Tasche und zeigte sie ihnen einen nach dem anderen.

»Ihr macht die, die und die«, sagte er. »Aber hoffentlich braucht ihr dazu nicht wieder zwei Jahre, wie es meines Wissens beim ersten Paar der Fall war.«

»Meine Tochter ist kein Mann«, rechtfertigte Fernando sich verlegen. »Und Rino hat den Beruf noch nicht richtig gelernt.«

Stefano schüttelte freundlich den Kopf.

»Lina lasst aus dem Spiel. Ihr solltet euch Gehilfen nehmen.«

»Und wer bezahlt die?«, fragte Fernando.

»Auch ich. Sucht euch zwei oder drei, frei nach eurer Wahl.«

Bei dem Gedanken, sogar Angestellte zu haben, fing Fernando Feuer, und zum sichtlichen Verdruss seines Sohnes löste sich seine Zunge. Er erzählte, wie er den Beruf von seinem seligen Vater gelernt hatte. Erzählte, wie schlimm die Arbeit an den Maschinen in Casoria gewesen sei. Erzählte, es sei ein Fehler gewesen, Nunzia zu heiraten, die schwache Hände und die Arbeit nicht erfunden habe; hätte er dagegen seine Jugendliebe Ines, die eine gute Arbeiterin sei, zur Frau genommen, hätte er schon längst seine eigene Firma gehabt, und zwar eine bessere als Campanile, mit einer Kollektion, die man vielleicht sogar in den Messehallen der Mostra d'Oltremare ausstellen könnte. Erzählte schließlich, er habe wunderbare Schuhe im Kopf, perfekte Ware, die sie, wenn Stefano sich nicht auf Linas verschrobene Modelle versteift hätte, nun in Angriff nehmen könnten, und wer weiß, wie viele sie davon verkaufen würden. Stefano hörte geduldig zu, bekräftigte dann aber, dass er vorerst nur daran interessiert sei, Lilas Entwürfe in höchster Qualität umgesetzt zu sehen. Rino nahm ihm die Zeichnungen seiner Schwester aus der Hand, betrachtete sie eingehend und fragte leicht spöttisch:

»Und wenn sie eingerahmt sind, wo hängst du sie dann auf?«

»Hier.«

Rino schaute zu seinem Vater, der wieder finster dreinblickte und kein Wort sagte.

»Ist meine Schwester denn mit allem einverstanden?«

Stefano grinste:

»Wer hätte denn Lust, irgendetwas zu tun, womit deine Schwester nicht einverstanden ist?«

Er stand auf, drückte Fernando kräftig die Hand und wandte sich zum Ausgang. Rino begleitete ihn zur Tür, und als Stefano zu seinem roten Cabrio ging, rief Rino ihm, plötzlich besorgt, von der Schwelle aus nach:

»Der Name der Schuhe bleibt aber Cerullo!«

Stefano winkte ihm, ohne sich umzudrehen:

»Eine Cerullo hat sie entworfen, und Cerullo sollen sie heißen.«

39

Bevor Rino am selben Abend mit Pasquale und Antonio ausging, sagte er zu Marcello:

»Marcè, hast du gesehen, was für einen Flitzer sich Stefano zugelegt hat?«

Marcello, der dumpf und niedergeschlagen vor dem eingeschalteten Fernseher saß, antwortete nicht.

Da zog Rino seinen Kamm aus der Tasche, fuhr sich damit durchs Haar und warf fröhlich hin:

»Weißt du, dass er unsere Schuhe für fünfundvierzigtausend gekauft hat?«

»Offenbar kann er es sich leisten, Geld aus dem Fenster zu schmeißen«, gab Marcello zurück, und Melina kicherte, ob über diese Antwort oder über das, was im Fernsehen lief, war nicht zu erkennen.

Abend für Abend nutzte Rino nun jede Gelegenheit, um Marcello zu reizen. Die Atmosphäre wurde immer angespannter. Zudem verschwand Lila, kaum dass der von Nunzia stets freundlich begrüßte Marcello erschien, und behauptete, sie sei müde, sie gehe ins Bett. Einmal sprach Marcello, der sehr deprimiert war, Nunzia darauf an.

»Wenn Ihre Tochter schlafen geht, sobald ich komme, wozu komme ich dann überhaupt?«

Offensichtlich hoffte er, sie würde ihn trösten, ihm etwas sagen, das ihn dazu ermutigte, in seinem Bemühen, Lilas Liebe zu erobern, nicht nachzulassen. Doch Nunzia war um eine Antwort verlegen, und so brummte er:

»Hat sie einen andern?«

»Aber nein.«

»Ich weiß, dass sie bei Stefano einkaufen geht.«

»Wo sollte sie denn sonst einkaufen, mein Sohn?«

Marcello schwieg mit gesenktem Blick.

»Man hat sie im Auto mit ihm gesehen.«

»Lenuccia war doch auch dabei. Stefano hat ein Auge auf die Pförtnertochter geworfen.«

»Ich glaube, Lenuccia ist kein guter Umgang für Ihre Tochter. Verbieten Sie ihr, sich weiter mit ihr zu treffen.«

Ich war kein guter Umgang? Lila sollte sich nicht mehr mit mir treffen? Als meine Freundin mir von Marcellos

Ansinnen erzählte, ergriff ich endgültig Partei für Stefano und begann dessen taktvolles Verhalten und seine ruhige Entschlossenheit zu loben. Am Ende sagte ich: »Er ist reich.« Noch während ich das sagte, wurde mir bewusst, dass der Reichtum, von dem wir als Kinder geträumt hatten, sich weiter veränderte. Die Schatztruhen voller Goldstücke, die ein langer Zug livrierter Diener in unser Schloss bringen würde, nachdem wir ein Buch wie *Betty und ihre Schwestern* veröffentlicht hätten – Reichtum und Ruhm – waren endgültig verblasst. Geblieben war vielleicht die Vorstellung vom Geld als Zement, der unsere Existenz stabilisierte und verhinderte, dass sie ihre Konturen verlor und sich auflöste, zusammen mit den Menschen, die wir liebten. Doch sein nun vorherrschendes Merkmal war Konkretheit, das Alltagsgeschäft, das Verhandeln. Dieser jugendliche Reichtum ging zwar von einer phantastischen, noch kindlichen Eingebung aus – den Zeichnungen nie dagewesener Schuhe –, hatte sich aber in der aggressiven Unzufriedenheit Rinos, der auf großem Fuß leben wollte, manifestiert, im Fernseher, in den Süßigkeiten, im Ring von Marcello, der sich ein Gefühl erkaufen wollte, und schließlich nach und nach auch in diesem höflichen jungen Mann Stefano, der Aufschnitt verkaufte, ein rotes Cabrio fuhr, fünfundvierzigtausend Lire ausgab, als wären sie ein Klacks, Schuhbildchen rahmen ließ und nicht nur mit Käse, sondern auch mit Schuhen handeln wollte, der in Leder und Arbeitskraft investierte und davon überzeugt zu sein schien, eine neue

Epoche von Frieden und Wohlstand für den Rione einleiten zu können. Mit einem Wort, dieser Reichtum steckte in den Alltagsdingen und war daher ohne Glanz und Ruhm.

»Er ist reich«, wiederholte Lila, und wir lachten los. Doch dann fügte sie hinzu: »Und auch nett, auch anständig.« Ich stimmte sofort zu, diese beiden Eigenschaften besaß Marcello nicht, ein Grund mehr, Stefano vorzuziehen. Trotzdem irritierten mich diese Adjektive. Ich ahnte, dass sie unseren leuchtenden Kindheitsphantasien den Todesstoß versetzten. Kein Schloss, keine Schatztruhe – glaubte ich zu verstehen – würden noch ausschließlich Lila und mich betreffen, die wir uns über die Niederschrift einer Geschichte wie *Betty und ihre Schwestern* beugten. Der Reichtum, verkörpert von Stefano, nahm nun die Gestalt eines jungen Mannes in einem fettfleckigen Kittel an, erhielt ein Gesicht, einen Geruch, eine Stimme, drückte Nettigkeit und Anständigkeit aus, war ein Mann, den wir seit jeher kannten, der älteste Sohn von Don Achille.

Ich wurde unruhig.

»Aber er wollte dir in die Zunge stechen«, sagte ich.

»Da war er ein kleiner Junge«, sagte sie gerührt und zuckersüß, wie ich sie noch nie erlebt hatte, und so merkte ich, dass sie tatsächlich schon viel weiter war, als sie mir erzählt hatte.

In den folgenden Tagen wurden die Dinge klarer. Ich sah, wie sie mit Stefano redete und wie ihre Stimme ihn einzuwickeln schien. Ich schloss mich dem Pakt an, den sie eingingen, wollte nicht abseits stehen. Stundenlang schmiedeten wir Pläne – wir zwei, wir drei –, um zu bewirken, dass sich Menschen, Gefühle und Konstellationen schnellstens änderten. Ein Arbeiter kam in die Räume neben der Schusterei und riss die Trennwand heraus. Die Werkstatt wurde umgebaut. Drei Lehrlinge tauchten auf, Jungen aus der Provinz, aus Melito, sehr wortkarg. Sie saßen in einer Ecke und besohlten weiterhin Schuhe, während Fernando die restlichen Räume mit Arbeitsbänken, Wandregalen, seinem Werkzeug und seinen nach Größe sortierten Leisten einrichtete und laut über die weitere Vorgehensweise nachdachte, mit einer Energie, die man einem so spindeldürren, seit jeher von einer grollenden Unzufriedenheit zerfressenen Mann nicht zugetraut hätte.

Genau an dem Tag, als die neue Arbeit beginnen sollte, schaute Stefano herein. Er brachte ein in Papier gewickeltes Paket mit. Alle sprangen auf, auch Fernando, als wäre Stefano zu einer Inspektion gekommen. Er öffnete das Paket, und darin war eine beachtliche Zahl kleiner, gleich großer Bilder, von braunen Zierleisten gerahmt. Es waren Lilas Schulheftblätter, unter Glas wie kostbare Reliquien. Er bat Fernando um die Erlaubnis, sie an die Wand zu hängen, Fernando knurrte etwas, und Stefano ließ sich von Rino und den Lehrjungen beim Einschlagen der Nägel helfen. Als die Bilder hingen, forderte Stefano die drei Gehilfen auf, einen Kaffee trinken zu gehen, und gab ihnen ein paar Lire. Sobald er mit dem Schuster und dessen Sohn allein war, erklärte er mit leiser Stimme, er wolle Lila heiraten.

Ein unerträgliches Schweigen breitete sich aus. Rino beschränkte sich auf ein wissendes Grinsen. Schließlich sagte Fernando matt:

»Stefano, Lina ist mit Marcello Solara verlobt.«

»Davon weiß Ihre Tochter aber nichts.«

»Was soll das heißen?«

Rino schaltete sich freudestrahlend ein:

»Er sagt die Wahrheit. Du und Mama lasst diesen Scheißkerl andauernd zu uns nach Hause kommen, dabei wollte Lina ihn nie, und sie will ihn auch jetzt nicht.«

Fernando schaute seinen Sohn bitterböse an. Stefano sagte mit einem Blick in die Runde freundlich:

»Wir haben gerade ein gemeinsames Werk begonnen, es sollte kein böses Blut zwischen uns geben. Ich bitte Sie nur um eines, Don Fernà. Lassen Sie Ihre Tochter selbst entscheiden. Wenn sie Marcello Solara will, werde ich mich damit abfinden. Ich liebe sie so sehr, dass ich mich zurückziehe, wenn sie mit einem anderen glücklich ist, und zwischen Ihnen und mir bleibt alles, wie es jetzt ist. Falls sie aber mich will – falls sie mich will –, dann müssen Sie sie mir geben, daran führt kein Weg vorbei.«

»Du drohst mir«, sagte Fernando, jedoch kraftlos, im Ton einer resignierten Feststellung.

»Nein. Ich bitte Sie, das Beste für Ihre Tochter zu tun.«

»Ich weiß schon, was das Beste für sie ist.«

»Ja, aber sie weiß es besser als Sie.«

An diesem Punkt stand Stefano auf, öffnete die Tür und rief mich herein, mich, die ich draußen mit Lila wartete.

»Lenù!«

Wir traten ein. Es gefiel uns großartig, uns im Mittelpunkt der Geschehnisse zu fühlen, wir beide zusammen, und deren Ausgang zu bestimmen. Ich erinnere mich noch, wie aufgeheizt die Stimmung damals war. Stefano sagte zu Lila:

»Ich sage es dir im Beisein deines Vaters: Ich liebe dich sehr, mehr als mein Leben. Möchtest du mich heiraten?«

Lila antwortete ernst:

»Ja.«

Fernando verhaspelte sich ein wenig, dann brummte er mit der gleichen Ergebenheit, die er in früheren Zeiten Don Achille gegenüber bewiesen hatte:

»Wir stoßen nicht nur Marcello vor den Kopf, sondern alle Solaras. Wer soll ihm das denn jetzt beibringen, dem armen Kerl?«

Lila sagte:

»Ich.«

40

Tatsächlich fragte Lila Marcello vor der ganzen Familie, mit Ausnahme von Rino, der sich außer Haus amüsierte, zwei Abende später, noch bevor man sich an den Tisch setzte und bevor der Fernseher eingeschaltet wurde:

»Lädst du mich zu einem Eis ein?«

Marcello traute seinen Ohren nicht.

»Eis? Ohne vorher zu essen? Ich und du?« Sofort fragte er Nunzia: »Signora, möchten Sie auch mitkommen?«

Nunzia stellte den Fernseher an und sagte:

»Nein, danke, Marcè. Aber bleibt nicht zu lange. Nicht mehr als zehn Minuten, nur auf einen Sprung.«

»Ja«, versprach er glücklich. »Danke!«

Er bedankte sich mindestens noch viermal. Er glaubte, nun sei der langersehnte Augenblick gekommen und Lila wolle ihm ihr Jawort geben.

Doch kaum waren sie aus dem Haus, trat sie ihm entgegen und erklärte mit der eiskalten Bosheit, zu der sie seit frühester Kindheit fähig war:

»Ich habe dir nie gesagt, dass ich dich will.«

»Ich weiß. Und willst du mich jetzt?«

»Nein.«

Marcello, ein großer, stämmiger Kerl von dreiundzwanzig Jahren, gesund und temperamentvoll, lehnte sich mit gebrochenem Herzen an einen Laternenpfahl.

»Wirklich nicht?«

»Nein. Ich liebe einen anderen.«

»Wen denn?«

»Stefano.«

»Ich wusste es, ich konnte es nur nicht glauben.«

»Das solltest du aber, es ist so.«

»Ich bringe euch um, alle beide!«

»Mit mir kannst du das ja gleich versuchen.«

Marcello löste sich wütend von der Laterne und biss sich mit einer Art Grunzen die rechte Faust blutig.

»Ich liebe dich zu sehr, ich kann es nicht.«

»Dann schick doch deinen Bruder, deinen Vater oder einen eurer Freunde, womöglich können die es ja. Aber mach allen klar, dass sie zuerst mich umbringen müssen. Denn wenn ihr irgendwen anrührt, solange ich noch am Leben bin, bringe nämlich ich euch um. Du weißt, dass ich das tue, und mit dir fange ich an.«

Marcello biss sich noch immer krampfhaft in die Hand. Dann entfuhr ihm ein unterdrücktes Schluchzen, das seine Brust schüttelte, er drehte sich um und ging.

Sie schrie ihm nach:

»Schick jemanden vorbei, der den Fernseher abholt, wir brauchen den nicht!«

41

Das alles geschah in wenig mehr als einem Monat, und Lila schien mir am Ende glücklich zu sein. Sie hatte eine Absatzmöglichkeit für ihr Schuhprojekt gefunden, hatte ihrem Bruder und der ganzen Familie zu einer guten Arbeit verholfen, hatte sich Marcello Solara vom Hals geschafft und war die Verlobte des achtbarsten vermögenden jungen Mannes des Rione geworden. Was konnte sie sich mehr wünschen? Nichts. Sie hatte alles. Als die Schule wieder losging, kam sie mir noch eintöniger vor als sonst. Das Lernen nahm mich ganz in Anspruch, und damit die Lehrer mich nicht unvorbereitet ertappten, büffelte ich wieder bis nachts um elf und stellte mir den Wecker auf halb sechs Uhr morgens. Lila sah ich immer seltener.

Dafür entwickelte sich ein engeres Verhältnis zwischen mir und Stefanos Bruder Alfonso. Obwohl er den ganzen Sommer über in der Salumeria gearbeitet hatte, bestand er die Nachprüfungen mit Bravour, mit einer Sieben in allen Fächern, die er wiederholen musste: Latein, Griechisch und Englisch. Das war ein harter Schlag für Gino, der sich gewünscht hatte, dass Alfonso durchfiel, damit sie die erste Klasse des Gymnasiums gemeinsam wiederholen konnten. Als er sah, dass wir beide, nun in der zweiten Gymnasialklasse, jeden Tag zusammen zur Schule und nach Hause gingen, wurde er noch verbissener und geradezu gehässig. Er sprach kein Wort mehr, weder mit mir, seiner Exfreundin, noch mit Alfonso, seinem Exbanknachbarn, und dies, obwohl er im Klassenzimmer neben unserem saß und wir uns oft auf dem Flur begegneten und nicht nur auf den Straßen im Rione. Doch damit nicht genug. Mir wurde schon bald zugetragen, dass er Gemeinheiten über uns verbreitete. Er behauptete, ich sei verliebt in Alfonso und würde ihn im Unterricht anfassen, obwohl er meine Gefühle nicht erwiderte, denn, wie er, Gino, der ein Jahr neben ihm gesessen hatte, genau wisse, habe Alfonso für Mädchen nichts übrig, er stehe auf Jungs. Das erzählte ich dem jüngeren der Carracci-Brüder und rechnete damit, dass er Gino verprügelte, wie es in solchen Fällen unumgänglich war, doch Alfonso beschränkte sich darauf, verächtlich im Dialekt zu sagen: »Die Schwuchtel ist er, das weiß doch jeder.«

Alfonso war eine angenehme, wunderbare Entdeckung. Von ihm ging etwas Reines, Wohlerzogenes aus. Obwohl sein Gesicht dem von Stefano sehr ähnelte – die gleichen Augen, die gleiche Nase, der gleiche Mund –, obwohl sein heranwachsender Körper sich genauso entwickelte wie der seines Bruders – ein großer Kopf, etwas zu kurze Beine im Verhältnis zum Oberkörper – und obwohl er in seinem Blick und in seinen Gesten die gleiche Sanftmut wie Stefano offenbarte, fiel mir an ihm das völlige Fehlen jener Entschlossenheit auf, die sich in jeder von Stefanos Zellen verbarg und die dessen Liebenswürdigkeit in meinen Augen auf eine Art Versteck reduzierte, aus dem man unverhofft hervorbrechen konnte. Alfonso war ein Junge, der beruhigend wirkte, von der im Rione seltenen Sorte Mensch, bei der man wusste, dass man nichts Böses von ihr zu erwarten hatte. Wir gingen nebeneinanderher, ohne viel zu reden, waren aber nicht verlegen. Er hatte stets, was ich brauchte, und wenn er es nicht hatte, beeilte er sich, es zu besorgen. Er liebte mich ohne jede Aufregung, und auch ich fasste eine ruhige Zuneigung zu ihm. Am ersten Schultag setzten wir uns schließlich auf dieselbe Bank, was damals gewagt war, und obwohl die anderen Jungen ihn aufzogen, weil er ständig um mich herum war, und die Mädchen mich in einer Tour fragten, ob wir ein Paar seien, wollte sich keiner von uns beiden wegsetzen. Er war eine treue Seele. Wenn er sah, dass ich Zeit für mich brauchte, wartete er entweder abseits auf mich oder verabschiedete sich und ging weg. Wenn er merkte, dass ich ihn gern bei mir hätte, blieb er, auch wenn er etwas anderes zu tun hatte.

Ich benutzte ihn, um Nino Sarratore auszuweichen. Als wir uns das erste Mal nach Ischia von Weitem sahen, kam Nino sofort sehr freundlich auf mich zu, doch ich speiste ihn mit einigen kühlen Sätzen ab. Dabei mochte ich ihn sehr. Seine hochgewachsene, schmale Gestalt brauchte nur aufzutauchen, damit ich rot wurde und mein Herz wie verrückt hämmerte. Doch nun, da Lila wirklich, offiziell, verlobt war – und mit was für einem Verlobten, mit einem zweiundzwanzigjährigen Mann, freundlich, entschlossen, mutig, und nicht mit einem kleinen Jungen –, war es dringender denn je nötig, dass ich ebenfalls einen Verlobten fand, um den man mich beneiden konnte, und ich so unser Verhältnis wieder ins Gleichgewicht brachte. Es wäre herrlich, zu viert auszugehen, Lila mit ihrem Freund und ich mit meinem. Gewiss, Nino hatte kein rotes Cabrio. Gewiss, er besuchte die zweite Klasse der gymnasialen Oberstufe und hatte nicht eine Lira. Doch er war zwanzig Zentimeter größer als ich, während Stefano einige Zentimeter kleiner war als Lila. Und er sprach, wenn ihm danach war, ein druckreifes Italienisch. Er las und dachte über alles nach, und er war empfänglich für die großen Fragen der Menschheit, während Stefano nur in seiner Salumeria lebte, fast ausschließlich Dialekt sprach, über die ersten Schuljahre nicht hinausgekommen war, an der Ladenkasse seine Mutter sitzen hatte, die besser rechnen konnte als er, und, obwohl er einen guten Charakter hatte, vor allem für einen gewinnbringenden Geldverkehr empfänglich war. Trotzdem, sosehr mich diese Leidenschaft auch verschlang, so deutlich ich auch sah, wie viel ich in Lilas Augen an Ansehen gewinnen könnte, wenn ich Nino zum Freund nähme, wollte ich zum zweiten Mal, seit ich ihn gesehen und mich in ihn verliebt hatte, keine Beziehung mit ihm eingehen. Meine Beweggründe schienen mir wesentlich solider zu sein als damals, in unserer Kindheit. Wenn ich ihn sah, kam mir sofort Donato Sarratore in den Sinn, auch wenn die beiden sich überhaupt nicht ähnelten. Den Abscheu und die Wut, die die Erinnerung an das weckten, was sein Vater mit mir getan hatte, ohne dass ich fähig gewesen war, ihn zurückzuweisen, übertrug ich auf Nino. Gewiss, ich liebte ihn. Ich sehnte mich danach, mit ihm zu sprechen, mit ihm spazieren zu gehen, und manchmal dachte ich ärgerlich: ›Warum benimmst du dich bloß so, der Vater ist nicht der Sohn, der Sohn ist nicht der Vater, verhalte dich so, wie Stefano sich zu den Pelusos verhalten hat.‹ Doch ich konnte es nicht. Sobald ich mir vorstellte, Nino zu küssen, spürte ich Donatos Mund, und eine Welle von Lust und Ekel verwirbelte Vater und Sohn zu einer einzigen Person.

Die Dinge komplizierten sich zudem durch ein Ereignis, das mich beunruhigte. Alfonso und ich hatten uns mittlerweile angewöhnt, zu Fuß nach Hause zu gehen. Wir passierten die Piazza Nazionale und erreichten den Corso Meridionale. Der Weg war lang, doch wir sprachen über Hausaufgaben, Lehrer, Klassenkameraden und fühlten uns wohl. Bis ich mich kurz nach den Teichen, beim Einbiegen in den Stradone umdrehte und glaubte, auf dem Bahndamm Donato Sarratore in seiner Schaffneruniform zu erkennen. Wütend und erschreckt zuckte ich zusammen und wandte sofort den Blick ab. Als ich wieder hinschaute, war er nicht mehr da.

Egal ob diese Erscheinung nun echt oder eine Täuschung gewesen war, das Geräusch, das mein Herz gemacht hatte – es hatte wie ein Schuss geklungen –, prägte sich mir tief ein, und seltsamerweise fiel mir die Stelle aus Lilas Brief über den Knall wieder ein, mit dem der Kupfertopf zersprungen war. Bereits am nächsten Tag gab es das gleiche Geräusch erneut, bei Ninos bloßem

Anblick. Also versteckte ich mich erschrocken hinter meiner Zuneigung zu Alfonso und blieb sowohl auf dem Weg zur Schule als auch auf dem Heimweg ständig in seiner Nähe. Sobald die spindeldürre Gestalt des Jungen, den ich liebte, auftauchte, wandte ich mich an Don Achilles jüngsten Sohn, als hätte ich etwas furchtbar Dringendes mit ihm zu besprechen, und wir entfernten uns angeregt plaudernd.

Alles in allem war es eine verworrene Zeit. Am liebsten hätte ich mich an Nino geschmiegt, stattdessen klebte ich geflissentlich an Alfonso. Aus Angst, dass ich ihn langweilen und er mich wegen anderer Mädchen verlassen könnte, war ich stets ausgesprochen liebenswürdig zu ihm, mit manchmal sogar honigsüßer Stimme. Doch sobald ich bemerkte, dass ich ihn in seiner Zuneigung zu mir bestärkte, schlug ich einen anderen Ton an. ›Was, wenn er mich falsch versteht und mir eine Liebeserklärung macht?‹, fragte ich mich besorgt. Das wäre heikel gewesen, denn ich hätte ihn zurückweisen müssen. Lila, die so alt war wie ich, hatte sich mit einem gestandenen Mann wie Stefano verlobt, daher wäre es peinlich gewesen, wenn ich mich mit einem Schuljungen abgegeben hätte, mit dem kleinen Bruder ihres Verlobten. Trotzdem schlug mein Kopf unkontrollierte Kapriolen, ich gab mich meinen Phantasien hin. Als ich einmal mit Alfonso auf dem Corso Meridionale nach Hause ging, spürte ich ihn neben mir wie einen Schildknappen, der mich durch die unzähligen Gefahren der Stadt geleitete, und ich fand es wunderbar, dass den zwei Carracci-Brüdern Stefano und Alfonso die Aufgabe zuteilgeworden war, Lila und mich, wenn auch auf unterschiedliche Weise, vor dem finstersten Unheil der Welt zu beschützen, vor dem gleichen Unheil, das wir erstmals gespürt hatten, als wir die Treppe zu ihrer Wohnung hinaufgegangen waren, um uns die Puppen zurückzuholen, die ihr Vater uns gestohlen hatte.

42

Es machte mir Spaß, solche Zusammenhänge aufzuspüren, besonders, wenn sie mit Lila zu tun hatten. Ich zog Verbindungen zwischen weit auseinanderliegenden Augenblicken und Ereignissen, leitete Übereinstimmungen und Unterschiede ab. Das wurde damals zu einer alltäglichen Übung. So gut es mir auf Ischia ergangen war, so schlecht war es Lila in der Trostlosigkeit des Rione ergangen; sosehr ich gelitten hatte, als ich die Insel verließ, so sehr hatte sie ihr wachsendes Glück genossen. Es war, als wäre die Freude oder der Schmerz der einen wie durch einen bösen Zauber die Voraussetzung für den Schmerz oder die Freude der anderen. Auch unser Äußeres schien diesem Auf und Ab zu unterliegen. Auf Ischia hatte ich mich schön gefühlt, und auch nach meiner Rückkehr nach Neapel war dieses Gefühl nicht verblasst, im Gegenteil, während des eifrigen Pläneschmiedens an Lilas Seite, das ihr helfen sollte, sich Marcello vom Hals zu schaffen, hatte es sogar Momente gegeben, in denen ich mich wieder schöner als sie gefühlt hatte, und in manchen von Stefanos Blicken hatte ich die Möglichkeit aufgespürt, dass ich ihm gefiel. Doch nun war wieder Lila im Vorteil. Ihre Zufriedenheit hatte ihre Schönheit vervielfacht, während ich, von den schulischen Strapazen überrollt und durch meine unterdrückte Liebe zu Nino zermürbt, nun wieder hässlich wurde. Meine gesunde Gesichtsfarbe verblasste, die Akne kam wieder. Und eines Morgens drohte mir plötzlich auch noch eine Brille.

Professor Gerace stellte mir Fragen zu dem, was er an die Tafel geschrieben hatte, und bemerkte, dass ich so gut wie nichts sah. Er trug mir auf, schnellstens zum Augenarzt zu gehen, schrieb es mir in mein Heft und verlangte, dass ich ihm tags darauf die Unterschrift meiner Mutter oder meines Vaters brachte. Ich kam nach Hause, zeigte mein Heft vor und hatte ein schlechtes Gewissen wegen der Kosten, die die Brille verursachen würde. Das Gesicht meines Vaters verfinsterte sich, und meine Mutter schrie mich an: »Immer sitzt du über den Büchern, jetzt hast du dir die Augen verdorben!« Das verletzte mich sehr. Wurde ich also für den Hochmut bestraft, lernen zu wollen? Und Lila? Hatte sie nicht viel mehr gelesen als ich? Aber warum hatte sie dann tadellose Augen, während meine immer schlechter wurden? Warum würde ich mein Leben lang eine Brille brauchen und sie nicht?

Die Notwendigkeit, eine Brille zu tragen, verstärkte meine Manie, ein Muster zu entdecken, das im Guten wie im Bösen mein Schicksal mit dem meiner Freundin verband: ich blind wie ein Huhn, sie ein Adlerauge; ich mit getrübtem Blick, sie diejenige, die schon immer die Augen zusammengekniffen hatte, um Blicke abzuschießen, die mehr sahen; ich im Dunkeln an ihren Arm geklammert, sie, die mich mit strengem Blick führte. Schließlich trieb mein Vater mit seinem Gemauschel im Rathaus das nötige Geld auf. Die Phantastereien ließen nach. Ich ging zum Augenarzt, man diagnostizierte eine starke Kurzsichtigkeit, die Brille wurde Wirklichkeit. Als ich in den Spiegel schaute, war mein viel zu klares Bild ein herber Schlag: unreine Haut, ein breites Gesicht, ein großer Mund, eine Knollennase und die Augen eingezäunt von einem Brillengestell, das ein tollwütiger Zeichner mit großer Verbissenheit unter die ohnehin zu dichten Brauen gemalt zu haben schien. Ich fühlte mich endgültig entstellt und beschloss, die Brille nur zu Hause zu tragen oder höchstens noch, wenn ich etwas von der Tafel abschreiben musste. Eines Vormittags vergaß ich sie beim Verlassen des Klassenraums auf der Bank. Ich rannte zurück, doch das Schlimmste war schon geschehen. In der wilden Hast, die uns alle befiel, sobald das letzte Klingeln ertönte, war sie auf dem Boden gelandet. Ein Bügel und ein Glas waren kaputt. Ich brach in Tränen aus.

Ich traute mich nicht nach Hause, flüchtete hilfesuchend zu Lila. Ich erzählte ihr von meinem Unglück, sie ließ sich die Brille geben und untersuchte sie. Sie sagte, ich solle sie bei ihr lassen. Ihre Entschlossenheit klang anders als sonst, ruhiger, als wäre es nun nicht mehr nötig, wegen jeder Kleinigkeit bis aufs Messer zu kämpfen. Ich vermutete irgendein wundersames Eingreifen von Rino mit seinem Schusterwerkzeug und ging in der Hoffnung nach Hause, meine Eltern würden nicht bemerken, dass ich ohne Brille kam.

Einige Tage darauf hörte ich am späten Nachmittag, dass mich jemand vom Hof aus rief. Unten stand Lila mit meiner Brille auf der Nase, und zunächst fiel mir nicht so sehr auf, dass sie wie neu war, sondern eher, dass sie Lila kleidete. Ich stürmte nach unten und dachte: ›Wieso steht ihr die Brille so gut, obwohl sie gar keine braucht, während sie mir, die ich nicht darauf verzichten kann, das Gesicht ruiniert?‹ Als ich an der Haustür erschien, nahm sie die Brille belustigt ab und blinzelte. »Sie ist nicht gut für meine Augen«, sagte sie und setzte sie mir auf die Nase. Dabei rief sie: »Wie toll du damit aussiehst! Du solltest sie immer tragen.« Sie hatte die Brille Stefano gegeben, der sie bei einem Optiker im Zentrum hatte reparieren lassen. Verlegen murmelte ich, dass ich ihr das nie vergelten könnte, und sie gab spöttisch und wohl mit einer Spur Bosheit zurück:

»Vergelten, wie meinst du das?«

»Na, mit Geld.«

Sie lächelte, dann sagte sie stolz:

»Nicht nötig, von jetzt an tue ich mit Geld, was mir Spaß macht.«

43

Das Geld verstärkte meinen Eindruck noch, dass sie das hatte, was mir fehlte, und umgekehrt, in einem fortwährenden Spiel von Wandlungen und Kehrtwendungen, die uns, mal fröhlich, mal schmerzhaft, einander unentbehrlich werden ließen.

»Sie hat Stefano«, überlegte ich nach der Geschichte mit der Brille. »Sie schnippt mit dem Finger, und sofort lässt er sie für mich reparieren. Und was habe ich?«

Ich antwortete mir, ich hätte ja die Schule, ein Privileg, das sie für immer verloren hatte. ›Das ist mein Reichtum‹, versuchte ich mir einzureden. Tatsächlich begannen alle Lehrer mich auch in diesem Jahr wieder zu loben. Meine Noten wurden immer brillanter, und sogar der Fernkurs in Theologie lief sehr gut, ich erhielt zur Belohnung eine Bibel mit schwarzem Einband.

Ich stellte meine Erfolge zur Schau wie das silberne Armband meiner Mutter, wusste allerdings nicht, was ich mit meinem Können anfangen sollte. In meiner Klasse war niemand, mit dem ich mich über die Dinge, die ich las, und über die Gedanken, die mir durch den Kopf gingen, hätte austauschen können. Alfonso war zwar ein fleißiger Junge, nach seinem Durchhänger im letzten Schuljahr kam er nun wieder in die Spur und war in allen Fächern besser als ausreichend, aber als ich versuchte, mit ihm über Manzonis *Die Verlobten* zu reden oder über die wunderbaren Romane, die ich mir weiterhin in Maestro Ferraros Bibliothek auslieh, oder sogar über den Heiligen Geist, begnügte er sich damit zuzuhören und sagte aus Schüchternheit oder Unwissenheit nichts, was meine Gedanken vorangetrieben hätte. Und während er bei den Prüfungen in der Schule ein gutes Italienisch sprach, gab er im vertrauten Gespräch den Dialekt nie auf, doch sich im Dialekt über die Verkommenheit der irdischen Gerechtigkeit Gedanken zu machen, war schwer, wie man an dem Mittagsmahl in Don Rodrigos Haus sehen konnte, oder über die Beziehung zwischen Gott, dem Heiligen Geist und Jesus, die, obwohl sie nur ein einziges Wesen waren, sich meiner Ansicht nach zwangsläufig in eine Rangfolge einordnen müssten, wenn sie sich in drei aufgliederten. Aber wer kam dann als Erster, wer als Letzter?

Mir fiel wieder ein, was Pasquale gesagt hatte: Meine Schule gehörte, obwohl sie ein humanistisches Gymnasium war, wohl nicht zu den besten. Ich kam zu dem Schluss, dass er recht hatte. Nur selten sah ich meine Klassenkameradinnen so gut gekleidet wie die Mädchen aus der Via dei Mille. Und nie wurden sie nach der Schule von eleganten jungen Männern mit Autos abgeholt, die luxuriöser waren als das von Marcello oder das von Stefano. Auch die intellektuellen Leistungen ließen zu wünschen übrig. Der einzige Junge, der einen ähnlichen Ruf wie ich genoss, war Nino, doch nach der Kälte, mit der ich ihn hatte abblitzen lassen, verzog er sich stets mit gesenktem Kopf, ohne mich auch nur anzusehen. Was also tun?

Ich musste mit jemandem sprechen, mein Kopf quoll

über. Ich lief wieder zu Lila, vor allem an den schulfreien Tagen. Wir trafen uns, unterhielten uns zu zweit. Ich erzählte ihr haarklein von der Schule, von den Lehrern. Sie hörte mir aufmerksam zu, und ich hoffte, sie würde neugierig werden und sofort wieder heimlich oder unverhohlen loslaufen, um sich die Bücher zu besorgen, die es ihr ermöglichten, mit mir Schritt zu halten. Doch das geschah nie, es war, als hielte eine Hälfte von ihr die andere fest an der Leine. Sie hatte vielmehr die Neigung, unvermittelt und für gewöhnlich spöttisch dazwischenzureden. So erzählte ich ihr einmal von meinem Theologiekurs und erwähnte, um sie mit den Problemen zu beeindrucken, mit denen ich mich herumschlug, dass ich nicht wisse, was ich vom Heiligen Geist halten sollte, dass mir nicht klar sei, welche Funktion er habe. »Was ist das«, überlegte ich laut, »ein untergeordnetes Wesen im Dienst sowohl Gottes als auch Jesu, so eine Art Bote? Oder eine Emanation dieser beiden, ihr wundersames Fluidum? Aber wie kann es dann sein, dass, im ersten Fall, ein Wesen, das den Boten spielt, mit Gott und dessen Sohn eins ist? Wäre das nicht so, als würde man sagen, mein Vater, der Pförtner in der Stadtverwaltung, sei eins mit dem Bürgermeister, mit Comandante Lauro? Und nimmt man dagegen den zweiten Fall, nun ja: Ein Fluidum, der Schweiß, die Stimme sind Teil der Person, von der sie ausgehen. Welchen Sinn hat es da, den Heiligen Geist als getrennt von Gott und Jesus anzusehen? Entweder ist der Heilige Geist die wichtigste Person und die anderen zwei sind seine Daseinsform, oder ich begreife nicht, wozu er da ist.« Ich weiß noch, dass Lila damals damit beschäftigt war, sich zurechtzumachen, um mit Stefano auszugehen. Sie wollten mit Pinuccia, Rino und Alfonso in ein Kino im Zentrum. Ich schaute ihr zu, wie sie einen neuen Rock anzog, eine neue Jacke, und sie war nun wirklich ein anderer Mensch, auch ihre Fesseln waren nicht mehr streichholzdünn. Doch ich sah auch, dass sie die Augen zusammenkniff, als wollte sie etwas Flüchtiges einfangen. Im Dialekt sagte sie: »Verplemperst du deine Zeit immer noch mit solchem Zeug, Lenù? Wir sitzen auf einem Feuerball. Der Teil, der sich abgekühlt hat, schwimmt auf der glühenden Lava. Auf diesem Teil bauen wir Häuser, Brücken, Straßen. Von Zeit zu Zeit kommt die Lava aus dem Vesuv oder sorgt für ein Erdbeben, das alles zerstört. Überall gibt es Mikroben, die dich krank machen und umbringen. Es gibt Kriege. Es herrscht eine Armut ringsherum, die uns alle verrohen lässt. Jeden Augenblick kann was passieren, was dir so viel Leid zufügt, dass du niemals genug Tränen dafür hast. Und was machst du? Einen Theologiekurs, in dem du angestrengt versuchst, herauszukriegen, was der Heilige Geist ist? Lass es gut sein, der Teufel hat die Welt gemacht, nicht Vater, Sohn und Heiliger Geist. Willst du die Perlenkette sehen, die Stefano mir geschenkt hat?« Ungefähr so redete sie und brachte mich durcheinander. Und nicht nur bei dieser Gelegenheit, sondern immer häufiger, bis dieser Ton gang und gäbe wurde, zu ihrer Art wurde, mir Paroli zu bieten. Wenn ich eine Bemerkung zur Heiligen Dreifaltigkeit fallenließ, wischte sie mit ein paar schnellen, doch fast immer gutmütigen Sätzen jede Möglichkeit eines Gesprächs weg und zeigte mir stattdessen Stefanos Geschenke, den Verlobungsring, die Kette, ein neues Kleid, einen Hut, während alles, was mich begeisterte und womit ich bei den Lehrern glänzte, nutzlos verpuffte. Ich ließ Gedanken und Bücher sausen. Verlegte mich darauf, alle diese Geschenke zu bewundern, die im krassen Gegensatz zu der gewöhnlichen, ärmlichen Wohnung von Fernando, dem Schuster, standen. Ich probierte Kleider und kostbaren Schmuck an, stellte fast sofort fest, dass sie mir niemals so gut stehen würden wie ihr, und machte mich davon.

44

In ihrer Rolle als Verlobte wurde Lila sehr beneidet und rief nicht wenig Unmut hervor. Ihre Art hatte schon für Ärger gesorgt, als sie noch ein kleines, abgezehrtes Ding gewesen war, man konnte sich also vorstellen, wie es nun erst war, da sie ein vom Glück begünstigtes junges Mädchen war. Sie erzählte mir von der wachsenden Feindseligkeit, die Stefanos Mutter und besonders Pinuccia ihr entgegenbrachten. Den zwei Frauen standen ihre hässlichen Gedanken deutlich ins Gesicht geschrieben. Was glaubte diese Schustertochter eigentlich, wer sie war? Womit hatte sie Stefano verhext? Wie kam es, dass er sein Portemonnaie zückte, sobald sie den Mund aufmachte? Wollte sie sich bei ihnen etwa als die neue Hausherrin aufspielen?

Während Maria sich auf einen schweigenden Schmollmund beschränkte, hielt Pinuccia sich nicht zurück, sie platzte vor ihrem Bruder heraus:

»Warum kaufst du ihr alles und hast mir noch nie was gekauft? Und was noch schlimmer ist: Kaum hole ich mir mal was Schönes, wirfst du mir schon vor, dass ich das Geld zum Fenster rauswerfe!«

Stefano setzte sein leichtes, ruhiges Lächeln auf und antwortete nicht. Doch kurz darauf begann er, in seiner entgegenkommenden Art, auch seine Schwester zu beschenken. So entwickelte sich eine Konkurrenz zwischen den beiden Mädchen. Sie gingen gemeinsam zum Friseur, kauften sich die gleichen Kleider. Das erbitterte Pinuccia nur noch mehr. Sie war nicht hässlich, war einige Jahre älter als wir und wohl auch besser gebaut, doch an die Wirkung, die ein Kleid oder ein Schmuckstück bei Lila entfaltete, kam die Wirkung, die es bei Pinuccia hatte, nicht annähernd heran. Die Erste, der das auffiel, war ihre Mutter. Wenn Maria die beiden ausgehfertigen Mädchen sah, mit ähnlichen Frisuren und ähnlichen Kleidern, fand sie immer eine Gelegenheit, um abzulenken und ihre künftige Schwiegertochter mit gespielter Gutmütigkeit hintenherum für etwas zu kritisieren, was sie Tage zuvor getan hatte, etwa das Licht in der Küche brennen lassen oder den Wasserhahn nicht zudrehen, nachdem sie sich ein Glas Wasser genommen hatte. Anschließend wandte sie sich ab, als hätte sie viel zu tun, und brummte düster:

»Kommt nicht so spät nach Hause.«

Wir Mädchen aus dem Rione hatten schon bald die gleichen Probleme. Carmela, die darauf bestand, Carmen genannt zu werden, und Ada und Gigliola putzten sich an Feiertagen heraus, um – ohne es zuzugeben, ohne es sich einzugestehen – Lila Konkurrenz zu machen. Vor allem Gigliola, die in der Solara-Bar arbeitete und, wenn auch nicht offiziell, mit Michele Solara zusammen war, kaufte sich extra schöne Sachen – oder ließ sie sich kaufen –, um damit bei Spaziergängen oder Autofahrten anzugeben. Doch eine Konkurrenz war das nicht, Lila schien unerreichbar zu sein, eine hinreißende, zarte Gestalt im Gegenlicht.

Anfangs versuchten wir, sie bei uns zu halten, ihr die alten Gewohnheiten aufzudrängen. Wir zogen Stefano in unsere Gruppe, hätschelten und umschwärmten ihn, und ihm schien das zu gefallen, denn eines Samstags sagte er zu Lila, vielleicht weil Antonio und Ada ihm sympathisch waren: »Frag doch mal, ob Lenuccia und Melinas Kinder morgen Abend mit uns essen gehen wollen.« Mit »uns« meinte er Lila und sich plus Pinuccia und Rino, dem nun viel daran lag, seine Freizeit mit seinem künftigen Schwager zu verbringen. Wir willigten ein, aber es wurde ein schwieriger Abend. Aus Angst, eine schlechte Figur zu machen, borgte sich Ada ein Kleid von Gigliola. Stefano und Rino wählten keine Pizzeria aus, sondern ein Restaurant in Santa Lucia.

Und da weder ich noch Antonio oder Ada jemals in einem Restaurant gewesen waren, in so einem Nobelschuppen, wurde uns mulmig zumute: Was anziehen, und was würde der Abend kosten? Während die vier mit dem Giardinetta fuhren, nahmen wir den Bus bis zur Piazza Plebiscito und gingen den restlichen Weg zu Fuß. Als wir ankamen, bestellten die anderen unbefangen jede Menge Essen und wir so gut wie nichts, aus Angst, die Rechnung könnte unsere Möglichkeiten übersteigen. Wir redeten kaum, weil Rino und Stefano sich vorwiegend über Geld unterhielten und nicht auf die Idee kamen, mit anderen Gesprächsthemen wenigstens Antonio einzubeziehen. Ada, die sich nicht mit ihrer Nebenrolle abfinden wollte, versuchte den ganzen Abend über, Stefanos Aufmerksamkeit auf sich zu ziehen, und kokettierte mit ihm, was ihrem Bruder gar nicht gefiel. Als es schließlich ans Bezahlen ging, stellten wir fest, dass Stefano das schon erledigt hatte, und während Rino deswegen alles andere als verärgert war, ging Antonio wütend nach Hause, denn obwohl er genauso alt war wie Stefano und Lilas Bruder, obwohl er genauso arbeitete wie sie, war er seiner Ansicht nach behandelt worden wie ein armer Schlucker. Doch vor allem erkannten Ada und ich, mit unterschiedlichen Gefühlen, dass wir in der Öffentlichkeit, außerhalb unseres vertrauten Freundschaftskreises, nicht wussten, was wir zu Lila sagen und wie wir sie behandeln sollten. Sie war so gut geschminkt, so gut gekleidet, dass sie zum Giardinetta, zum Cabrio, zum Restaurant in Santa Lucia passte, doch mit ihrem Aussehen nicht mehr mit uns zusammen in die U-Bahn steigen konnte, nicht mehr Bus fahren, zu Fuß gehen, eine Pizza auf dem Corso Garibaldi essen, das Gemeindekino besuchen und bei Gigliola zu Hause tanzen konnte.

An jenem Abend wurde deutlich, dass Lila ihren gesellschaftlichen Stand änderte. In jenen Tagen, jenen Monaten entwickelte sie sich zu einer Signorina, die die Mannequins aus den Modemagazinen imitierte, die jungen Mädchen aus dem Fernsehen und die flanierenden Püppchen, die sie in der Via Chiaia gesehen hatte. Von ihr ging ein Strahlen aus, das einen scharfen Kontrast zum Armutsgesicht des Rione bildete. Der Körper des kleinen Mädchens, dessen Spuren noch sichtbar gewesen waren, als wir gemeinsam die Pläne ausgeheckt hatten, die zur Verlobung mit Stefano geführt hatten, wurde rasch in den Schatten gedrängt. Stattdessen trat eine junge Frau ins Licht der Sonne, die, wenn sie sonntags am Arm ihres Verlobten ausging, die Klauseln eines gemeinsamen Partnerschaftsvertrages einzuhalten schien, während Stefano dem Rione mit seinen Geschenken offenbar beweisen wollte, dass Lila, die ohnehin schön war, es immer noch mehr sein konnte. Sie schien die Freude entdeckt zu haben, aus der nie versiegenden Quelle ihrer Schönheit zu schöpfen, schien zu spüren und vorzuführen, dass kein noch so gut gezeichnetes Profil sie endgültig fassen konnte, so dass eine neue Frisur, ein neues Kleid, ein neues Make-up für Augen oder Mund nur immer weiter ausgedehnte

Grenzen waren, die die vorherigen auflösten. Stefano sah in ihr wohl das offenkundigste Symbol für die von ihm erstrebte Zukunft voller Wohlstand und Macht, und sie schien den Stempel, den er ihr aufdrückte, zu nutzen, um sich selbst, ihren Bruder, ihre Eltern und die übrigen Verwandten vor all dem in Sicherheit zu bringen, dem sie von klein auf planlos entgegengetreten war und getrotzt hatte.

Ich wusste noch nichts über das, was sie seit dem schrecklichen Neujahrserlebnis im Stillen als Auflösung bezeichnete. Doch ich kannte die Geschichte vom zersprungenen Kochtopf, sie lauerte ständig irgendwo in meinem Kopf, ich musste wieder und wieder daran denken. Und ich erinnere mich, dass ich eines Abends zu Hause den Brief noch einmal las, den Lila mir nach Ischia geschrieben hatte. Wie verführerisch war ihre Art, von sich zu erzählen, und wie weit weg schien sie inzwischen zu sein! Ich musste zur Kenntnis nehmen, dass die Lila, die mir jene Zeilen geschickt hatte, verschwunden war. In dem Brief steckte noch das Mädchen, das *Die blaue Fee* geschrieben hatte, das sich allein Latein und Griechisch beigebracht hatte, das Maestro Ferraros halbe Bibliothek verschlungen hatte, und auch das Mädchen, das die Schuhentwürfe gezeichnet hatte, welche gerahmt in der Schusterwerkstatt hingen. Doch im alltäglichen Leben sah und spürte ich sie nicht mehr. Die gereizte, aggressive Cerullo schien sich geopfert zu haben. Obwohl sie und ich auch weiterhin im selben Rione wohnten, obwohl wir dieselbe Kindheit gehabt hatten, obwohl wir beide in unserem sechzehnten Lebensjahr waren, lebten wir plötzlich in zwei verschiedenen Welten. Während die Monate verflogen, verwandelte ich mich in ein ungepflegtes, schlampiges, bebrilltes Mädchen, über zerlesene, muffige Bücher gebeugt, die unter großen Opfern auf dem Gebrauchtwarenmarkt erstanden oder von Maestra Oliviero besorgt worden waren. Sie aber ging an Stefanos Arm vorüber, frisiert wie eine Diva und in Kleidern, die sie wie ein Filmstar oder wie eine Prinzessin aussehen ließen.

Ich betrachtete sie vom Fenster aus, spürte, dass ihre frühere Form zersprungen war, und dachte erneut an jene wunderbare Stelle in ihrem Brief, an das zerborstene, verbogene Kupfer. Dieses Bild beschwor ich nun ständig herauf, jedes Mal, wenn ich einen Bruch in ihr oder in mir bemerkte. Ich wusste – ich hoffte vielleicht –, dass keine Form Lila jemals würde halten können und dass sie früher oder später wieder alles kurz und klein schlagen würde.

45

Nach dem unerfreulichen Restaurantbesuch in Santa Lucia gab es keine solchen Abende mehr, und dies nicht etwa, weil das Paar uns nicht erneut eingeladen hätte, sondern weil wir uns stets mit der einen oder der anderen Ausrede zurückzogen. Doch wenn die Schulaufgaben mir nicht alle Energie raubten, ließ ich mich zu einem häuslichen Tanzabend oder zu einer Pizza mit der gesamten früheren Clique mitziehen. Ich wollte aber nur ausgehen, wenn ich genau wusste, dass auch Antonio dabei war, der sich seit einer Weile mit einem diskreten Werben voller Aufmerksamkeiten uneingeschränkt um mich kümmerte. Gewiss, seine Gesichtshaut glänzte und war mit schwarzen Punkten übersät, seine Zähne waren hier und da bläulich verfärbt, seine Hände breit und kurz, mit kräftigen Fingern, mit denen er einmal mühelos die Bolzen eines kaputten Rads von einer Klapperkiste abgeschraubt hatte, die Pasquale sich besorgt hatte. Er hatte jedoch auch gewelltes, pechschwarzes Haar, das man am liebsten gestreichelt hätte, und obwohl er sehr schüchtern war, sagte er die seltenen Male, wenn er den Mund auftat, etwas Geistreiches. Außerdem war er der Einzige, der mich wahrnahm. Enzo tauchte nur selten auf, er hatte sein eigenes Leben, über das wir wenig oder nichts wussten, doch wenn er da war, widmete er sich auf seine distanzierte, langsame Art Carmela, ohne je zu übertreiben. Pasquale wiederum schien nach der Zurückweisung durch Lila das Interesse an Mädchen verloren zu haben. Er beachtete sogar Ada kaum, die unverhohlen mit ihm flirtete, obgleich sie in einem fort behauptete, sie halte es nicht mehr aus, ständig unsere Visagen zu sehen.

Natürlich kam das Gespräch an solchen Abenden früher oder später auf Lila, obwohl niemand den Wunsch zu haben schien, sie zu erwähnen. Die Jungen waren alle ein bisschen enttäuscht, jeder von ihnen wäre gern an

Stefanos Stelle gewesen. Der Unglücklichste war Pasquale. Hätte er nicht einen uralten Hass auf die Solaras gehabt, hätte er sich wahrscheinlich mit Marcello offen gegen Familie Cerullo verbündet. Sein Liebeskummer fraß ihn auf, und schon wenn er Lila mit Stefano nur flüchtig sah, nahm ihm das die Freude am Leben. Doch er war ein gutmütiger, redlicher Charakter und achtete sorgfältig darauf, seine Reaktionen unter Kontrolle zu halten und für Gerechtigkeit einzutreten. Als er erfuhr, dass Marcello und Michele eines Abends Rino angepöbelt und ihn, ohne ihn in irgendeiner Weise anzurühren, mit Schimpfworten überhäuft hatten, ergriff Pasquale klar und deutlich Partei für Rino. Als er erfuhr, dass Silvio Solara, der Vater von Michele und Marcello, höchstpersönlich in Fernandos umgebauter Schusterwerkstatt erschienen war und ihm in aller Ruhe vorgeworfen hatte, seine Tochter nicht gut erzogen zu haben, und dann mit einem Blick in die Runde erklärt hatte, der Schuster könne zwar so viele Schuhe herstellen, wie er wolle, doch wo könne er sie dann wohl verkaufen, er werde niemals ein Geschäft finden, das sie ihm abnähme, ganz zu schweigen davon, dass mit all dem Leim ringsum, mit all dem Garn, dem Pech, den Holzformen, den Absätzen und den Innensohlen im Handumdrehen alles in Flammen aufgehen könnte, da versprach Pasquale seinerseits, mit einigen zuverlässigen Freunden die Solara-Bar abzufackeln, falls in der Schusterwerkstatt Cerullo ein Feuer ausbrechen sollte. Doch was Lila betraf, war er kritisch. Er sagte, sie hätte lieber von zu Hause weglaufen sollen, anstatt zuzulassen, dass Marcello kam und ihr jeden Abend den Hof machte. Er sagte, den Fernseher hätte sie mit einem Hammer zertrümmern sollen, anstatt sich mit dem Kerl davorzusetzen, von dem man doch wisse, dass er ihn nur gekauft habe, um sie zu bekommen. Schließlich sagte er, sie sei viel zu klug, um sich ernsthaft in einen scheinheiligen Blödmann wie Stefano Carracci zu verlieben.

Ich war bei solchen Gelegenheiten die Einzige, die den Mund aufmachte und Pasquales Kritik ausdrücklich missbilligte. Ich widersprach mit Sätzen wie: »Es ist doch nicht leicht, von zu Hause wegzulaufen. Es ist doch nicht leicht, sich dem Willen der Menschen zu widersetzen, die man liebt. Es ist doch überhaupt nichts leicht, schließlich kritisierst du auch lieber sie, als dich mit deinem Freund Rino anzulegen. Er war es doch, der ihr die Schererei mit Marcello eingebracht hat, und hätte Lila keinen Weg gefunden, sich aus der Affäre zu ziehen, hätte sie Marcello heiraten müssen.« Ich schloss mit einem Loblied auf Stefano, der von allen Jungen, die Lila von klein auf kannten und sie gern hatten, der Einzige gewesen sei, der den Mut aufgebracht habe, sie zu unterstützen und ihr zu helfen. Da breitete sich ein betretenes Schweigen aus, und ich war sehr stolz darauf, jede Kritik an meiner Freundin in einem Ton und in einer Sprache zurückgewiesen zu haben, die die Jungen eingeschüchtert hatten.

Aber eines Abends nahm unser Streit hässliche Formen an. Wir waren alle, auch Enzo, am Rettifilo Pizza essen gegangen, in ein Lokal, in dem eine Margherita und ein Bier fünfzig Lire kosteten. Diesmal fingen die Mädchen an. Ich glaube, Ada sagte, sie finde es lächerlich, dass Lila immer wie frisch vom Friseur und in Kleidern wie von Prinzessin Soraya herumlaufe, wo sie doch vor ihrer Wohnungstür Gift gegen die Kakerlaken ausstreuen müsse, und alle lachten, die einen mehr, die anderen weniger. Ein Wort gab das andere, und schließlich erklärte Carmela unumwunden, Lila habe sich mit Stefano nur wegen des Geldes eingelassen, um ihren Bruder und die ganze Familie zu versorgen. Ich setzte zu meiner üblichen Pflichtverteidigung an, als Pasquale mich unterbrach:

»Das ist nicht der Punkt. Der Punkt ist, dass Lina weiß, woher dieses Geld stammt.«

»Willst du jetzt wieder mit Don Achille anfangen und mit dem Schwarzmarkt, den Schiebereien, dem Wucher und den ganzen Schweinereien von vor dem Krieg und nach dem Krieg?«, fragte ich.

»Ja, und wäre deine Freundin jetzt hier, würde sie mir recht geben.«

»Stefano ist nur ein Kaufmann, der weiß, wie man Geschäfte macht.«

»Und das Geld, das er in die Werkstatt der Cerullos gesteckt hat, kommt aus seiner Salumeria?«

»Wieso denn nicht, deiner Meinung nach?«

»Es kommt vom Goldschmuck der Familienmütter, den Don Achille in seiner Matratze versteckt hatte. Lina spielt die feine Dame auf Kosten aller armen Leute des Rione. Und sie lässt sich aushalten, sich und die ganze Familie, noch bevor sie verheiratet ist.«

Ich wollte antworten, doch Enzo schaltete sich mit seiner typischen Nüchternheit ein:

»Entschuldige, Pascà, aber was meinst du mit ›sie lässt sich aushalten‹?«

Als ich die Frage hörte, war mir klar, dass die Sache böse enden würde. Pasquale wurde rot, geriet in Verlegenheit:

»Aushalten heißt aushalten. Wer bezahlt denn, bitte schön, Linas Friseurbesuche, ihre Kleider und ihre Handtaschen? Wer hat denn Geld in die Werkstatt gesteckt, um den Schuster den Schuhfabrikanten spielen zu lassen?«

»Du meinst also, Lina hat sich nicht verliebt, hat sich nicht verlobt und wird Stefano demnächst nicht aus diesem Grund heiraten, sondern sie hat sich verkauft?«

Keiner sagte ein Wort. Dann brummte Antonio:

»Nicht doch, Enzo. So meint Pasquale das nicht. Du weißt doch, dass er Lina sehr gern hat, wie wir alle.«

Enzo bedeutete ihm, zu schweigen.

»Halt den Mund, Anto', lass Pasquale antworten.«

Pasquale sagte finster:

»Ja, sie hat sich verkauft. Und der Gestank des Geldes, das sie täglich ausgibt, ist ihr scheißegal.«

Wieder versuchte ich, meine Meinung zu sagen, aber Enzo berührte meinen Arm.

»Entschuldige, Lenù, ich wüsste gern, wie Pasquale ein Mädchen nennt, das sich verkauft.«

Da flammte in Pasquale ein Ungestüm auf, das wir alle in seinen Augen lesen konnten, und er sagte, was er schon seit Monaten sagen wollte, was er dem ganzen Rione zuschreien wollte:

»Nutte, ich nenne sie eine Nutte! Lina benimmt sich und hat sich benommen wie eine Nutte!«

Enzo stand auf und sagte leise:

»Komm mit raus.«

Antonio sprang auf, hielt Pasquale, der auch aufstehen wollte, am Arm zurück und sagte:

»Jetzt mach mal halblang, Enzo. Pasquale hat bloß was gesagt, was keine Anklage ist, sondern eine Kritik, die wir alle teilen.«

Enzo erwiderte, diesmal mit lauter Stimme:

»Ich nicht!« Er steuerte auf den Ausgang zu und verkündete:

»Ich warte draußen, auf euch beide!«

Wir hinderten Pasquale und Antonio daran, ihm zu folgen, und so geschah nichts weiter. Sie beschränkten sich darauf, sich einige Tage anzugrollen, dann war alles wieder beim Alten.

46

Ich habe diesen Streit erwähnt, um zu zeigen, was in jenem Jahr vor sich ging und wie die Atmosphäre war, in der Lila ihre Entscheidungen traf, besonders die Atmosphäre unter den jungen Männern, die sie heimlich oder offen geliebt hatten, die sie begehrt hatten und die sie aller Wahrscheinlichkeit nach noch immer liebten und begehrten. Was mich anging, lässt sich nur schwer beschreiben, in welchem Gefühlswirrwarr ich mich befand. Ich verteidigte Lila bei jeder Gelegenheit, und ich tat es gern, ich hörte mich gern mit der Autorität eines Menschen reden, der eine höhere Schulbildung genoss. Doch ich wusste auch, dass ich ebenso gern und womöglich mit einigen Übertreibungen erzählt hätte, dass eigentlich Lila hinter jedem von Stefanos Schritten gestanden hatte und ich mit ihr; dass wir wie bei einem mathematischen Problem einen Schritt aus dem anderen entwickelt hatten, um zu folgendem Ergebnis zu gelangen: Lila zu versorgen, den Bruder zu versorgen, den Plan von der kleinen Schuhfabrik in die Tat umzusetzen und sogar Geld für die Reparatur meiner Brille zu beschaffen, wenn sie kaputtging.

Ich kam an Fernandos alter Werkstatt vorbei und spürte stellvertretend so etwas wie Genugtuung. Lila, das war unverkennbar, hatte es geschafft. Über der alten Tür der Schusterei, die nie ein Ladenschild gehabt hatte, prangte nun die Aufschrift: Cerullo. Über die Werkbänke gebeugt waren Fernando, Rino und die drei Gehilfen von morgens bis spätnachts damit beschäftigt, zu kleben, zu steppen, zu hämmern und zu schleifen. Es hieß, Vater und Sohn stritten sich oft. Es hieß, Fernando sei der Ansicht, die Schuhe, vor allem die Damenschuhe, seien so nicht herzustellen, wie Lila sich das gedacht hatte, sie seien bloß das Hirngespinst eines kleinen

Mädchens. Es hieß, Rino sei da anderer Meinung und er sei zu Lila gegangen, damit sie sich einschaltete. Es hieß, Lila habe nichts mehr davon wissen wollen und so sei Rino zu Stefano gegangen und habe ihn in die Werkstatt gelotst, damit er seinem Vater klare Befehle erteilte. Es hieß, Stefano sei auch hingegangen, habe Lilas gerahmte Zeichnungen an den Wänden lange betrachtet, vor sich hin gelächelt und ruhig gesagt, er wolle die Schuhe genau so, wie sie auf den Bildern zu sehen seien, er habe sie nicht ohne Grund dort aufgehängt. Kurz, es hieß, die Sache gehe nur schleppend voran, die Arbeiter erhielten ihre Instruktionen zunächst von Fernando, Rino ändere sie dann, alles gerate ins Stocken und sie müssten wieder von vorn beginnen und Fernando ändere die Änderungen seinerseits, wenn er sie entdeckte, und dann komme Stefano und immer so weiter und wieder von vorn, am Ende Geschrei und Scherben.

Ich warf nur einen kurzen Blick hinein, dann machte ich mich davon. Doch die Bilder an den Wänden hatten mich sehr beeindruckt. Ich dachte: ›Für Lila sind diese Zeichnungen bloß eine Spinnerei gewesen, Geld hat damit nichts zu tun, sich verkaufen hat damit nichts zu tun. Dieses ganze Werkeln ist die Folge einer ihrer Launen, von Stefano nur aus Liebe so groß aufgezogen. Die Glückliche, die so geliebt wird und die selbst liebt! Die Glückliche, die für das verehrt wird, was sie ist, und für das, was sie erfinden kann! Nun, da sie ihrem Bruder gegeben hat, was er wollte, nun, da sie ihn aus der Gefahr geholt hat, denkt sie sich bestimmt wieder was Neues aus. Darum will ich sie nicht aus den Augen verlieren. Irgendetwas wird geschehen.‹

Doch nichts geschah. Lila richtete sich gründlich in ihrer Rolle als Stefanos Verlobte ein. Und auch in den Gesprächen, die wir führten, wenn ich etwas Zeit erübrigen konnte, schien sie stets zufrieden mit dem zu sein, was sie geworden war, als würde sie darüber hinaus nichts mehr sehen, nichts mehr sehen *wollen*, außer Hochzeit, Haus, Kinder.

Das machte mich betroffen. Sie wirkte sanfter, ohne ihre ständige Kratzbürstigkeit. Das fiel mir erst später auf, als mir durch Gigliola Spagnuolo schändliche Gerüchte über Lila zu Ohren kamen.

Missgünstig sagte Gigliola im Dialekt zu mir:

»Jetzt spielt deine Freundin die Prinzessin. Aber weiß Stefano, dass sie Marcello damals, als er immer bei ihr war, jeden Abend einen geblasen hat?«

Ich wusste nicht, was *einen blasen* bedeutete. Ich kannte die Redewendung seit meiner Kindheit, doch ihr Klang verwies nur auf eine Art Beleidigung, auf etwas extrem Erniedrigendes.

»Das ist nicht wahr!«

»Marcello hat es gesagt.«

»Er lügt.«

»Ach ja? Und lügt er auch seinen Bruder an?«

»Michele hat dir das erzählt?«

»Allerdings.«

Ich hoffte, Stefano würde nichts von diesem Gerede erfahren. Jedes Mal, wenn ich aus der Schule kam, dachte ich: ›Vielleicht sollte ich Lila warnen, bevor etwas passiert.‹ Doch ich fürchtete, sie würde sich aufregen, würde, so wie sie aufgewachsen war, so wie sie gestrickt war, unverzüglich mit dem Schustermesser zu Marcello Solara gehen. Schließlich traf ich eine Entscheidung: Es war besser, ihr zu sagen, was ich gehört hatte, denn so konnte sie sich auf die Situation einstellen. Ich erfuhr, dass sie schon alles wusste. Und nicht nur das: Sie wusste besser darüber Bescheid, was *einen blasen* bedeutete, als ich. Das merkte ich daran, dass sie eine eindeutigere Formulierung dafür gebrauchte, als sie mir sagte, dass sie so was mit keinem Mann der Welt tun würde, so ekelhaft, wie sie das fand, und erst recht nicht mit Marcello Solara. Dann erzählte sie mir, dass Stefano das Gerücht schon zu Ohren gekommen sei und er sie gefragt habe, was für eine Beziehung es damals zwischen ihr und Marcello gegeben habe, als er regelmäßig bei den Cerullos zu Gast gewesen sei. Sie habe ihm wütend geantwortet: »Überhaupt keine! Bist du verrückt geworden?« Stefano habe hastig versichert, dass er ihr glaube, dass er nie daran gezweifelt habe, dass er ihr diese Frage nur gestellt habe, um sie wissen zu lassen, was für Schweinereien Marcello über sie verbreite. Aber dabei habe er einen geistesabwesenden Blick bekommen, wie jemand, der sich schockierende Szenen vorstellt, die ihm unwillkürlich in den Kopf kommen. Lila habe das bemerkt und sie hätten lange diskutiert, sie habe ihm gestanden, dass auch sie den Wunsch nach blutiger Rache hege. Doch was würde das nützen? Nachdem sie ausführlich darüber geredet hätten, seien sie am Ende zu dem Entschluss gelangt, sich eine Stufe über die Solaras und über die Logik des Rione zu stellen.

»Eine Stufe über sie?«, fragte ich erstaunt.

»Ja, sie ignorieren: Marcello, seinen Bruder, seinen Vater, seinen Großvater, einfach alle. So tun, als gäbe es sie nicht.«

So hatte Stefano weitergearbeitet, ohne die Ehre seiner Verlobten zu verteidigen, Lila hatte ihr Leben als Verlobte weitergeführt, ohne zum Schustermesser oder anderem zu greifen, und die Solaras hatten weiterhin ihre Schweinereien verbreitet. Ich verabschiedete mich verblüfft von ihr. Was ging da vor? Ich verstand das nicht. Mir erschien das Benehmen der Solaras viel klarer, es schien mir besser zu der Welt zu passen, die wir von klein auf kannten. Aber was stellten sie und Stefano sich vor, was glaubten sie denn, wo sie lebten? Sie benahmen sich auf eine Weise, die man nicht mal in den Dichtungen fand, mit denen ich mich in der Schule beschäftigte, oder in den Romanen, die ich las. Ich war wie vor den Kopf geschlagen. Sie reagierten nicht auf Beleidigungen, nicht einmal auf die wirklich unerträgliche, die die Solaras ihnen zufügten. Sie trugen allen gegenüber eine Freundlichkeit und Liebenswürdigkeit zur Schau, als wären sie John und Jacqueline Kennedy bei einem Besuch in einem Slum. Wenn sie gemeinsam spazieren gingen und er ihr einen Arm um die Schulter legte, schien keine der althergebrachten Regeln für sie zu gelten. Sie lachten, alberten herum, umarmten sich und küssten sich auf den Mund. Ich sah sie im Cabrio vorbeiflitzen, allein, auch am Abend, immer wie Filmstars gekleidet, und ich dachte: ›Sie fahren ohne Anstandsdame sonst wohin, und das nicht heimlich, sondern mit dem Einverständnis ihrer Eltern, mit dem Einverständnis von Rino, sie machen, was sie wollen, ohne etwas auf das Gerede der Leute zu geben.‹ Drängte Lila Stefano zu diesem Verhalten, das sie zum meistbewunderten und am meisten betratschten Paar des Rione machte? War das ihre neueste Idee? Wollte sie aus dem Rione ausbrechen, ohne ihn zu verlassen? Wollte sie uns von uns selbst befreien, uns die alte Hülle abreißen und uns eine neue aufnötigen? Eine Hülle, wie sie sie gerade für sich selbst erfand?

47

Alles kehrte schlagartig in die gewohnten Bahnen zurück, als Pasquale von den Gerüchten über Lila erfuhr. Das geschah an einem Sonntag, als Carmela, Enzo, Pasquale, Antonio und ich den Stradone entlangschlenderten. Antonio sagte:

»Ich habe gehört, Marcello Solara erzählt überall herum, dass Lina mit ihm zusammen war.«

Enzo zuckte mit keiner Wimper, doch Pasquale war sofort in Rage:

»Wie – zusammen?«

Antonio druckste herum, weil Carmela und ich dabei waren, er sagte:

»Du weißt schon.«

Sie gingen beiseite und unterhielten sich leise. Ich sah und hörte, dass Pasquale sich immer mehr aufregte und dass Enzos Körper immer kompakter wurde, als hätte er keine Arme, keine Beine, keinen Hals mehr, wie ein Block aus hartem Material. ›Warum‹, fragte ich mich, ›warum fuchst sie das so? Lila ist nicht ihre Schwester und auch nicht ihre Cousine. Trotzdem fühlen sie sich verpflichtet, sich aufzuregen, alle drei, mehr als Stefano, viel mehr als Stefano, als wären sie Lilas eigentliche Verlobte.‹ Vor allem Pasquale kam mir lächerlich vor. Er, der noch vor Kurzem gesagt hatte, was er gesagt hatte, schrie, und wir konnten ihn deutlich hören: »Ich schlag' diesem Saukerl die Fresse ein, der macht doch tatsächlich eine Nutte aus ihr! Wenn Stefano ihm das durchgehen lässt, bitte sehr, aber ich ganz bestimmt nicht!« Dann herrschte Schweigen, sie kamen wieder zu uns, und wir schlenderten noch etwas herum, ich plauderte mit Antonio, Carmela mit ihrem Bruder und Enzo. Wenig später brachten sie uns nach Hause. Ich sah ihnen nach, als sie weggingen, Enzo, der Kleinste von ihnen, in der Mitte, rechts und links Antonio und Pasquale.

Am nächsten Tag und auch an den darauffolgenden war der Millecento der Solaras in aller Munde. Man hatte ihn komplett demoliert. Und nicht nur das. Auch die beiden Brüder waren heftig attackiert worden, doch man wusste nicht, von wem. Sie beteuerten, in einer dunklen Gasse von mindestens zehn Mann angegriffen worden zu sein, von Typen von außerhalb. Doch Carmela und ich wussten nur zu gut, dass die Angreifer nur drei an der Zahl gewesen waren, und machten uns große Sorgen. Wir warteten auf die unvermeidlichen Racheakte, einen Tag, zwei, drei. Doch offensichtlich war ganze Arbeit geleistet worden. Pasquale ging weiter seiner Tätigkeit als Maurer nach, Antonio seiner als Automechaniker, und Enzo fuhr weiter mit seinem Gemüsekarren durch die Gegend. Die Solaras gingen eine Weile nur zu Fuß, übel zugerichtet, leicht verstört und immer in Begleitung von vier, fünf Freunden. Ich muss zugeben, dass es mich freute, sie in diesem Zustand zu sehen. Ich war stolz auf meine Freunde. Zusammen mit Carmen und Ada kritisierte ich Stefano und auch Rino, weil sie so getan hatten, als ob nichts gewesen wäre. Doch die Zeit verging, Marcello und Michele kauften sich einen grünen Giulietta und benahmen sich wieder wie die Herren des Rione. Gesund und munter und noch anmaßender als zuvor. Ein Zeichen dafür, dass Lila wohl doch recht hatte: Gegen Leute von diesem Schlag musste man ankämpfen, indem man sich ein besseres Leben eroberte, eines, das sie sich nicht mal im Traum vorstellen konnten. Als ich in den Abschlussprüfungen der zweiten Klasse der gymnasialen Unterstufe steckte, eröffnete sie mir, dass sie im Frühling, mit gut sechzehn Jahren, heiraten werde.

48

Diese Nachricht wühlte mich auf. Als mir Lila wenige Stunden vor den mündlichen Prüfungen von ihren Heiratsplänen erzählte, hatten wir Juni. Sie waren abzusehen gewesen, sicherlich, doch nun, da es einen konkreten Termin gab, den 12. März, fühlte ich mich, als wäre ich versehentlich gegen eine Tür gerannt. Mir kamen armselige Gedanken. Ich zählte die Monate: neun. Vielleicht genügten neun Monate mit Pinuccias hinterhältiger Missgunst, mit Marcello Solaras Gerüchten, die im ganzen Rione wie die Fama in der *Aeneis* noch immer von Mund zu Mund flogen, und mit Donna Marias Feindseligkeit, um Stefano zu zermürben und ihn zu veranlassen, die Verlobung zu lösen. Ich schämte mich vor mir selbst, aber es gelang mir nicht mehr, ein kohärentes Bild in der Gabelung unserer Schicksale zu erkennen. Die Konkretheit dieses Termins ließ auch den Punkt konkret werden, an dem sich unsere Lebenswege trennen sollten. Und das Schlimmste daran war meine feste Überzeugung, dass ihr Los besser sein würde als meines. Stärker denn je spürte ich die Bedeutungslosigkeit meiner Ausbildung, mir wurde klar, dass ich diesen Weg Jahre zuvor nur eingeschlagen hatte, um in Lilas Augen beneidenswert zu erscheinen. Dabei maß sie Büchern nun keinerlei Wert mehr bei. Ich hörte auf, für die Prüfung zu lernen, tat in der Nacht kein Auge zu und dachte über meine spärlichen Erfahrungen in Liebesdingen nach. Ich hatte Gino einmal geküsst, hatte kaum Ninos Lippen berührt, hatte die flüchtigen, schmierigen Berührungen seines Vaters erduldet, und das war's auch schon. Lila dagegen würde im März, mit sechzehn Jahren, einen Ehemann haben und ein Jahr später, mit siebzehn, ein Kind und dann noch eins und noch eins und noch eins. Ich fühlte mich wie ein Nichts und weinte verzweifelt.

Am folgenden Tag ging ich unwillig zur Prüfung. Da geschah etwas, das meine Stimmung aufhellte. Professor Gerace und Professoressa Galiani, die in der Prüfungskommission saßen, lobten meinen Italienischaufsatz überschwenglich. Gerace erklärte, die Exposition sei noch besser geworden. Er wollte der übrigen Kommission eine Passage vorlesen. Als ich ihm zuhörte, wurde mir erst bewusst, was ich in den letzten Monaten beim Schreiben stets angestrebt hatte: mich von meinem künstlichen Ton, von meinen allzu steifen Sätzen zu befreien und einen flüssigen, mitreißenden Stil zu finden, ähnlich dem von Lila in ihrem Brief nach Ischia. Als ich meine Worte aus dem Mund des Professore hörte, während Professoressa Galiani mit schweigender Zustimmung dabeisaß, wurde mir klar, dass ich es geschafft hatte. Natürlich war dies nicht Lilas Stil, es war meiner. Und meine Lehrer hielten ihn für etwas wirklich Außergewöhnliches.

Ich wurde mit einem Notendurchschnitt von insgesamt Zehn in die erste Klasse der Oberstufe versetzt, doch bei mir zu Hause beeindruckte das niemanden, und niemand feierte mich. Ich sah, dass sie zufrieden waren, das ja, und freute mich darüber, doch sie machten keinerlei Aufhebens um diese Bestnote. Meine Mutter fand meine schulischen Erfolge sogar völlig normal, und mein Vater trug mir auf, gleich zu Maestra Oliviero zu gehen und sie zu drängen, beizeiten die Bücher für das nächste Schuljahr zu besorgen. Als ich aus dem Haus ging, rief meine Mutter mir nach: »Und wenn sie dich wieder nach Ischia schicken will, sag ihr, dass es mir nicht gutgeht und du mir im Haushalt helfen musst!«

Die Maestra lobte mich zwar, doch lustlos, teils weil auch sie meine Fähigkeiten inzwischen für selbstverständlich hielt, teils weil sie sich nicht wohlfühlte, die Beschwerden in ihrem Mund beeinträchtigten sie sehr. Mit keiner Silbe erwähnte sie, dass ich Ferien nötig hätte, erwähnte auch ihre Cousine Nella und Ischia nicht. Dafür begann sie zu meiner Überraschung über Lila zu sprechen. Sie hatte sie von Weitem auf der Straße gesehen. Mit ihrem Verlobten, dem Lebensmittelhändler, sagte sie. Und fügte einen Satz hinzu, den ich nie vergessen werde: »Die Schönheit, die Cerullo von klein auf in ihrem Kopf hatte, hat kein Ventil gefunden, Greco. Sie ist ihr komplett ins Gesicht, in den Busen, in die Hüften und in den Arsch gerutscht, an Orte, wo sie schnell vergeht, so dass es sein wird, als hätte sie sie nie besessen.«

Seit ich sie kannte, hatte ich nie einen Kraftausdruck aus ihrem Mund gehört. Diesmal sagte sie »Arsch« und brummte dann: »Entschuldigung.« Doch nicht das beeindruckte mich so, sondern ihr Bedauern. Als sei ihr bewusst geworden, dass irgendetwas an Lila gerade deswegen missraten war, weil sie als Lehrerin sie nicht richtig geschützt und gefördert hatte. Ich fühlte mich wie ihre erfolgreichste Schülerin und verabschiedete mich weniger niedergeschlagen.

Der Einzige, der mich rückhaltlos feierte, war Alfonso, auch er war versetzt worden, mit einem Gesamtdurchschnitt von Sieben. Seine Bewunderung war aufrichtig, das gefiel mir. Vor den Aushängen mit den Zensuren ließ er sich in seinem Überschwang vor unseren Schulkameraden und deren Eltern zu etwas Ungehörigem hinreißen, als hätte er vergessen, dass ich ein Mädchen war und er mich nicht berühren durfte. Er umarmte mich fest und gab mir einen knallenden Kuss auf die Wange. Dann wurde er verlegen, ließ mich auf der Stelle los, entschuldigte sich, konnte aber doch nicht an sich halten und rief: »Alles mit Zehn, nicht zu fassen, alles mit Zehn!« Auf dem Heimweg sprachen wir lange über die Hochzeit seines Bruders mit Lila. Da ich mich gerade besonders wohlfühlte, fragte ich ihn erstmals, was er von seiner künftigen Schwägerin halte. Er ließ sich Zeit mit der Antwort. Dann sagte er:

»Erinnerst du dich noch an den Wettbewerb, an dem wir in der Schule teilnehmen mussten?«

»Wer könnte den vergessen?«

»Ich war mir sicher, dass ich gewinnen würde, denn ihr hattet alle Angst vor meinem Vater.«

»Lila auch, eine Weile hat sie nämlich versucht, dich nicht zu besiegen.«

»Stimmt, aber dann wollte sie gewinnen und hat mich bezwungen. Ich bin heulend nach Hause gegangen.«

»Verlieren ist bitter.«

»Nicht deswegen. Ich hielt es nicht aus, dass alle eine Mordsangst vor meinem Vater hatten, ich vorneweg, nur dieses Mädchen nicht.«

»Warst du in sie verliebt?«

»Machst du Witze? Sie hat mir immer Angst eingejagt.«

»Wie meinst du das?«

»Ich meine, dass mein Bruder wirklich ganz schön mutig ist, wenn er sie heiratet.«

»Was soll das heißen?«

»Das soll heißen, dass du besser bist als sie, und wenn ich die Wahl hätte, würde ich dich heiraten.«

Auch das gefiel mir sehr. Wir lachten los, und lachend verabschiedeten wir uns. Er war dazu verurteilt, den Sommer in der Salumeria zu verbringen, und ich sollte mir auf Beschluss eher meiner Mutter als meines Vaters für den Sommer eine Arbeit suchen. Wir versprachen uns, dass wir uns treffen und wenigstens einmal gemeinsam ans Meer gehen würden. Dazu kam es nicht.

In den folgenden Tagen drehte ich lustlose Runden durch den Rione. Ich fragte Don Paolo, den Drogisten am Stradone, ob er eine Verkäuferin brauche. Nichts. Ich fragte den Zeitungshändler, der brauchte mich auch nicht. Ich ging zur Schreibwarenhändlerin, sie lachte.

Ja, sie brauche jemanden, doch nicht jetzt, ich solle im Herbst wiederkommen, wenn die Schule wieder anfange. Als ich mich zur Tür wandte, rief sie mich zurück:

»Du bist ein ernsthaftes Mädchen, Lenù, auf dich kann man sich verlassen. Traust du dir zu, mit meinen Töchtern baden zu fahren?«

Überglücklich verließ ich das Geschäft. Die Schreibwarenhändlerin wollte mich dafür bezahlen – und gut bezahlen –, dass ich den ganzen Juli und die ersten zehn Tage im August mit ihren drei Mädchen ans Meer fuhr. Meer, Sonne und Geld! Ich sollte jeden Tag zu einer Badestelle zwischen Mergellina und Posillipo fahren, ich kannte sie nicht, sie hatte einen ausländischen Namen, Sea Garden. Aufgeregt ging ich nach Hause, als hätte mein Leben eine entscheidende Wendung genommen. Ich würde Geld für meine Eltern verdienen, würde schwimmen gehen, und meine Haut würde in der Sonne glatt und goldbraun werden wie im vergangenen Sommer auf Ischia. ›Wie herrlich doch alles ist‹, dachte ich, ›wenn der Tag schön ist und alles Gute nur auf dich zu warten scheint.‹

Ich ging einige Schritte, als sich mein Gefühl, in glücklichen Stunden zu schwelgen, noch verstärkte. Antonio holte mich ein, im Overall und ölverschmiert. Ich freute mich, denn egal wen ich in jenem fröhlichen Augenblick getroffen hätte, ich hätte ihn herzlich begrüßt. Er hatte mich vorbeigehen sehen und war mir nachgelaufen. Ich erzählte ihm sofort von der Schreibwarenhändlerin, und er las mir wohl vom Gesicht ab, wie vergnügt ich war. Monatelang hatte ich gebüffelt und mich hässlich und allein gefühlt. Stets war ich Nino Sarratore aus dem Weg gegangen, obwohl ich mir sicher war, ihn zu lieben, und hatte auch nicht nachgesehen, ob er versetzt worden war und mit welchen Zensuren. Lila war im Begriff, mit einem endgültigen Sprung aus meinem Leben zu verschwinden, ich würde sie nicht mehr aufhalten können. Doch in jenem Moment fühlte ich mich gut und wollte mich noch besser fühlen. Als Antonio, der ahnte, dass ich in der richtigen Stimmung war, mich fragte, ob ich ihn zum Freund nehmen wolle, willigte ich unverzüglich ein, obwohl ich einen anderen liebte, obwohl ich nicht mehr als ein wenig Sympathie für ihn empfand. Ihn zum festen Freund zu haben, ihn, der hochgewachsen war und so alt wie Stefano und zudem ein guter Arbeiter, wog für mich genauso viel wie ein Versetzungszeugnis mit einem Durchschnitt von Zehn und wie der Auftrag, gegen Bezahlung die Töchter der Schreibwarenhändlerin zum Sea Garden zu bringen.

49

Meine Arbeit begann und auch meine Liebschaft. Die Schreibwarenhändlerin besorgte mir eine Art Monatskarte, und jeden Morgen fuhr ich in überfüllten Bussen mit den drei Mädchen durch die Stadt zu der farbenfrohen Badestelle, Sonnenschirme, blaues Meer, Betonplattformen, Schüler, wohlhabende Frauen mit viel Freizeit, auffällige Frauen mit gierigen Gesichtern. Ich war freundlich zu den Bademeistern, die versuchten, mir ein Gespräch aufzudrängen. Passte auf die Mädchen auf und badete lange mit ihnen, wobei ich mich mit dem Badeanzug sehen ließ, den mir Nella im letzten Jahr genäht hatte. Ich gab ihnen zu essen, spielte mit ihnen, ließ sie endlos vom dünnen Strahl eines steinernen Brunnens trinken und achtete darauf, dass sie nicht ausrutschten und mit den Zähnen auf den Beckenrand schlugen.

Am späten Nachmittag kehrten wir in den Rione zurück. Ich übergab der Schreibwarenhändlerin die Kinder und lief, sonnenverbrannt und meerwassersalzig, zu meinem heimlichen Treffen mit Antonio. Wir gingen auf Schleichwegen zu den Teichen, denn ich fürchtete, meine Mutter und, vielleicht schlimmer noch, Maestra Oliviero könnten mich sehen. Meine ersten richtigen Küsse hatte ich mit ihm. Ich erlaubte ihm schon bald, mich an den Brüsten und zwischen den Beinen zu berühren. Eines Abends massierte ich durch den Hosenstoff seinen harten, großen Penis, und als er ihn herausholte, hielt ich ihn bereitwillig in der Hand, während wir uns küssten. Ich ließ mich mit zwei klaren Fragen im Kopf auf diese Intimitäten ein. Die erste lautete: Macht Lila mit Stefano genau das Gleiche? Und die zweite: Ist die Lust, die ich mit diesem Jungen empfinde, die gleiche wie die an dem Abend, als Donato Sarratore mich angefasst hat? In beiden Fällen war Antonio nur ein nützliches Phantom, mit dessen Hilfe ich einerseits die Liebesspiele zwischen Lila und Stefano heraufbeschwor und andererseits die starke, schwer einzuordnende Erregung, die Ninos Vater bei mir ausgelöst hatte. Doch ich fühlte mich nicht schuldig. Antonio war mir dermaßen dankbar, zeigte sich wegen der wenigen Berührungen an den Teichen dermaßen abhängig von mir, dass ich rasch zu der Einsicht gelangte, dass er es war, der mir etwas schuldete, und dass das Vergnügen, das er durch mich hatte, um vieles größer war als das, welches er mir bereitete.

Manchmal, am Sonntag, begleitete er mich und die Mädchen zum Sea Garden. Er gab mit gespielter Unbekümmertheit einen Haufen Geld aus, obwohl er fast nichts verdiente, und konnte es nicht ausstehen, in der Sonne zu braten. Aber er tat es für mich, nur um in meiner Nähe zu sein, ohne eine baldige Entschädigung, denn schließlich gab es den ganzen Tag lang keine Gelegenheit für einen Kuss oder eine Berührung. Er unterhielt die Mädchen mit Clownsnummern und athletischen Sprüngen ins Wasser. Während er mit ihnen spielte, legte ich mich zum Lesen in die Sonne und zerfloss zwischen den Buchseiten wie eine Qualle.

Bei einer dieser Gelegenheiten schaute ich kurz auf und sah ein hochgewachsenes, schlankes und elegantes Mädchen in einem schicken roten Bikini. Es war Lila. Inzwischen daran gewöhnt, die Blicke der Männer auf sich zu spüren, bewegte sie sich durch das Gewimmel, als wäre kein Mensch da, nicht einmal der junge Bademeister, der vor ihr herging, um sie zu ihrem Sonnenschirm zu führen. Sie bemerkte mich nicht, und ich war unschlüssig, ob ich sie rufen sollte. Sie trug eine Sonnenbrille und eine auffällige, grellbunte Stofftasche. Ich hatte ihr noch nichts von meiner Arbeit erzählt und auch nichts von Antonio. Wahrscheinlich fürchtete ich mich in beiden Fällen vor ihrem Urteil. ›Warten wir doch, bis sie mich ruft‹, dachte ich und konzentrierte mich wieder auf mein Buch, ohne allerdings weiterlesen zu können. Schon bald spähte ich wieder in ihre Richtung. Der Bademeister hatte ihr den Liegestuhl aufgestellt, sie hatte sich in die Sonne gesetzt. Nun kam Stefano, kreideweiß in einer blauen Badehose, mit Brieftasche, Feuerzeug und Zigaretten in der Hand. Er küsste Lila auf den Mund, wie die Prinzen es mit den Dornröschen tun, und setzte sich ebenfalls in einen Liegestuhl.

Wieder versuchte ich zu lesen. Ich war es seit langem gewohnt, mich selbst zu disziplinieren, und diesmal gelang es mir wirklich für einige Minuten, den Sinn der Worte zu erfassen. Ich weiß noch, dass ich den Roman *Oblomow* las. Als ich erneut aufschaute, saß Stefano noch da, mit Blick auf das Meer, doch Lila war weg. Ich suchte sie mit den Augen und sah sie mit Antonio reden, der auf mich zeigte. Ich winkte ihr freudig zu, was sie ebenso freudig erwiderte, bevor sie sich zu Stefano umwandte, um ihn zu rufen.

Wir drei gingen zusammen ins Wasser, während Antonio auf die Töchter der Schreibwarenhändlerin aufpasste. Es schien ein fröhlicher Tag zu werden. Irgendwann nahm uns Stefano alle zusammen mit in die Strandbar und bestellte alles, was man sich wünschen konnte: Brötchen, Getränke, Eis. Sofort ließen die Mädchen Antonio stehen und wandten sich ausschließlich Stefano zu. Als die beiden Männer anfingen über irgendwelche Probleme mit dem Cabrio zu reden, ein Thema, bei dem Antonio ordentlich glänzte, zog ich die Mädchen weg, damit sie nicht störten. Lila kam mir nach.

»Was zahlt dir die Schreibwarenhändlerin?«, fragte sie.

Ich sagte es ihr.

»Nicht gerade viel.«

»Nach Ansicht meiner Mutter zahlt sie mir sogar zu viel.«

»Du darfst dich nicht unter Wert verkaufen, Lenù.«

»Ich werde mich nicht unter Wert verkaufen, wenn ich irgendwann mit deinen Kindern ans Meer fahren muss.«

»Dann gebe ich dir kistenweise Goldstücke, ich weiß, wie kostbar die Zeit mit dir ist.«

Ich sah sie an, um zu ergründen, ob sie einen Witz machte. Sie machte keine Witze, das tat sie erst kurz darauf, als sie auf Antonio zu sprechen kam:

»Weiß er dich denn zu schätzen?«

»Wir sind seit zwanzig Tagen ein Paar.«

»Liebst du ihn?«

»Nein.«

»Und weiter?«

Ich sah sie herausfordernd an.

»Liebst du denn Stefano?«

Sie sagte ernst:

»Sehr.«

»Mehr als deine Eltern, mehr als Rino?«

»Mehr als alle anderen, aber nicht mehr als dich.«

»Du nimmst mich auf den Arm.«

Doch ich dachte: ›Selbst wenn sie mich auf den Arm nimmt, ist es doch schön, so miteinander zu reden, in der Sonne, auf dem warmen Beton sitzend, mit den Füßen im Wasser. Was macht es da, dass sie sich nicht erkundigt hat, was ich gerade lese. Was macht es da, dass sie nicht gefragt hat, wie meine Prüfungen gelaufen sind. Vielleicht ist ja doch nicht alles vorbei. Auch nach ihrer Hochzeit wird zwischen uns etwas bleiben.‹ Ich sagte:

»Ich komme jeden Tag hierher. Warum kommst du nicht auch?«

Sie zeigte sich begeistert von dieser Idee und erzählte Stefano davon, der einverstanden war. Es war ein strahlender Tag, an dem wir uns alle wunderbar wohlfühlten. Dann ging allmählich die Sonne unter, es wurde Zeit, die Mädchen nach Hause zu bringen. Stefano ging zur Kasse und erfuhr, dass Antonio schon alles bezahlt hatte. Er bedauerte das sehr und bedankte sich herzlich. Unterwegs, kaum dass Stefano und Lila mit dem Cabrio weggefahren waren, machte ich ihm Vorwürfe. Melina und Ada schrubbten die Treppen der Wohnblocks, und er bekam nur einen Hungerlohn.

»Warum hast du die Rechnung bezahlt?« herrschte ich ihn wütend im Dialekt an.

»Damit du und ich besser aussehen und edler sind.«

50

Ich schloss Antonio ins Herz, fast ohne es zu merken. Unsere Sexspielchen wurden etwas gewagter, etwas lustvoller. Falls Lila wieder zum Sea Garden kam, wollte ich sie fragen, was zwischen ihr und Stefano lief, wenn sie zu zweit mit dem Auto wegfuhren. Taten sie das Gleiche, was Antonio und ich taten, oder sogar noch mehr, zum Beispiel alles, was die zwei Solara-Brüder ihr andichteten? Außer ihr hatte ich niemanden, mit dem ich mich vergleichen konnte. Doch die Gelegenheit, ihr solche Fragen zu stellen, ergab sich nicht, sie kam nicht mehr.

Kurz vor Ferragosto war meine Arbeit beendet und auch die Freude an Sonne und Meer. Die Schreibwarenhändlerin war hochzufrieden damit, wie ich mich um ihre Töchter gekümmert hatte. Und obwohl die Kleinen ihrer Mutter, entgegen meinen Anweisungen, erzählt hatten, dass manchmal ein mit mir befreundeter junger Mann mit ans Meer gekommen sei und sie großartige Sprünge mit ihm ins Wasser gemacht hätten, umarmte sie mich, anstatt mir Vorwürfe zu machen, und sagte: »Gut so, tob dich ruhig ein bisschen aus, du bist viel zu vernünftig für dein Alter.« Gehässig fügte sie hinzu: »Wenn man dagegen bedenkt, was Lina Cerullo so alles treibt.«

Am Abend, an den Teichen, sagte ich zu Antonio:

»So ist es schon immer gewesen, seit wir klein waren: Alle denken, sie ist die Böse und ich bin die Liebe.«

Er küsste mich, flüsterte ironisch:

»Wieso, ist es denn nicht so?«

Diese Antwort rührte mich an und hinderte mich, ihm zu sagen, dass wir uns trennen müssten. Dieser Schritt schien mir dringend notwendig zu sein, Freundschaft war keine Liebe, ich liebte Nino, ich wusste, dass ich ihn immer lieben würde. Ich hatte mir für Antonio eine ruhige Ansprache zurechtgelegt, wollte ihm sagen: »Es war schön mit dir, du hast mir in einer Zeit, als ich traurig war, sehr geholfen, doch jetzt geht die Schule wieder los, und dieses Jahr komme ich in die Oberstufe, ich kriege neue Fächer, es ist ein schwieriges Jahr, ich werde viel lernen müssen. Es tut mir leid, aber wir müssen Schluss machen.« Ich spürte, dass es sein musste, und jeden Nachmittag ging ich mit meiner vorbereiteten Rede zu unserem Treffen an den Teichen. Doch er war so zärtlich, war so leidenschaftlich verliebt, dass mir der Mut fehlte und ich die Sache aufschob. Bis Ferragosto. Bis nach Ferragosto. Bis Ende August. Ich sagte mir: ›Man darf einen Menschen nicht küssen, ihn nicht berühren, sich nicht von ihm berühren lassen, wenn man nicht mehr als ein bisschen Zuneigung für ihn empfindet. Lila liebt Stefano sehr, ich Antonio nicht.‹

Die Zeit verging, und ich fand nie den geeigneten Augenblick, um mit ihm zu reden. Er hatte Sorgen. Für gewöhnlich ging es Melina in der Hitze ohnehin schlechter, aber in der zweiten Augusthälfte verschlimmerte sich ihr Zustand erheblich. Sarratore, den sie Donato nannte, war ihr wieder in den Sinn gekommen. Sie sagte, sie habe ihn gesehen, sagte, er sei gekommen, um sie abzuholen. Ihre Kinder wussten nicht, wie sie sie beruhigen sollten. Ich bekam Angst, Sarratore könnte tatsächlich in den Straßen des Rione aufgetaucht sein und suchte nicht Melina, sondern mich. Nachts schreckte ich mit dem Gefühl aus dem Schlaf, er sei durchs Fenster hereingekommen und stünde im Zimmer. Dann beruhigte ich mich, ich dachte: ›Er wird in Barano, am Maronti-Strand, Urlaub machen und bestimmt nicht hier in der Hitze, mit den Fliegen, dem Staub.‹

Doch eines Morgens, als ich einkaufen ging, hörte ich, dass mich jemand rief. Ich drehte mich um und erkannte ihn nicht sofort. Dann nahm ich den schwarzen Schnauzbart, die angenehmen, sonnengebräunten Gesichtszüge und den Mund mit den schmalen Lippen genauer ins Visier. Ich ging weiter, er kam mir nach. Er sagte, er habe mich in diesem Sommer in Nellas Haus in Barano schmerzlich vermisst. Sagte, er denke nur noch an mich, er könne ohne mich nicht leben. Sagte, um unserer Liebe Ausdruck zu verleihen, habe er viele Gedichte geschrieben, die er mir vorlesen wolle. Sagte, er wolle mich wiedersehen, wolle in Ruhe mit mir reden, und sollte ich ablehnen, würde er sich umbringen.

Da blieb ich stehen und zischte, er solle mich in Frieden lassen, ich hätte einen festen Freund, ich wolle ihn nie wiedersehen. Er war verzweifelt. Flüsterte, er werde immer auf mich warten, werde jeden Tag zur Mittagszeit am Tunneleingang am Stradone sein. Ich schüttelte energisch den Kopf: Ich würde niemals kommen. Er beugte sich vor, um mir einen Kuss zu geben, ich sprang mit einer Anwandlung von Ekel zurück, er lächelte enttäuscht. Leise sagte er: »Du bist ein gutes, sensibles Mädchen, ich bringe dir die Gedichte mit, die mir am meisten am Herzen liegen«, und ging.

Ich war zu Tode erschrocken, wusste nicht, was ich tun sollte. Ich beschloss, mich an Antonio zu wenden. Noch am selben Abend an den Teichen erzählte ich ihm, dass seine Mutter recht habe, Donato Sarratore treibe sich wirklich in unserem Viertel herum. Er habe mich auf der Straße angehalten. Habe mich gebeten, Melina auszurichten, er werde immer, jeden Tag zur Mittagszeit am Tunneleingang auf sie warten. Antonios Miene verdüsterte sich, er brummte: »Und was soll ich tun?« Ich sagte, ich würde ihn zu dieser Verabredung begleiten, und zusammen würden wir Sarratore ein paar Takte zu Melinas Gesundheitszustand sagen.

Vor Unruhe konnte ich die ganze Nacht nicht schlafen. Tags darauf machten wir uns auf den Weg zum Tunnel. Antonio war schweigsam und hatte es nicht eilig. Ich spürte, dass er an einer Last zu tragen hatte, die ihn bremste. Er war teils außer sich vor Wut, teils eingeschüchtert. Aufgebracht dachte ich: ›Er war in der

Lage, den Solaras für seine Schwester Ada und für Lila die Stirn zu bieten, aber jetzt hat er Angst. Er hält Donato Sarratore für einen bedeutenden, angesehenen Mann.‹ Antonio so zu sehen, machte mich noch entschlossener. Am liebsten hätte ich ihn geschüttelt, ihn angeschrien: »Du hast kein einziges Buch geschrieben, aber du bist viel mehr wert als dieser Mann!« Doch ich beschränkte mich darauf, mich bei ihm einzuhaken.

Als Sarratore uns von Weitem sah, versuchte er, umgehend in die Dunkelheit des Tunnels abzutauchen. Ich rief ihn:

»Signor Sarratore!«

Widerstrebend drehte er sich um.

Ich sprach ihn in einer distanzierten Höflichkeitsform an, die in unserem Rione damals nicht üblich war.

»Ich weiß nicht, ob Sie sich noch an Antonio erinnern, den ältesten Sohn von Signora Melina.«

Sarratore sagte mit einer schrillen, betont liebenswürdigen Stimme:

»Aber natürlich erinnere ich mich, ciao, Antonio!«

»Wir sind ein Paar.«

»Aha, soso, ja gut.«

»Wir haben viel miteinander geredet, er wird es Ihnen jetzt erklären.«

Antonio begriff, dass nun er an der Reihe war, und sagte totenblass, angespannt und stark gefordert durch den Gebrauch des Italienischen:

»Es freut mich sehr, Sie zu sehen, Signor Sarratore, ich vergesse nichts. Ich werde Ihnen für das, was Sie nach dem Tod meines Vaters für uns getan haben, immer dankbar sein. Besonders danke ich Ihnen dafür, dass Sie mir eine Stellung in Signor Gorresios Werkstatt verschafft haben, Ihnen verdanke ich, dass ich einen Beruf erlernen konnte.«

»Erzähl ihm von deiner Mutter«, drängte ich ihn nervös.

Ernüchtert bedeutete er mir, still zu sein. Er fuhr fort:

»Aber Sie leben nicht mehr im Rione und haben nicht klar vor Augen, was los ist. Schon wenn meine Mutter nur Ihren Namen hört, verliert sie den Kopf. Und wenn sie Sie sieht, Sie nur ein einziges Mal sieht, landet sie im Irrenhaus.«

Sarratore fuchtelte mit den Händen:

»Antonio, mein Sohn, ich hatte nie auch nur die geringste Absicht, deiner Mutter wehzutun. Du erinnerst dich ja noch völlig zu Recht, wie viel ich für euch getan habe. Und dabei wollte ich ihr und euch allen wirklich immer nur helfen.«

»Also wenn Sie ihr immer noch helfen wollen, dann besuchen Sie sie nicht, schicken Sie ihr keine Bücher und lassen Sie sich im Rione nicht mehr blicken!«

»Das kannst du nicht von mir verlangen, du kannst mich nicht davon abhalten, die Orte wiederzusehen, die mir lieb und teuer sind«, sagte Sarratore inbrünstig und mit gespielter Ergriffenheit.

Dieser Ton empörte mich. Ich kannte ihn, er hatte ihn oft in Barano, am Maronti-Strand angeschlagen.

Es war ein Ton, wie ihn seiner Ansicht nach ein bedeutender Mann hatte, ein Mann, der Verse und Artikel für die Zeitung *Roma* schrieb. Ich wollte mich schon einmischen, doch erstaunlicherweise kam Antonio mir zuvor. Er krümmte die Schultern, zog den Kopf ein und stieß mit seinen kräftigen Fingern gegen Donato Sarratores Brust. Im Dialekt sagte er:

»Ich halte Sie nicht davon ab. Aber ich verspreche Ihnen, wenn Sie meiner Mutter das bisschen Verstand rauben, das ihr geblieben ist, wird Ihnen für immer die Lust vergehen, diese beschissenen Orte wiederzusehen.«

Sarratore wurde leichenblass.

»Ja«, sagte er rasch. »Ich habe verstanden, danke.«

Er machte auf dem Absatz kehrt und verschwand in Richtung Bahnhof.

Ich hakte mich bei Antonio unter, stolz auf sein Aufbegehren, und bemerkte, dass er zitterte. Da dachte ich vielleicht zum ersten Mal darüber nach, was der Tod seines Vaters für ihn als kleinen Jungen bedeutet haben musste, dazu die Arbeit, die Verantwortung, die ihm zugefallen war, und der Zusammenbruch seiner Mutter. Ich zog ihn voller Zuneigung fort und setzte mir eine neue Frist: Ich würde ihn nach Lilas Hochzeit verlassen.

51

An diese Hochzeit sollte sich der Rione noch lange erinnern. Die Vorbereitungen dazu fielen mit der langsamen, umständlichen, streitbeladenen Entstehung der Cerullo-Schuhe zusammen, und beide Vorhaben schienen aus dem einen oder anderen Grund nie zu einem Abschluss zu kommen.

Die Hochzeit hatte übrigens nicht unerhebliche Auswirkungen auf die Schusterwerkstatt. Fernando und Rino arbeiteten viel, nicht nur an den neuen Schuhen, die zunächst noch gar nichts einbrachten, sondern auch an zahllosen kleinen, unmittelbar rentablen Aufträgen, die ihnen die dringend benötigten Erlöse brachten. Sie mussten genug Geld zusammenbringen, um Lila eine kleine Aussteuer zu sichern, und um für die Kosten des Buffets aufkommen zu können, die sie unbedingt übernehmen wollten, um nicht als Bettler dazustehen. Folglich war die Stimmung im Hause Cerullo monatelang äußerst angespannt. Nunzia bestickte Tag und Nacht Bettwäsche, und Fernando machte eine Szene nach der anderen, da er den glücklichen Zeiten nachtrauerte, als er in seiner kleinen Bude, in der er König gewesen war, ruhig vor sich hin geklebt, genäht und mit den Nägeln zwischen den Lippen gehämmert hatte.

Die einzigen Unbeschwerten schienen die beiden Verlobten zu sein. Zwischen ihnen kam es nur zu zwei kleinen Unstimmigkeiten. Bei der ersten ging es um ihr künftiges Domizil. Stefano wollte eine kleine Wohnung im neuen Viertel kaufen, aber Lila hätte lieber eine in den alten Wohnblocks gehabt. Sie stritten sich. Die Wohnung im alten Rione war größer, doch dunkel und hatte keinen schönen Ausblick, wie übrigens alle Wohnungen in dieser Gegend. Die Wohnung im neuen Viertel war zwar kleiner, hatte aber eine riesige Badewanne, wie die aus der Palmolive-Werbung, und dazu ein Bidet und einen Blick auf den Vesuv. Es war zwecklos, darauf hinzuweisen, dass keine zweihundert Meter entfernt deutlich sichtbar die Eisenbahngleise verliefen, während der Vesuv nur ein schwaches, weit entferntes Bild war, das im nebligen Himmel verblasste. Stefano reizte das Neue, die Wohnungen mit glänzenden Fußböden, die schneeweißen Wände, und so gab Lila schnell nach. Mehr als alles andere zählte, dass sie mit nicht einmal siebzehn Jahren über eine eigene Wohnung mit fließendem Warmwasser verfügen würde, und dies nicht zur Miete, sondern als Eigentum.

Die zweite Unstimmigkeit betraf die Hochzeitsreise. Stefano schlug als Ziel Venedig vor, aber Lila, die damit eine Neigung offenbarte, die kennzeichnend für ihr ganzes Leben werden sollte, bestand darauf, sich nicht weit von Neapel zu entfernen. Sie schlug einen Aufenthalt auf Ischia, auf Capri und vielleicht an der Amalfi-Küste vor, alles Orte, an denen sie noch nie gewesen war. Ihr zukünftiger Ehemann erklärte sich fast sofort einverstanden.

Im Übrigen gab es nur winzige Reibereien, die vor allem die Probleme innerhalb ihrer Familien widerspiegelten. So rutschten Stefano jedes Mal, wenn er im Schuhgeschäft Cerullo gewesen war und sich danach mit Lila traf, harte Worte über Fernando und Rino heraus, und das gefiel ihr nicht, sie brauste auf und verteidigte die beiden. Er schüttelte wenig überzeugt den Kopf, begann das Schuhunternehmen als eine übertriebene Investition zu betrachten und setzte gegen Sommerende, als es starke Spannungen zwischen ihm und den beiden Cerullo-Männern gab, dem Hin und Her von Vater, Sohn und Gehilfen ein absehbares Ende. Er sagte, bis November wolle er die ersten Resultate sehen. Zumindest die Wintermodelle, für Damen und für Herren, sollten fertig sein, um vor Weihnachten ins Schaufenster gestellt zu werden. Dann platzte er Lila gegenüber ziemlich gereizt damit heraus, dass Rino schneller dabei sei, Geld zu fordern, als zu arbeiten. Sie nahm ihren Bruder in Schutz, er widersprach, sie regte sich auf, und er ruderte augenblicklich zurück. Er holte das Paar Schuhe hervor, durch das dieses ganze Projekt entstanden war, Schuhe, die gekauft, doch nie getragen worden waren und die wie ein höchst kostbares Zeugnis ihrer Geschichte gehütet wurden, er befühlte sie, sog ihren Geruch ein und erzählte gerührt, wie sehr er in ihnen Lilas zarte Hände spüre, sehe und stets gesehen habe, die Hände eines fast noch kleinen Mädchens, die zusammen mit den Pranken ihres Bruders daran gearbeitet hätten. Sie standen auf der Terrasse der alten Wohnung, dort, wo sie im Wettstreit mit den Solaras das Feuerwerk abgebrannt hatten. Er nahm ihre Finger, küsste jeden einzeln und sagte, er werde nie erlauben, dass diese Hände sich jemals wieder ruinierten.

Lila erzählte mir sehr fröhlich von dieser Liebesbekundung. Das tat sie, als sie mir die neue Wohnung zeigte. Was für eine Pracht: spiegelblanke Majolikaböden, eine Badewanne für Schaumbäder, geschnitzte Möbel im Esszimmer und im Schlafraum, ein Eisschrank und sogar ein Telefon. Aufgeregt notierte ich mir die Nummer. Wir waren in kleinen Wohnungen geboren und aufgewachsen, ohne ein eigenes Zimmer, ohne einen Platz zum Lernen. Ich lebte immer noch so. Sie schon bald nicht mehr. Wir gingen auf den Balkon, der zur Eisenbahn und zum Vesuv zeigte. Ich fragte sie vorsichtig:

»Du und Stefano, kommt ihr auch allein hierher?«
»Ja, manchmal.«
»Und was passiert dann?«
Sie sah mich verständnislos an.
»Wie meinst du das?«
Ich wurde verlegen.
»Küsst ihr euch?«
»Manchmal.«
»Und dann?«
»Nichts dann, wir sind noch nicht verheiratet.«

Ich war verwirrt. Konnte das sein? So viel Freiheit und dann nichts? So viel Klatsch und Tratsch im ganzen Rione, die Obszönitäten der Solaras, und zwischen ihnen bloß ein paar Küsse?

»Aber fragt er dich denn nicht?«

»Wieso, fragt Antonio dich denn?«
»Ja.«
»Mich fragt er nicht. Er ist damit einverstanden, dass wir erst heiraten.«
Doch meine Fragen schienen sie verstört zu haben, so wie ihre Antworten mich verstört hatten. Sie gewährte Stefano also nichts, obwohl sie allein mit dem Auto wegfuhren, obwohl sie bald heiraten würden, obwohl sie bereits eine eigene, eingerichtete Wohnung hatten, ein Bett mit noch verpackten Matratzen. Ich dagegen, die ganz bestimmt nicht heiraten sollte, war schon längst über einen Kuss hinausgegangen. Als sie mich mit naiver Neugier fragte, ob ich Antonio das gewährte, was er verlangte, schämte ich mich, ihr die Wahrheit zu sagen. Ich verneinte, und das schien sie zu freuen.

52

Ich schränkte die Treffen an den Teichen ein, auch weil die Schule wieder begann. Ich war mir sicher, dass Lila mich wegen des Unterrichts, wegen der Schulaufgaben aus ihren Hochzeitsvorbereitungen heraushalten würde, sie war an meine Abwesenheit während des Schuljahrs gewöhnt. Doch so kam es nicht. Die Spannungen mit Pinuccia hatten im Sommer beträchtlich zugenommen. Es ging nicht mehr um Kleider, Hüte, Tücher oder Schmuck. Einmal sagte Pinuccia in Lilas Beisein kategorisch zu ihrem Bruder, entweder komme seine Verlobte zum Arbeiten in die Salumeria, und wenn nicht gleich, dann wenigstens nach der Hochzeitsreise – zum Arbeiten, wie die ganze Familie es seit jeher tat, wie sogar Alfonso es tat, sobald die Schule ihm die Zeit dafür ließ –, oder sie werde auch nicht mehr arbeiten. Und dieses Mal unterstützte ihre Mutter sie ausdrücklich.

Lila zuckte mit keiner Wimper und sagte, sie könne sofort anfangen, auch morgen schon, überall, wo Familie Carracci sie haben wolle. In dieser Antwort schwang, wie schon immer in Lilas Antworten, obgleich sie versöhnlich sein wollten, etwas Unbescholtenes, Verächtliches mit, was Pinuccia noch mehr auf die Palme brachte. Es wurde offensichtlich, dass die Tochter des Schusters von den zwei Frauen mittlerweile als Hexe angesehen wurde, die gekommen war, um sich als Primadonna aufzuspielen; um das Geld aus dem Fenster zu werfen, ohne einen Finger dafür zu rühren, es auch zu verdienen; um sich mit ihren Hexenkünsten den Mann im Haus gefügig zu machen und ihn dazu zu bringen, seinem eigen Fleisch und Blut, soll heißen seiner leiblichen Schwester und sogar der eigenen Mutter, großes Unrecht anzutun.

Wie es seine Art war, antwortete Stefano erst einmal nicht. Er wartete ab, bis seine Schwester sich abreagiert hatte, und sagte dann gelassen, als wäre das Problem um Lila und ihre Eingliederung in das kleine Familienunternehmen nie aufgeworfen worden, Pinuccia täte wohl besser daran, seiner Verlobten bei den Hochzeitsvorbereitungen zu helfen, anstatt in der Salumeria zu arbeiten.

»Brauchst du mich etwa nicht mehr?«, brauste das Mädchen auf.

»Nein. Ab morgen setze ich Melinas Tochter Ada auf deinen Platz.«

»Hat sie dir das eingeredet?«, schrie Pinuccia auf Lila weisend.

»Das geht dich nichts an.«

»Hast du das gehört, Ma'? Hast du gehört, was er gesagt hat? Er glaubt, er ist hier der große Chef!«

Einen Moment lang herrschte ein unerträgliches Schweigen, dann stand Maria von ihrem Stuhl hinter der Kasse auf und sagte zu ihrem Sohn:

»Such dir gleich auch jemanden für den Platz hier. Ich bin müde und will nicht mehr schuften.«

Da lenkte Stefano ein wenig ein. Er sagte leise:

»Beruhigen wir uns, ich bin von gar nichts der Chef, die Angelegenheiten der Salumeria betreffen nicht nur mich, sondern uns alle. Wir müssen eine Entscheidung treffen. Pinù, hast du es nötig, zu arbeiten? Nein. Mammà, haben Sie es nötig, von morgens bis abends hinten an der Kasse zu sitzen? Nein. Also geben wir doch denen Arbeit, die sie brauchen. Hinter den Verkaufstisch stelle ich Ada, und was die Kasse angeht, überlege ich mir noch was. Wer soll sich denn sonst um die Hochzeit kümmern?«

Ich weiß nicht, ob hinter der Verbannung von Pinuccia und ihrer Mutter aus dem Alltagsgeschäft der Salumeria und hinter Adas Anstellung wirklich Lila steckte (Ada war natürlich davon überzeugt, und sie überzeugte vor allem Antonio davon, der nun von unserer Freundin sprach wie von einer guten Fee). Damit, dass ihre Schwägerin und ihre Schwiegermutter jede Menge Freizeit haben würden, um sich in die Hochzeitsvorbereitungen zu stürzen, war Lila garantiert nicht geholfen. Die beiden Frauen machten ihr weiterhin das Leben schwer, wegen jeder Kleinigkeit gab es Streit: wegen der Einladungen, der Kirchendekoration, des Fotografen, der Kapelle, des Festsaals, des Menüs, der Torte, der kleinen Geschenke des Brautpaars für die Gäste, der Ringe und sogar wegen der Flitterwochen, denn Pinuccia und Maria fanden eine Reise nach Sorrent, Positano, Ischia und Capri armselig. So wurde ich ganz plötzlich hinzugezogen, angeblich um Lila hier und da zu beraten, doch eigentlich um sie in einem schwierigen Kampf zu unterstützen.

Ich war gerade in die erste Klasse der Oberstufe gekommen und hatte einige neue, schwierige Fächer. Mein üblicher, sturer Fleiß zermürbte mich bereits, ich lernte zu verbissen. Eines Tages traf ich auf dem Heimweg von der Schule meine Freundin, und sie sagte unvermittelt:

»Bitte, Lenù, kannst du morgen kommen und mich beraten?«

Ich wusste nicht, wovon sie sprach. Ich war in Chemie abgefragt worden und hatte keine gute Figur gemacht, was mir sehr zusetzte.

»Beraten? Wobei denn?«

»Bei der Wahl des Brautkleides. Bitte, sag nicht nein, denn wenn du nicht kommst, bringe ich meine Schwägerin und meine Schwiegermutter noch um.«

Ich ging mit. Schloss mich ihr, Pinuccia und Maria mit großem Unbehagen an. Das Geschäft lag am Rettifilo. Ich weiß noch, dass ich mir in der Hoffnung, ein bisschen lernen zu können, einige Bücher einsteckte. Doch vergeblich. Von nachmittags um vier bis abends um sieben Uhr sahen wir uns Modezeichnungen an, befühlten Stoffe, probierte Lila die Kleider der Schaufensterpuppen an. Egal, was sie anzog, immer wertete ihre Schönheit das Kleid auf, und das Kleid ihre Schönheit. Ein steifer Organza, ein weicher Atlas, ein wolkiger Tüll. Ein Oberteil aus Spitze kleidete sie ebenso wie Puffärmel, ein weiter Rock ebenso wie ein enger, eine besonders lange Schleppe ebenso wie eine kurze, ein wehender Schleier ebenso wie ein festgesteckter, ein Diadem aus Strass ebenso wie eines aus Perlen oder aus Orangenblüten. Gehorsam ließ sie sich Modeskizzen zeigen und probierte die Kleider an, die sich an den Schneiderpuppen gut ausnahmen. Aber manchmal, wenn sie das mäklige Verhalten ihrer künftigen Verwandten nicht mehr ertrug, kehrte sie die frühere Lila hervor, die mir direkt in die Augen sah und Schwiegermutter und Schwägerin aufschreckte, indem sie spöttisch sagte: »Wie wäre es mit einem schönen grünen Atlas oder mit einem roten Organza oder mit einem schönen schwarzen Tüll oder, noch besser, mit einem gelben?« Da war mein Kichern nötig, um klarzustellen, dass die Braut Witze machte, bevor man mit feindseligem Ernst wieder Stoffe und Modelle sichtete. Die Schneiderin wiederholte in einem fort begeistert: »Egal was Sie sich aussuchen, bitte bringen Sie mir die Hochzeitsfotos, damit ich sie ins Schaufenster stellen kann. Dann kann ich sagen: Dieses Mädchen habe ich ausstaffiert!«

Das Problem war, sich zu entscheiden. Jedes Mal, wenn Lila zu einem bestimmten Modell, einem bestimmten Stoff neigte, traten Pinuccia und Maria an, um für ein anderes Modell, für einen anderen Stoff zu plädieren. Ich hielt meinen Mund, etwas betäubt von all den Diskussionen und auch vom Geruch der neuen Gewebe. Dann fragte mich Lila ärgerlich:

»Was meinst du, Lenù?«

Es wurde still. Sofort bemerkte ich mit einem gewissen Erstaunen, dass die zwei Frauen diesen Moment erwartet und sich vor ihm gefürchtet hatten. Ich wandte einen Trick an, den ich in der Schule gelernt hatte und der folgendermaßen funktionierte: Immer wenn ich auf eine Frage keine Antwort wusste, hielt ich mich mit der sicheren Stimme eines Menschen, der genau weiß, worauf er hinauswill, lang und breit bei der Vorrede auf. Ich schickte – auf Italienisch – voraus, dass mir die von Pinuccia und ihrer Mutter befürworteten Modelle ausgezeichnet gefielen. Ich erging mich zwar nicht in Lobreden, wohl aber in Argumentationen, die belegten, wie gut diese Modelle zu Lilas Formen passten. Sobald ich, wie im Unterricht bei den Lehrern, spürte, dass ich mir die Bewunderung, die Sympathie von Mutter und Tochter gesichert hatte, wählte ich aufs Geratewohl, wirklich aufs Geratewohl, eines der Modelle aus, wobei ich nur darauf achtete, keines von denen herauszufischen, für die Lila sich entschieden hatte, und ging nun dazu über, nachzuweisen, dass es sowohl die Vorzüge der von den zwei Frauen befürworteten Modelle als auch die Vorzüge der von meiner Freundin favorisierten Modelle auf sich vereinte. Die Schneiderin, Pinuccia und ihre Mutter gaben mir sofort recht. Lila beschränkte sich darauf, mich mit zusammengekniffenen Augen anzusehen. Dann wurde ihr Blick wieder normal, und sie erklärte sich ebenfalls einverstanden.

Als wir hinausgingen, waren Pinuccia und Maria in Hochstimmung. Sie wandten sich beinahe liebevoll an Lila, kommentierten den Kauf und zitierten mich in einem fort mit Sätzen wie: »Wie Lenuccia gesagt hat«, oder: »Lenuccia hat zu Recht gesagt.« Lila richtete es so ein, dass sie im abendlichen Gedränge des Rettifilo ein wenig zurückblieb. Sie fragte mich:

»Lernst du das in der Schule?«

»Was denn?«

»Wörter zu benutzen, um die Leute auf den Arm zu nehmen.«

Ich war gekränkt, sagte leise:

»Gefällt dir das Kleid denn nicht, das wir ausgesucht haben?«

»Doch, sehr.«

»Und?«

»Und nun tu mir den Gefallen und komm jedes Mal mit, wenn ich dich darum bitte.«

Ich war aufgebracht, sagte:

»Du willst mich benutzen, um sie auf den Arm zu nehmen?«

Sie sah, dass ich beleidigt war, und drückte mir fest die Hand:

»Ich hab' das nicht so gemeint. Ich wollte nur sagen, dass du gut darin bist, dich bei anderen beliebt zu machen. Der Unterschied zwischen mir und dir bestand schon immer darin, dass die Leute vor mir Angst haben und vor dir nicht.«

»Vielleicht weil du so boshaft bist«, sagte ich zunehmend wütend.

»Kann sein«, gab sie zurück, und ich bemerkte, dass ich ihr genauso wehgetan hatte wie sie mir. Um es wiedergutzumachen, fügte ich schnell und reumütig hinzu:

»Antonio würde für dich durchs Feuer gehen, ich soll dir von ihm danke sagen, weil du seiner Schwester Arbeit gegeben hast.«

»Stefano hat Ada Arbeit gegeben«, antwortete sie. »Ich bin die Böse.«

53

Von nun an wurde ich ständig gebeten, bei den erbittertsten Entscheidungskämpfen dabei zu sein, und manchmal – wie ich feststellte – nicht auf Lilas Wunsch, sondern auf Betreiben von Pinuccia und ihrer Mutter. Praktisch war ich es, die die Geschenke für die Gäste aussuchte. Praktisch war ich es, die das Restaurant in der Via Orazio aussuchte. Praktisch war ich es, die den Fotografen aussuchte und die Frauen überredete, zusätzlich zu den Fotos auch einen Super-8-Film in Auftrag zu geben. Während ich für mein Teil ein lebhaftes Interesse für alles aufbrachte, als wäre jedes dieser Probleme eine Übung für den Fall, dass ich selbst in die Lage kommen sollte, zu heiraten, wurde mir bei jeder Gelegenheit bewusst, dass Lila den Vorbereitungen zu ihrer Hochzeit so gut wie keine Aufmerksamkeit schenkte. Es wunderte mich, doch so war es ganz bestimmt. Das Einzige, was sie wirklich beschäftigte, war, ein für alle Mal dafür zu sorgen, dass sich ihre Schwägerin und ihre Schwiegermutter nicht in ihr künftiges Leben als Ehefrau und Mutter einmischen durften. Doch dies war nicht der übliche Konflikt zwischen Schwiegermutter, Schwiegertochter und Schwägerin. Aus dem, wie sie mich benutzte, wie sie Stefano manipulierte, gewann ich den Eindruck, dass sie aus dem Käfig heraus, in den sie sich gesperrt hatte, darum kämpfte, ihre ganz eigene Lebensweise zu finden, die für sie jedoch unklar blieb.

Natürlich verlor ich ganze Nachmittage damit, die

Auseinandersetzungen zwischen den Frauen zu schlichten. Ich lernte selten und ging sogar einige Male nicht zur Schule. Die Folge war, dass meine Zensuren im ersten Trimester nicht gerade rosig ausfielen. Meine neue Lehrerin in Latein und Griechisch, die hochgeschätzte Professoressa Galiani, hielt zwar große Stücke auf mich, aber in Philosophie, Chemie und Mathematik konnte ich nur knapp ein Genügend erreichen. Zu allem Überfluss geriet ich eines Morgens ernsthaft in Schwierigkeiten. Da der Religionslehrer unaufhörlich gegen die Kommunisten und ihren Atheismus zu Felde zog, fühlte ich mich berufen, zu reagieren, und ich weiß nicht, ob wegen meiner Freundschaft zu Pasquale, der sich schon immer als Kommunist bezeichnet hatte, oder einfach weil ich spürte, dass alles Schlechte, was der Priester über die Kommunisten sagte, mich als Liebling der Kommunistin schlechthin, der Professoressa Galiani, unmittelbar betraf. Jedenfalls hob ich, die erfolgreich einen Fernkurs in Theologie absolviert hatte, die Hand und sagte, die Daseinsform des Menschen sei so offensichtlich der blinden Wut des Zufalls ausgesetzt, dass auf einen Gott, auf Jesus, auf den Heiligen Geist zu vertrauen – von denen Letzterer eine vollkommen überflüssige Wesenheit sei, nur dazu da, eine Dreieinigkeit zu vervollständigen, die bekanntlich edler sei als das Vater-Sohn-Binom –, dass dies, also, dasselbe sei, wie Sammelbildchen zusammenzutragen, während die Stadt im Höllenfeuer brenne. Alfonso erkannte sofort, dass ich übers Ziel hinausschoss, und zog schüchtern an meinem Schulkittel, doch ich beachtete ihn nicht und ging aufs Ganze, bis hin zu diesem abschließenden Vergleich. Zum ersten Mal wurde ich aus dem Unterricht geworfen und erhielt einen Verweis, der ins Klassenbuch eingetragen wurde.

Auf dem Flur war ich zunächst verwirrt. Was war geschehen? Warum hatte ich mich so unbesonnen aufgeführt? Woher hatte ich die felsenfeste Überzeugung genommen, das, was ich gesagt hatte, sei richtig und müsse gesagt werden? Dann fiel mir ein, dass ich solche Reden mit Lila geführt hatte, und mir wurde klar, dass ich mich nur deshalb in diese unangenehme Lage gebracht hatte, weil ich ihr trotz allem noch immer genügend Autorität zuschrieb, um mir die Kraft zu geben, meinem Religionslehrer Paroli zu bieten. Lila nahm kein Buch mehr in die Hand, lernte nicht mehr, war im Begriff, die Frau eines Lebensmittelhändlers zu werden, würde wahrscheinlich anstelle von Stefanos Mutter hinter der Kasse landen, und ich? Hatte ich aus ihr die Energie gezogen, um ein Bild zu erfinden, das die Religion als eine Kollektion von Sammelbildchen definierte, während die Stadt im Höllenfeuer brennt? Stimmte es demnach gar nicht, dass die Schule mein ganz persönlicher Reichtum war, nunmehr weit entfernt von ihrem Einfluss? Ich weinte vor der Tür zum Klassenzimmer lautlose Tränen.

Doch plötzlich änderten sich die Dinge. Am Ende des Flurs erschien Nino Sarratore. Nach der erneuten Begegnung mit seinem Vater behandelte ich ihn erst recht wie Luft, aber in meiner Bedrängnis baute mich sein Anblick wieder auf, hastig wischte ich mir die Tränen ab. Er muss trotzdem bemerkt haben, dass etwas nicht stimmte, und kam auf mich zu. Er war noch gewachsen, hatte einen stark ausgeprägten Adamsapfel, durch einen bläulichen Bart hohl wirkende Gesichtszüge und einen festeren Blick. Keine Chance, ihm auszuweichen. Ich konnte nicht zurück in die Klasse, konnte mich aber auch nicht auf die Toilette zurückziehen, beides hätte meine Lage weiter kompliziert, falls der Religionslehrer herausgekommen wäre. Ich blieb, wo ich war, und als er vor mir stand und sich erkundigte, warum ich draußen sei, was denn geschehen sei, erzählte ich ihm alles. Er runzelte die Stirn, sagte: »Ich bin gleich zurück.« Er verschwand und tauchte wenige Minuten später zusammen mit Professoressa Galiani wieder auf.

Die Lehrerin überhäufte mich mit Lob. »Doch jetzt«, sagte sie, als erteilte sie Nino und mir eine Lehre, »ist es nach diesem Frontalangriff Zeit zu vermitteln.« Sie klopfte an die Tür meines Klassenzimmers, schloss sie hinter sich und kam nach fünf Minuten fröhlich zurück. Ich durfte wieder hinein, unter der Bedingung, dass ich mich beim Lehrer für meinen allzu aggressiven Ton entschuldigte. Ich entschuldigte mich, hin- und hergerissen zwischen der Angst vor einem wahrscheinlichen Nachspiel und dem Stolz auf die Unterstützung, die ich von Nino und der Galiani erhalten hatte.

Ich hütete mich wohlweislich, meinen Eltern von dem Vorfall zu erzählen, berichtete jedoch Antonio alles, der die Sache voller Stolz Pasquale weitererzählte, der seinerseits eines Morgens auf Lila stieß und, von seiner unverändert starken Liebe zu ihr überwältigt und nicht wissend, was er sagen sollte, sich an meine Geschichte klammerte wie an einen Rettungsring und sie ihr erzählte. So wurde ich im Handumdrehen zu einer Heldin, sowohl für meine langjährigen Freunde als auch für ein spärliches, doch höchst wehrhaftes Grüppchen von Lehrern und Schülern, die gegen die Hasstiraden des Religionslehrers ankämpften. Da mir aber bewusst war, dass meine Entschuldigung beim Priester nicht genügt hatte, strengte ich mich an, um mein Ansehen bei ihm und bei den Lehrern, die die Dinge sahen wie er, zurückzugewinnen. Mühelos trennte ich meine Worte von mir ab: Bei allen Lehrern, die sich mir gegenüber nun ablehnend verhielten, benahm ich mich sehr respektvoll, eifrig, fleißig und kooperativ, so dass sie mich schon bald wieder als einen anständigen Charakter betrachteten, dem man einige versponnene Äußerungen nachsehen konnte. Auf diese Weise entdeckte ich, dass ich genauso vorgehen konnte wie Professoressa Galiani: mit Entschiedenheit meine Meinung vertreten und mich gleichzeitig um Vermittlung bemühen, indem ich mir mit einem tadellosen Verhalten jedermanns Achtung erwarb. Innerhalb weniger Tage schien ich zusammen mit Nino Sarratore, der in der dritten Klasse der Oberstufe war und in diesem Schuljahr das Abitur machen würde, wieder an der Spitze der vielversprechendsten Schüler unseres schäbigen Gymnasiums zu stehen.

Das war noch nicht alles. Einige Wochen später bat mich Nino mit seiner düsteren Miene unumwunden, möglichst schnell eine halbe Heftseite über meine Auseinandersetzung mit dem Priester zu schreiben.

»Und wozu?«

Er sagte, er arbeite für eine kleine Zeitschrift, die sich *Napoli Albergo dei poveri* – Armenhaus Neapel – nenne. Er habe in der Redaktion von dem Vorfall erzählt, und man habe ihm gesagt, wenn ich rechtzeitig darüber schreiben könnte, würde man versuchen, das in die nächste Ausgabe aufzunehmen. Er zeigte mir die Zeitschrift. Es war ein Heft von etwa fünfzig Seiten in einem schmutzigen Grau. Im Inhaltsverzeichnis tauchte er mit seinem vollen Namen auf, im Zusammenhang mit einem Artikel, der mit *Die Zahlen der Armut* überschrieben war. Mir fiel sein Vater ein, die Genugtuung und die Eitelkeit, mit der er mir am Maronti-Strand seinen in der *Roma* abgedruckten Artikel vorgelesen hatte.

»Schreibst du auch Gedichte?«, fragte ich ihn.

Er verneinte dies mit einer so heftigen Abneigung, dass ich ihm sofort versprach:

»Gut, ich versuche es.«

Ich ging in höchster Aufregung von der Schule nach Hause. Mein Kopf war schon voller Sätze, die ich schreiben wollte, und unterwegs erzählte ich Alfonso in allen Einzelheiten davon. Er bekam Angst um mich, beschwor mich, lieber nichts zu schreiben.

»Werden sie deinen Namen daruntersetzen?«

»Ja.«

»Lenù, der Priester wird sich wieder aufregen und dich durchfallen lassen. Und er wird die Lehrer für Chemie und Mathematik auf seine Seite ziehen.«

Er steckte mich mit seiner Angst an, und ich verzagte. Doch kaum hatten wir uns voneinander verabschiedet, gewann die Vorstellung, dass ich die Zeitschrift, meinen kleinen Artikel und meinen gedruckten Namen schon bald Lila, meinen Eltern, Maestra Oliviero und Maestro Ferraro zeigen konnte, erneut die Oberhand. Danach würde ich alles wieder geradebiegen. Es war ausgesprochen elektrisierend gewesen, von denen, die ich für die Besten hielt (die Galiani, Nino), Beifall zu bekommen, weil ich gegen die Stellung bezogen hatte, die ich für die Schlimmsten hielt (den Priester, die Chemielehrerin, den Mathematiklehrer), mich jedoch zugleich so zu meinen Gegnern zu verhalten, dass ich weder ihre Sympathie noch ihre Achtung verlor. Ich würde alles daransetzen, dass sich dies nach Erscheinen des Artikels wiederholte.

Den ganzen Nachmittag über schrieb ich und korrigierte, was ich geschrieben hatte. Meine Sätze waren kurz und prägnant. Ich versuchte, meinem Standpunkt ein Maximum an theoretischer Würde zu verleihen, indem ich zu schwierigen Wörtern griff. Ich schrieb: »Wenn Gott omnipräsent ist, welche Notwendigkeit gibt es dann für ihn, sich durch den Heiligen Geist zu verbreiten?« Doch die halbe Seite war schnell vollgeschrieben, und dies nur mit der Vorrede. Und der Rest? Ich begann wieder von vorn. Und da ich seit der Grundschule geübt darin war, nicht so schnell aufzugeben, gelangte ich am Ende zu einem ansehnlichen Ergebnis und setzte mich an die Schulaufgaben für den nächsten Tag.

Doch nach einer halben Stunde kamen mir wieder Zweifel, ich brauchte eine Bestätigung. Wem aber konnte ich meinen Text zu lesen geben, um ein Urteil zu bekommen? Meiner Mutter? Meinen Geschwistern? Antonio? Natürlich nicht, die Einzige war Lila. Aber mich an sie zu wenden, bedeutete, sie immer noch als Autorität anzuerkennen, obwohl doch nun im Grunde ich diejenige war, die mehr wusste als sie. Also sträubte ich mich zunächst gegen diesen Gedanken. Ich fürchtete, sie könnte meine halbe Seite mit einer flüchtigen, wegwerfenden Bemerkung zunichtemachen. Fürchtete noch mehr, diese flüchtige Bemerkung könnte mir trotzdem im Kopf herumspuken und mich zu extremen Gedanken treiben, die ich am Ende auf meine halbe Seite schreiben würde, womit deren Ausgewogenheit zerstört wäre. Trotzdem gab ich letzten Endes auf und lief zu ihr nach Hause. Ich erzählte ihr von Ninos Vorschlag und gab ihr das Heft.

Sie warf einen lustlosen Blick auf das Blatt, als täte ihr die Schrift in den Augen weh. Genau wie Alfonso fragte sie mich:

»Werden sie deinen Namen dazuschreiben?«

Ich nickte.

»Wirklich Elena Greco?«

»Ja.«

Sie hielt mir das Heft hin:

»Ich kann dir nicht sagen, ob es gut ist oder nicht.«

»Bitte!«

»Nein, ich kann es nicht.«

Ich musste sie bedrängen. Obwohl es nicht stimmte, behauptete ich, wenn es ihr nicht gefalle, wenn sie sich sogar weigere, es zu lesen, würde ich es Nino nicht zur Veröffentlichung geben.

Am Ende las sie es. Ich hatte das Gefühl, dass sie sich völlig verkrampfte, als hätte ich eine große Last auf sie gewälzt. Sie schien eine schmerzhafte Anstrengung zu unternehmen, um aus irgendeinem Winkel ihrer selbst die alte Lila zu befreien – die Lila, die las, schrieb, zeichnete und unvermittelt Pläne schmiedete – und damit die Natürlichkeit einer spontanen Reaktion. Als ihr das gelang, schien alles wunderbar leicht zu sein.

»Kann ich was streichen?«

»Ja.«

Sie strich viele Wörter und einen ganzen Satz.

»Kann ich was umstellen?«

»Ja.«

Sie kreiste einen Satz ein und verschob ihn mit einer Wellenlinie an den Seitenanfang.

»Kann ich das für dich ins Reine schreiben?«

»Das tue ich selbst.«

»Nein, lass mich das machen.«

Sie brauchte eine Weile zum Abschreiben. Gab mir das Heft zurück und sagte:

»Du bist wirklich gut, kein Wunder, dass sie dir immer eine Zehn geben.«

Ich hörte keine Ironie heraus, es war ein ernstgemeintes Kompliment. Mit plötzlicher Härte fügte sie hinzu:

»Ich will nichts mehr von dem lesen, was du schreibst.«

»Warum denn nicht?«

Sie dachte nach.

»Weil es mir wehtut.« Sie schlug sich mit den Fingern auf den Kopf und lachte los.

54

Glücklich kehrte ich nach Hause zurück. Ich schloss mich in der Toilette ein, um meine Familie nicht zu stören, lernte bis drei Uhr nachts und ging schließlich schlafen. Um halb sieben quälte ich mich wieder hoch, um den Text abzuschreiben. Zunächst las ich ihn noch einmal in Lilas schöner, runder Handschrift, einer Schrift, die sich seit der Grundschule nicht verändert hatte, ganz anders als meine, die kleiner und nüchterner geworden war. Auf dem Papier stand genau das, was ich geschrieben hatte, doch klarer, direkter. Die Streichungen, die Umstellungen, die kleinen Ergänzungen und in gewisser Weise auch Lilas Schrift gaben mir das Gefühl, ich wäre mir entflohen und liefe nun hundert Schritte vor mir her, mit einer Energie und einer

Ausgeglichenheit, welche die, die zurückgeblieben war, nicht hatte aufbringen können.

Ich beschloss, den Text in Lilas Schrift stehenzulassen. Ich brachte ihn in dieser Form zu Nino, um Lilas sichtbare Spur in meinen Worten zu erhalten. Er las ihn und blinzelte dabei mehrmals mit seinen langen Wimpern. Schließlich sagte er unerwartet traurig:

»Die Galiani hat recht.«

»Womit?«

»Du kannst besser schreiben als ich.«

Obwohl ich verlegen abwehrte, wiederholte er diesen Satz, dann drehte er sich grußlos um und ging. Er sagte mir nicht einmal, wann die Zeitschrift erscheinen sollte oder wie ich sie mir beschaffen könnte, und ich hatte nicht den Mut, ihn danach zu fragen. Sein Benehmen ärgerte mich. Umso mehr als ich, während er sich entfernte, für wenige Sekunden den Gang seines Vaters wiedererkannte.

So endete unsere erneute Begegnung. Wieder einmal hatten wir alles verpatzt. Noch tagelang benahm sich Nino, als wäre die Fähigkeit, besser zu schreiben als er, eine Sünde, für die man büßen müsste. Ich war wütend. Als er mir wieder Körper, Leben, Gegenwart gewährte und mich fragte, ob wir ein Stück gemeinsam gehen wollten, antwortete ich kalt, ich sei schon verabredet, mein Freund hole mich gleich ab.

Eine Zeitlang muss er gedacht haben, Alfonso sei mein Freund, doch dieser Verdacht zerstreute sich, als eines Tages nach der Schule Ninos Schwester Marisa auftauchte, um ihm irgendetwas zu sagen. Wir hatten uns seit Ischia nicht mehr gesehen. Sie stürzte auf mich zu, begrüßte mich überschwenglich und erzählte, wie sehr sie es bedauert habe, dass ich im Sommer nicht wieder nach Barano gekommen sei. Da Alfonso bei mir war, stellte ich ihn ihr vor. Ihr Bruder war schon gegangen, und so bestand sie darauf, uns auf ein paar Schritte Gesellschaft zu leisten. Anfangs breitete sie ihre ganzen Liebesqualen vor uns aus. Als ihr klar wurde, dass Alfonso und ich kein Paar waren, wandte sie sich von mir ab und begann auf ihre einnehmende Weise mit ihm zu plaudern. Garantiert hatte sie ihrem Bruder zu Hause erzählt, dass zwischen Alfonso und mir nichts war, denn am folgenden Tag schwirrte er prompt wieder um mich herum. Doch nun regte mich schon sein bloßer Anblick auf. War er so eitel wie sein Vater, obwohl er ihn nicht ausstehen konnte? Glaubte er, die anderen könnten gar nicht anders, als ihn zu mögen, ihn zu lieben? War er so eingebildet, dass er nur die eigenen Vorzüge gelten ließ?

Ich bat Antonio, mich von der Schule abzuholen. Er gehorchte mir sofort, irritiert, doch auch dankbar für diesen Wunsch. Noch mehr dürfte ihn erstaunt haben, dass ich in der Öffentlichkeit, vor aller Augen, seine Hand nahm und meine Finger mit seinen verflocht. Ich hatte mich stets geweigert, auf diese Art spazieren zu gehen, sowohl im Rione als auch außerhalb, weil ich mir so immer noch wie das kleine Mädchen vorkam, das an der Hand seines Vaters ging. Doch diesmal tat ich es.

Ich wusste, dass Nino uns beobachtete, ich wollte, dass er begriff, wer ich war. Ich schrieb besser als er, ich würde in einer Zeitschrift publiziert werden, in der auch er veröffentlichte, ich war genauso gut in der Schule und sogar besser als er, ich hatte einen Mann, hier, bitte sehr. Und darum würde ich ihm niemals nachlaufen wie ein treues Hündchen.

55

Ich bat Antonio auch, mich zu Lilas Hochzeit zu begleiten, mich keinen Augenblick allein zu lassen und stets mit mir zu reden und gegebenenfalls zu tanzen. Ich hatte große Angst vor diesem Tag, empfand ihn als einen endgültigen Bruch und wünschte mir jemanden an meiner Seite, der mir beistand.

Dieser Wunsch hatte sein Leben wohl noch mehr kompliziert. Lila hatte allen Leuten Einladungen geschickt. In den Häusern des Rione waren die Mütter und Großmütter schon seit einer Weile damit beschäftigt, Kleider zu nähen, sich mit Hüten und Handtaschen auszustatten und auf der Suche nach einem Hochzeitsgeschenk herumzulaufen, nach was weiß ich, einem Satz Gläser, Geschirr, Besteck. Diese Anstrengungen galten nicht so sehr Lila, sie galten Stefano, der als hochanständig angesehen wurde, er erlaubte, dass man erst am Monatsende bezahlte. Doch vor allem war eine Hochzeit ein Anlass, bei dem niemand eine schlechte

Figur machen durfte, vor allem die unversorgten Mädchen nicht, die bei dieser Gelegenheit einen Mann finden und einige Jahre später selbst heiraten und einen Hausstand gründen konnten.

Gerade aus diesem letzten Grund wollte ich, dass Antonio mich begleitete. Ich hatte nicht die Absicht, die Sache offiziell zu machen – wir achteten sehr darauf, unsere Beziehung absolut geheim zu halten –, aber ich wollte mein Verlangen, attraktiv zu erscheinen, unter Kontrolle haben. Ich wollte mich bei diesem Anlass ruhig und gelassen fühlen, mit meiner Brille, meinem ärmlichen, von meiner Mutter genähten Kleid, meinen alten Schuhen, und dabei denken: ›Ich habe alles, was ein sechzehnjähriges Mädchen haben muss, ich brauche nichts und niemanden.‹

Doch für Antonio war das anders. Er liebte mich, sah in mir das größte Glück, das ihm je widerfahren war. Oft fragte er sich laut, mit einer Spur spannungsgeladener Angst hinter einer scheinbar amüsierten Miene, weshalb ich ausgerechnet ihn genommen hätte, einen Dummkopf, der keine zwei Worte aneinanderreihen konnte. In Wahrheit konnte er es kaum erwarten, bei meinen Eltern vorstellig zu werden und unsere Beziehung offiziell zu machen. Folglich musste er nach meiner Bitte annehmen, ich hätte mich nun endlich entschieden, mich mit ihm zu zeigen. Er verschuldete sich, um sich einen Anzug schneidern zu lassen, nicht gerechnet das Geld, das ihn bereits das Hochzeitsgeschenk, Adas Garderobe, die Kleidung für seine übrigen Geschwister und eine vorzeigbare Aufmachung für Melina kostete.

Ich bemerkte nichts davon. Ich schlug mich so durch zwischen Schulaufgaben, dringenden Beratungen immer dann, wenn sich die Dinge zwischen Lila, ihrer Schwägerin und ihrer Schwiegermutter verhakten, und der angenehmen Unruhe wegen meines Artikels, der jederzeit erscheinen konnte. Im Stillen war ich davon überzeugt, dass er erst dann wirklich existierte, wenn mein Name gedruckt wurde, Elena Greco, und ich lebte in Erwartung dieses Tages vor mich hin, ohne besonders auf Antonio zu achten, der es sich in den Kopf gesetzt hatte, seine Ausstaffierung zur Hochzeit mit einem Paar Cerullo-Schuhen zu krönen. Von Zeit zu Zeit fragte er mich: »Weißt du, wie weit sie sind?« Ich antwortete: »Frag Rino, Lila hat keine Ahnung.«

So war es auch. Im November baten die Cerullos Stefano zu sich, ohne sich die Mühe zu machen, die Schuhe vorher Lila zu zeigen, die doch immer noch bei ihnen wohnte. Aber Stefano erschien ausdrücklich mit seiner Verlobten und auch mit Pinuccia, alle drei in einer Aufmachung, als wären sie dem Fernseher entstiegen. Lila erzählte mir, der Anblick der fertigen Schuhe, die sie Jahre zuvor entworfen hatte, habe sie überwältigt, als wäre ihr eine gute Fee erschienen und hätte ihr einen Wunsch erfüllt. Die Schuhe seien genauso, wie sie sie sich damals vorgestellt hatte. Auch Pinuccia war aus dem Staunen nicht mehr herausgekommen. Sie probierte ein Modell an, das ihr gefiel, und machte Rino viele Komplimente, womit sie zu verstehen gab, dass sie ihn für den eigentlichen Schöpfer dieser Meisterwerke robuster Leichtigkeit und dissonanter Harmonie hielt. Der Einzige, der sich unzufrieden zeigte, war Stefano. Er unterbrach die Lobreden, die Lila auf ihren Bruder, ihren Vater und die Gehilfen hielt, brachte die honigsüße Stimme Pinuccias zum Schweigen, die Rino gratulierte und einen Fuß hob, um ihm dessen außergewöhnliche Bekleidung zu zeigen, und kritisierte an einem Modell nach dem anderen die Abweichungen von den Originalentwürfen. Bei dem Vergleich des Herrenschuhs, wie Rino und Lila ihn hinter Fernandos Rücken gefertigt hatten, mit dem gleichen Schuh, wie Vater und Sohn ihn überarbeitet hatten, regte er sich besonders lange auf. »Was soll denn dieser Besatz, was sollen diese Nähte, was soll diese goldfarbene Schnalle?«, fragte er gereizt. Sosehr Fernando sich auch bemühte, sämtliche Veränderungen mit Gründen der Stabilität oder manchmal damit zu rechtfertigen, dass ein Fehler im Entwurf überdeckt werden musste, ließ Stefano sich doch nicht umstimmen. Er sagte, er habe nicht dermaßen viel Geld investiert, um Allerweltsschuhe zu bekommen, er wolle haargenau Lilas Schuhe.

Es gab viel Ärger. Lila stellte sich sanft auf die Seite ihres Vaters und bat ihren Verlobten, es gut sein zu lassen: Ihre Schuhe seien Kleinmädchenphantasien, und die – übrigens nicht so erheblichen – Änderungen seien garantiert notwendig. Doch Rino unterstützte Stefano, und der Streit zog sich hin. Er endete erst, als Fernando sich vollkommen erschöpft in eine Ecke setzte und mit einem Blick auf die Zeichnungen an der Wand sagte:

»Wenn du die Schuhe zu Weihnachten haben willst, dann nimm sie so, wie sie sind. Wenn du sie haargenau so haben willst, wie meine Tochter sie entworfen hat, dann lass sie von einem anderen machen.«

Stefano gab nach, auch Rino gab nach.

Zu Weihnachten erschienen die Schuhe im Schaufenster, einem Schaufenster mit einem Kometen aus Watte. Ich ging vorbei, um sie mir anzuschauen. Sie waren elegant und sorgfältig gearbeitet. Schon ihr bloßer Anblick vermittelte ein Gefühl bequemem Wohlstands, der nicht zu dem ärmlichen Schaufenster passen wollte, zu der trostlosen Umgebung draußen und zum Inneren des Schuhgeschäfts voller Lederstücke und Werkbänke und Ahlen und Leisten und bis an die Decke aufgestapelter Schuhkartons, die auf einen Käufer warteten. Auch mit Fernandos Änderungen waren es die Schuhe unserer Kindheitsträume, nicht gedacht für die Wirklichkeit im Rione.

Und tatsächlich wurde zu Weihnachten kein einziges Paar verkauft. Nur Antonio tauchte auf, bat Rino um eine Nummer 44 und probierte sie an. Später beschrieb er mir das Vergnügen, das er mit dieser edlen Qualität an den Füßen und bei der Vorstellung empfunden hatte, mit mir auf diese Hochzeit zu gehen, in seinem neuen Anzug und mit diesen Schuhen. Doch daraus wurde nichts. Als er sich nach dem Preis erkundigte und Rino ihn nannte, blieb Antonio der Mund offen stehen: »Bist du verrückt geworden?« Und als Rino ihm antwortete: »Du kannst sie mir in monatlichen Raten abbezahlen«, sagte er lachend: »Da kaufe ich mir ja eine Lambretta!«

56

Lila, die vollauf mit den Hochzeitsvorbereitungen zu tun hatte, bemerkte zunächst nicht, dass ihr Bruder, der bis dahin zwar erschöpft von der Arbeit, doch fröhlich und verspielt gewesen war, nun wieder düsterer wurde, schlecht schlief und sich wegen jeder Lappalie aufregte. »Er ist wie ein kleiner Junge«, sagte sie wegen einiger seiner Wutausbrüche entschuldigend zu Pinuccia. »Seine Stimmung schlägt in Abhängigkeit davon um, ob er sofort seinen Willen bekommt oder nicht, er kann nicht warten.« Sie, wie übrigens auch Fernando, empfand den ausbleibenden Weihnachtsverkauf der Schuhe durchaus nicht als Fiasko. Schließlich hatte ihrer Herstellung kein konkreter Plan zugrunde gelegen. Sie waren aus Stefanos Wunsch heraus entstanden, Lilas unverfälschte Inspiration verwirklicht zu sehen, es gab schwere Modelle und leichte, sie deckten fast alle Jahreszeiten ab. Das war ein Vorteil. Die im Schuhgeschäft Cerullo aufgestapelten weißen Kartons enthielten ein recht umfangreiches Sortiment. Man brauchte nur abzuwarten, und im Winter, im Frühling, im Herbst würden sich die Schuhe verkaufen.

Doch Rino regte sich zunehmend auf. Nach Weihnachten ging er auf eigene Faust zum Inhaber eines staubigen Schuhladens am Ende des Stradone, und obwohl er wusste, dass der Mann vollkommen in der Hand der Solaras war, schlug er ihm vor, einige Cerullo-Schuhe auszustellen, ohne Verpflichtung, nur um zu sehen, wie sie sich verkauften. Der Mann lehnte freundlich ab, diese Ware eigne sich nicht für seine Kundschaft. Rino nahm ihm das krumm, und daraus ergab sich ein Hin und Her von Beschimpfungen, von dem der ganze Rione erfuhr. Fernando knöpfte sich seinen Sohn vor, Rino kam ihm grob, und wieder empfand Lila ihren Bruder als ein chaotisches Element, als eine Verkörperung der zerstörerischen Kräfte, die sie erschreckt hatten. Wenn sie zu viert ausgingen, beobachtete sie besorgt, dass ihr Bruder es so einrichtete, dass sie und Pinuccia vorneweg gingen und er fünf Schritte zurückblieb, um mit Stefano zu diskutieren. Für gewöhnlich ließ der Lebensmittelhändler ihn ohne ein Zeichen von Ärger reden. Nur einmal hörte Lila ihn sagen:

»Entschuldige, Rino, meinst du etwa, ich habe bloß aus Liebe zu deiner Schwester so viel Geld in das Schuhgeschäft gesteckt, in dieses Fass ohne Boden? Wir haben die Schuhe gemacht, sie sind schön, wir müssen sie verkaufen. Das Problem ist, den geeigneten Ort dafür zu finden.«

Dieses »bloß aus Liebe zu deiner Schwester« gefiel ihr nicht. Doch sie ging darüber hinweg, weil diese Worte sich immerhin positiv auf Rino auswirkten, der sich beruhigte und sich nun als Verkaufsstratege aufführte, besonders Pinuccia gegenüber. Er verkündete, man müsse im großen Stil denken. Weshalb seien denn so viele gute Initiativen gescheitert? Weshalb habe Gorresios Werkstatt auf die Motorroller verzichten müssen? Weshalb habe es die Boutique der Kurzwarenhändlerin nur sechs Monate lang gegeben? Weil das schmalbrüstige Unternehmungen gewesen seien. Aber die Cerullo-Schuhe würden den Markt des Rione schnellstens verlassen und sich an reicheren Orten durchsetzen.

Mittlerweile rückte der Tag der Hochzeit näher. Lila hastete zu den Anproben für das Brautkleid, gab ihrer künftigen Wohnung den letzten Schliff und schlug sich mit Pinuccia und Maria herum, die, neben allem anderen, Nunzias Einmischungen nicht dulden wollten. Die Spannungen nahmen, so kurz vor dem 12. März, immer mehr zu. Doch nicht daher rührten die Erschütterungen, durch die sich Risse auftun konnten. Besonders zwei Vorfälle verletzten Lila tief.

An einem eiskalten Nachmittag im Februar fragte sie mich unvermittelt, ob ich sie zu Maestra Oliviero begleiten könne. Sie hatte nie irgendein Interesse für sie bekundet, auch keinerlei Zuneigung, keinerlei Dankbarkeit. Doch nun hatte sie das Bedürfnis, ihr persönlich eine Einladung zu überbringen. Da ich ihr in der Vergangenheit nie von der Missbilligung erzählt hatte, mit der die Maestra oft über sie gesprochen hatte, schien es mir nicht angebracht, dies jetzt zu erwähnen, zumal Maestra Oliviero in der letzten Zeit einen weniger aggressiven und eher melancholischen Eindruck gemacht hatte. Vielleicht würde sie Lila ja freundlich empfangen.

Lila zog sich mit größter Sorgfalt an. Wir gingen zu dem Wohnblock, in dem die Maestra lebte, wenige Schritte von der Kirche entfernt. Als wir die Treppe hinaufstiegen, war Lila sehr unruhig. Mir war dieser Weg, dieses Treppenhaus, vertraut, ihr nicht, sie sagte nicht ein Wort. Ich drehte an der Klingel, hörte das Schlurfen der Maestra.

»Wer ist da?«

»Greco.«

Sie öffnete die Tür. Um die Schultern trug sie einen kurzen, veilchenblauen Umhang, und die Hälfte ihres Gesichts war in einen Schal gehüllt. Lila lächelte sie sofort an und sagte:

»Maestra, erinnern Sie sich noch an mich?«

Die Lehrerin fixierte sie, wie sie es in der Schule getan hatte, wenn Lila für Ärger gesorgt hatte, dann wandte sie sich mir zu und sagte mit einiger Mühe, als spräche sie mit vollem Mund:

»Wer ist das? Ich kenne sie nicht.«

Lila war verwirrt, sagte hastig auf Italienisch:

»Ich bin Cerullo. Ich bringe Ihnen eine Einladung, ich werde heiraten. Und ich würde mich sehr freuen, wenn Sie zu meiner Hochzeit kommen könnten.«

Wieder wandte sich die Maestra an mich:

»Cerullo kenne ich, aber wer die da ist, weiß ich nicht.«

Sie machte uns die Tür vor der Nase zu.

Einige Augenblicke standen wir reglos auf dem Treppenabsatz, dann streichelte ich Lilas Hand, um sie zu trösten. Sie entzog sich, schob die Einladung unter der Tür hindurch und wandte sich zur Treppe. Auf der Straße sprach sie unablässig über all die bürokratischen Schereien im Rathaus und mit der Kirche und darüber, als wie nützlich sich mein Vater erwiesen habe.

Ihr zweiter, wohl wesentlich tieferer Schmerz kam überraschenderweise von Stefano und der Geschichte mit den Schuhen. Schon lange stand fest, dass ein Verwandter Donna Marias der Trauzeuge sein sollte, ein Mann, der nach dem Krieg nach Florenz gezogen war und einen kleinen Handel mit Altwaren unterschiedlicher Herkunft, vor allem mit Metallwaren, aufgebaut hatte. Dieser Verwandte hatte eine Florentinerin geheiratet und ihren Akzent angenommen. Aufgrund seiner Aussprache genoss er in der Familie ein gewisses Ansehen, weshalb er bereits Stefanos Firmpate gewesen war. Doch aus heiterem Himmel überlegte es sich der Bräutigam anders.

Zunächst erzählte mir Lila davon wie von einem Zeichen großer Nervosität in letzter Minute. Ihr war es völlig egal, ob nun dieser oder jener Trauzeuge wurde, Hauptsache, man kam zu einer Entscheidung. Aber einige Tage lang gab Stefano ihr nur vage, unklare Antworten, es war nicht erkennbar, wer das florentinische Paar ersetzen sollte. Dann, weniger als eine Woche vor der

Hochzeit, kam die Wahrheit heraus. Stefano stellte sie ohne jede Rechtfertigung vor die vollendete Tatsache, dass Silvio Solara ihr Trauzeuge sein würde, der Vater von Marcello und Michele.

Lila, der bis dahin nicht einmal im Traum eingefallen war, ein selbst noch so ferner Verwandter Marcello Solaras könnte zu *ihrer* Hochzeit kommen, wurde für mehrere Tage wieder zu dem kleinen Mädchen, das ich so gut kannte. Sie überschüttete Stefano mit den vulgärsten Beschimpfungen und erklärte, sie wolle ihn nie wiedersehen. Sie schloss sich in der Wohnung ihrer Eltern ein, hörte auf, sich um irgendetwas zu kümmern, ging nicht zur letzten Anprobe für das Brautkleid und tat absolut nichts, was mit der unmittelbar bevorstehenden Hochzeit zu tun hatte.

Die Prozession der Verwandten begann. Als Erste kam Nunzia, ihre Mutter, und sprach tief betrübt über das Wohl der Familie. Es folgte der mürrische Fernando, der sagte, sie solle nicht kindisch sein: Für jeden, der im Rione eine Zukunft haben wolle, sei es unausweichlich, Silvio Solara als Paten zu haben. Schließlich kam Rino und machte ihr in aggressiven Tönen und mit dem Benehmen eines ausschließlich profitorientierten Geschäftsmanns klar, was die Stunde geschlagen hatte: Der Solara-Vater sei wie eine Bank. Vor allem könnten über seine Kanäle die Cerullo-Modelle in die Schuhgeschäfte gebracht werden. »Was hast du vor?«, schrie er sie mit hervortretenden, blutunterlaufenen Augen an. »Willst du mich, die ganze Familie und unsere komplette bisherige Arbeit ruinieren?« Unmittelbar danach erschien sogar Pinuccia, die in einem etwas verlogenen Ton zu ihr sagte, wie sehr auch sie sich freuen würde, den Metallhändler aus Florenz als Trauzeugen zu haben, doch man müsse vernünftig sein, man dürfe doch wegen so einer Lappalie nicht eine Hochzeit platzen lassen und eine Liebe auslöschen.

Ein Tag verging und eine Nacht. Nunzia saß stumm in einer Ecke, ohne sich zu rühren, ohne etwas im Haushalt zu tun, ohne zu schlafen. Dann schlich sie sich hinter dem Rücken ihrer Tochter aus dem Haus und holte mich, damit ich mit Lila redete und ein gutes Wort einlegte. Ich fühlte mich geschmeichelt, dachte lange darüber nach, wie ich mich entscheiden sollte. Eine Heirat stand auf dem Spiel, eine konkrete, hochkomplexe Angelegenheit, überladen mit großen Gefühlen und Interessen. Ich bekam es mit der Angst zu tun. Ich, die ich inzwischen fähig war, mich öffentlich mit dem Heiligen Geist anzulegen und der Autorität des Religionslehrers zu trotzen, hielt es für ausgeschlossen, dass ich an Lilas Stelle den Mut gehabt hätte, alles über den Haufen zu werfen. Doch sie ja, sie war dazu imstande, selbst Sekunden vor der Trauung noch. Was tun? Ich ahnte, dass es mich kaum etwas gekostet hätte, sie in diese Richtung zu drängen, und dass es mir viel Spaß gemacht hätte, mich für dieses Ziel einzusetzen. Insgeheim war es das, was ich mir wünschte: Sie wieder zu der blassen Lila zu machen, mit Pferdeschwanz, zusammengekniffenen Raubvogelaugen und ihren billigen Lumpen am Leib. Nichts mehr von all den Allüren, dem Gehabe einer Jacqueline Kennedy des Rione.

Doch zu ihrem und meinem Unglück hielt ich dies für eine Gemeinheit. In dem Glauben, ihr etwas Gutes zu tun, wollte ich sie nicht zurück ins Grau der Cerullo-Familie treiben, und so setzte ich mir nur einen Gedanken in den Kopf. Ich konnte nicht anders, als ihr mit einschmeichelnder Freundlichkeit wieder und wieder zu sagen: »Lila, Silvio Solara ist nicht Marcello und auch nicht Michele. Es ist falsch, sie in einen Topf zu werfen, das weißt du besser als ich, du hast es mir bei anderen Gelegenheiten selbst gesagt. Nicht er hat Ada ins Auto gezerrt, nicht er hat in der Silvesternacht auf uns geschossen, nicht er hat sich einfach bei dir zu Hause eingenistet, nicht er hat diese scheußlichen Dinge über dich gesagt. Silvio wird der Trauzeuge sein und Rino und Stefano beim Verkauf der Schuhe unter die Arme greifen, mehr nicht. Er wird überhaupt keinen Einfluss auf dein künftiges Leben haben.« Ich mischte die Karten neu, die wir mittlerweile zur Genüge kannten. Ich sprach vom Damals und vom Heute, von der alten Generation und von unserer, darüber, wie anders wir seien, wie anders sie und Stefano seien. Dieses letzte Argument war durchschlagend, war verführerisch für sie, und ich malte es mit großer Leidenschaft aus. Sie hörte mir schweigend zu, offenbar sehnte sie sich danach, dass jemand sie beruhigte, und allmählich beruhigte sie sich wirklich. Aber ich las in ihren Augen, dass Stefanos Schritt ihr eine Seite von ihm gezeigt hatte, die sie noch nicht klar erkennen konnte und die ihr deshalb noch mehr Angst machte als Rinos Raserei. Sie sagte:

»Vielleicht liebt er mich gar nicht.«

»Wie soll er dich denn nicht lieben? Er tut alles, was du sagst.«

»Nur solange ich sein Geld nicht in Gefahr bringe«, antwortete sie mit einer Verächtlichkeit, die sie im Zusammenhang mit Stefano noch nie gezeigt hatte.

Jedenfalls kehrte sie ins normale Leben zurück. Allerdings ließ sie sich nicht in der Salumeria blicken, ging nicht in ihre neue Wohnung und unternahm auch nicht den Versuch, sich zu versöhnen. Sie wartete, bis Stefano zu ihr sagte: »Danke, ich liebe dich sehr. Du weißt, dass es Dinge gibt, die man einfach tun muss.« Erst da ließ sie zu, dass er von hinten an sie herantrat und sie auf den Hals küsste. Dann fuhr sie herum, sah ihm direkt in die Augen und sagte:

»Marcello Solara darf auf keinen Fall zu meiner Hochzeit kommen.«

»Wie soll ich das denn anstellen?«

»Keine Ahnung, aber das musst du mir schwören.«

Er schnaufte und sagte lachend:

»Ist gut, Lina, ich schwöre es dir.«

57

Der 12. März war ein milder, schon frühlingshafter Tag. Lila wollte, dass ich frühmorgens in ihr altes Zuhause kam, dass ich ihr beim Waschen, Frisieren, Ankleiden half. Sie schickte ihre Mutter weg, wir blieben allein. Sie setzte sich in Höschen und BH auf den Rand des Bettes. Neben ihr lag das Brautkleid wie der Körper einer Toten. Davor, auf dem Fußboden mit Sechseckmuster, stand die mit dampfendem Wasser gefüllte Kupferwanne. Plötzlich fragte Lila:

»Meinst du, ich mache einen Fehler?«

»Womit?«

»Mit der Heirat.«

»Denkst du immer noch an die Geschichte mit dem Trauzeugen?«

»Nein, ich denke an unsere Lehrerin. Warum wollte sie mich nicht reinlassen?«

»Weil sie eine alte Kratzbürste ist.«

Sie schwieg eine Weile und starrte auf das glitzernde Wasser in der Wanne, dann sagte sie:

»Was auch geschieht, du musst weiterlernen.«

»Noch zwei Jahre, dann mache ich das Abitur und bin fertig.«

»Nein, hör niemals auf. Ich gebe dir das Geld dafür, du musst immer weiterlernen.«

Ich kicherte nervös und sagte:

»Danke, aber irgendwann ist die Schule aus.«

»Nicht für dich: Du bist meine geniale Freundin, du

musst die Beste von allen werden, von den Jungen und von den Mädchen.«

Sie stand auf, zog sich Höschen und BH aus und sagte:

»Los, hilf mir, sonst komme ich noch zu spät.«

Ich hatte sie nie nackt gesehen, es war mir peinlich. Heute kann ich sagen, dass es die Scham war, ihren Körper mit Vergnügen zu betrachten, die unfreiwillige Zeugin ihrer Schönheit einer Sechzehnjährigen zu sein, wenige Stunden bevor Stefano sie berühren, in sie eindringen und sie, falls er sie schwängerte, deformieren würde. Damals war es nur das aufwühlende Gefühl notwendiger Unschicklichkeit, ein Zustand, in dem man den Blick nicht abwenden kann, die Hand nicht wegnehmen kann, ohne die eigene Verwirrung einzugestehen, ohne sie gerade dadurch kundzutun, dass man sich zurückzieht, ohne folglich in Konflikt mit der unbekümmerten Unschuld dessen zu geraten, der einen verwirrt, ohne gerade durch die Weigerung die heftige Gemütsbewegung zu zeigen, die einen erschüttert, so dass man sich zwingt, zu bleiben und den Blick auf ihren jungenhaften Schultern ruhen zu lassen, auf dem Busen mit den harten Brustwarzen, auf den schmalen Hüften und den festen Hinterbacken, auf der pechschwarzen Scham, auf den langen Beinen, den zarten Knien, den geschwungenen Fesseln, den hübschen Füßen. Und man tut, als ob nichts wäre, während doch hier, in diesem kärglichen, etwas düsteren Zimmer mit den armseligen Möbeln ringsherum, auf dem nassen, unebenen Fußboden, alles im Gange und gegenwärtig ist, einem Herzklopfen verursacht und das Blut erhitzt.

Ich wusch sie mit langsamen, sorgfältigen Bewegungen, ließ sie zunächst in der Wanne kauern und bat sie dann, aufzustehen, und ich habe noch heute das Plätschern des Wassers im Ohr, habe noch heute den Eindruck im Gedächtnis, dass das Kupfer der Wanne die gleiche Konsistenz hatte wie Lilas Körper, der glatt, fest und ruhig war. Meine Gefühle und Gedanken waren wirr: sie umarmen, mit ihr zusammen weinen, sie küssen, sie an den Haaren ziehen, lachen, sexuelle Erfahrung vortäuschen und sie in einem gelehrten Ton unterweisen, sie gerade im Augenblick größter Nähe mit Worten auf Abstand halten. Doch am Ende blieb nur der feindselige Gedanke, dass ich sie nur deshalb so früh am Morgen von den Haaren bis zu den Fußsohlen wusch, damit Stefano sie in der Nacht beschmutzen konnte. Ich stellte sie mir vor, nackt wie in diesem Augenblick, von den Armen ihres Mannes umschlungen, im Bett in der neuen Wohnung, während vor ihren Fenstern der Zug vorbeiratterte und Stefanos brutales Fleisch mit einem entschiedenen Stoß in sie eindrang wie ein Korken, der mit der flachen Hand in den Hals einer Weinflasche getrieben wird. Plötzlich schien mir das einzige Mittel gegen diesen Schmerz zu sein, den ich empfand und noch empfinden würde, einen stillen Winkel zu finden, damit Antonio mit mir zur selben Stunde genau das Gleiche tat.

Ich half ihr, sich abzutrocknen, sich anzuziehen, das

Brautkleid anzulegen, das ich – ›ich‹, dachte ich mit einer Mischung aus Stolz und Kummer – für sie ausgesucht hatte. Der Stoff begann zu leben, durch sein Blütenweiß flossen Lilas Wärme, das Rot ihres Mundes, die tiefschwarzen, harten Augen. Zum Schluss zog sie ihre selbstentworfenen Schuhe an. Auf Rinos Drängen, der es als Verrat empfunden hätte, wenn sie sie nicht getragen hätte, hatte sie sich für ein Paar mit flachem Absatz entschieden, um zu vermeiden, dass sie erheblich größer als Stefano wirkte. Sie betrachtete sich im Spiegel, hob das Kleid etwas an.

»Sie sind hässlich«, sagte sie.

»Das ist nicht wahr.«

Sie lachte nervös.

»Aber ja, sieh doch nur: Die Träume des Kopfes sind unter die Füße geraten.«

Sie drehte sich mit einem plötzlich ängstlichen Gesicht um:

»Was passiert mir hier gerade, Lenù?«

58

In der Küche warteten Fernando und Nunzia, die längst fertig waren, ungeduldig auf uns. Noch nie hatte ich sie so sorgfältig zurechtgemacht gesehen. Zu jener Zeit kamen mir Lilas, meine, alle Eltern für gewöhnlich alt vor. Ich machte keinen großen Unterschied zwischen ihnen und den Großeltern mütterlicherseits und väterlicherseits, Geschöpfen, die in meinen Augen alle eine Art kaltes Leben führten, eine Existenz, die nichts mit meiner, mit Lilas, mit Stefanos, mit Antonios und mit Pasquales gemeinsam hatte. Wirklich von der Hitze der Gefühle, vom Ungestüm der Gedanken mitgerissen waren nur wir. Erst heute, da ich dies schreibe, wird mir bewusst, dass Fernando damals nicht älter als fünfundvierzig gewesen sein dürfte, Nunzia war sicherlich noch einige Jahre jünger. Die beiden zusammen sahen an jenem Morgen phantastisch aus, er im weißen Hemd, im dunklen Anzug und mit seinem Randolph-Scott-Gesicht und sie ganz in Blau, mit einem blauen Hütchen und einem blauen Schleier. Dasselbe galt für meine Eltern, deren Alter ich genauer angeben kann. Mein Vater war neununddreißig Jahre alt, meine Mutter fünfunddreißig. In der Kirche betrachtete ich die beiden lange. Verdrossen spürte ich an jenem Tag, dass meine Lernerfolge sie nicht im Geringsten aufmunterten und dass sie sie sogar als sinnlose Zeitverschwendung ansahen, besonders meine Mutter tat das. Als Lila im Glanz ihres blendend weißen Kleides und ihres duftigen Schleiers am Arm des Schusters durch die Chiesa della Sacra Famiglia schritt und sich vor dem reich mit Blumen geschmückten Altar – glücklich der Blumenhändler, der sie in dieser Fülle liefern durfte – neben den großartig aussehenden Stefano stellte, schaute meine Mutter, obwohl ihr schielendes Auge in eine andere Richtung wies, mich an, um mich schmerzhaft spüren zu lassen, dass ich Brillenschlange weit entfernt vom

Mittelpunkt des Geschehens war, während meine böse Freundin sich einen reichen Mann geangelt hatte, ein Geschäft für die Familie und sogar eine Eigentumswohnung mit Badewanne, Eisschrank, Fernseher und Telefon.

Die Zeremonie dauerte lange, der Pfarrer zog sie ewig hinaus. Nach dem Einzug in die Kirche hatten sich die Verwandten und Freunde des Bräutigams auf die eine Seite gesetzt und die Verwandten und Freunde der Braut auf die andere. Der Fotograf schoss unentwegt Bilder – Blitzlichter, Scheinwerfer –, während sein junger Gehilfe die wichtigsten Szenen des Gottesdienstes filmte.

Antonio saß in seinem frisch geschneiderten Anzug die ganze Zeit ergeben neben mir und überließ der äußerst pikierten Ada, die sich als Verkäuferin in der Salumeria des Bräutigams einen wesentlich besseren Platz erhofft hatte, die Aufgabe, sich nach hinten zu Melina zu setzen und zusammen mit den übrigen Geschwistern auf sie aufzupassen. Ein-, zweimal flüsterte er mir etwas ins Ohr, aber ich antwortete nicht. Er musste sich damit begnügen, an meiner Seite zu sein, ohne eine besondere Vertrautheit zu zeigen, damit es keinen Klatsch und Tratsch gab. Ich ließ meinen Blick durch die überfüllte Kirche wandern. Die Leute langweilten sich und schauten sich wie ich fortwährend um. Ein intensiver Blumenduft und der Geruch nach neuen Kleidern lagen in der Luft. Gigliola war bildschön, und bildschön war auch Carmela Peluso. Die Jungen standen ihnen in nichts nach. Enzo und vor allem Pasquale schienen beweisen zu wollen, dass sie dort vor dem Altar eine bessere Figur gemacht hätten als Stefano. Was Rino anging, auch er tadellos gekleidet mit seinem neuen Anzug und mit den Cerullo-Schuhen, die ebenso glänzten wie die Pomade in seinem Haar, so hatte er sich als Bruder der Braut auf die Seite der Verwandten des Bräutigams gesetzt, zu Pinuccia, und damit die Aufmarschordnung der Familien durcheinandergebracht, während der Maurer und der Gemüsehändler hinten in der Kirche standen, als wachten sie über das Gelingen der Zeremonie. Was für ein Pomp! Es war offensichtlich, dass jeder, der eine Einladung erhalten hatte, dabei sein wollte und sogar in großer Aufmachung erschienen war, was nach dem, was ich wusste, nach dem, was alle wussten, praktisch bedeutete, dass nicht Wenige – allen voran wohl der neben mir sitzende Antonio – gezwungen gewesen waren, sich zu verschulden. Also musterte ich Silvio Solara: Groß und dick stand er in einem schwarzen Anzug und mit viel funkelndem Gold an den Handgelenken neben dem Bräutigam. Und ich musterte seine Frau Manuela, die im rosa Kleid und mit Schmuck überladen neben der Braut stand. Das Geld für den ganzen Pomp kam von dort. Seit Don Achilles Tod waren es dieser Mann mit dem hochroten Gesicht, den blauen Augen und den tiefen Geheimratsecken und diese dürre Frau mit der langen Nase und den dünnen Lippen, die dem gesamten Rione Geld liehen (oder vielmehr war es Manuela, die sich um die praktische Seite dieses Geschäfts kümmerte; ihr rotes Buch, in das sie Zahlen und Fristen schrieb, war berüchtigt und gefürchtet). Lilas Hochzeit war nämlich nicht nur für den Blumenhändler, nicht nur für den Fotografen ein Geschäft, sondern in erster Linie für dieses Paar, das unter anderem auch die Torte und die Hochzeitsmandeln für die Gäste geliefert hatte.

Mir fiel auf, dass Lila sie kein einziges Mal ansah. Sie sah auch Stefano kein einziges Mal an, sie schaute unverwandt zum Pfarrer. Mir ging durch den Kopf, dass sie so von hinten betrachtet kein schönes Paar waren. Lila war groß, er war klein. Lila versprühte eine Energie, die jeder bemerken musste, er sah aus wie ein farbloses Männchen. Lila wirkte hochkonzentriert, als wäre sie vollauf damit beschäftigt, zu verstehen, was dieses Ritual eigentlich bedeutete, während er sich hin und wieder zu seiner Mutter umdrehte, ein Lächeln mit Silvio Solara austauschte oder sich leicht am Kopf kratzte. Da wurde ich unruhig. Ich dachte: ›Was, wenn Stefano tatsächlich nicht der ist, der er zu sein scheint?‹ Doch aus zwei Gründen dachte ich diesen Gedanken nicht zu Ende. Zum einen gaben sich Braut und Bräutigam in der allgemeinen Rührung entschlossen und klar das Ja-Wort. Sie tauschten die Ringe, küssten sich, und ich musste zur Kenntnis nehmen, dass Lila wirklich geheiratet hatte. Und zum anderen achtete ich plötzlich nicht mehr auf das Brautpaar. Mir fiel ein, dass ich alle gesehen hatte außer Alfonso, ich suchte ihn mit meinen Blicken unter den Verwandten des Bräutigams, unter denen der Braut und entdeckte ihn hinten in der Kirche, fast versteckt hinter einer Säule. Ich winkte ihm, er winkte zurück und kam zu mir. Hinter ihm tauchte die aufgetakelte Marisa Sarratore auf. Und gleich darauf, spindeldürr, die Hände in den Taschen, mit seiner Jacke und den zerknitterten Hosen, die er auch in der Schule trug, schlampig angezogen, Nino.

59

Ein wirres Gedränge rings um das Brautpaar setzte ein, das, begleitet von den Vibratoklängen der Orgel und dem Blitzlicht des Fotografen, die Kirche verließ. Lila und Stefano blieben auf dem Vorplatz stehen, zwischen Küssen, Umarmungen, dem Chaos der Autos und der Gereiztheit von Verwandten, die man warten ließ, während andere, die nicht einmal blutsverwandt waren – aber wichtiger, geliebter, edler gekleidet (die Damen mit besonders extravaganten Hüten)? –, unverzüglich zu den Autos gebracht und in die Via Orazio, zum Restaurant, gefahren wurden.

Alfonso war akkurat zurechtgemacht. Ich hatte ihn noch nie im dunklen Anzug mit weißem Hemd und Krawatte gesehen. Ohne seine ärmliche Schulkleidung, ohne den Kittel aus der Salumeria schien er mir nicht nur älter als seine sechzehn Jahre zu sein, sondern plötzlich körperlich ganz anders als sein Bruder Stefano. Er war nun größer, dünner, und vor allem schön wie ein spanischer Tänzer, den ich im Fernsehen gesehen hatte, mit großen Augen, vollen Lippen und noch nicht dem Hauch eines Bartes. Offensichtlich hatte Marisa sich an ihn gehängt, ihre Beziehung war enger geworden, sie mussten sich ohne mein Wissen öfter getroffen haben. War Alfonso, obwohl er mir treu ergeben war, von Marisas Lockenpracht und ihrem nicht zu bremsenden Geplapper überwältigt worden, das ihn, den Schüchternen, davor bewahrte, die Gesprächspausen ausfüllen zu müssen? Waren sie ein Paar? Das bezweifelte ich, er hätte es mir erzählt. Aber die Dinge hatten sich eindeutig weiterentwickelt, denn immerhin hatte er sie zur Hochzeit seines Bruders eingeladen. Und sie hatte, sicherlich um die Erlaubnis ihrer Eltern zu bekommen, Nino mitgeschleppt.

Da stand er nun auf dem Kirchplatz, der junge Sarratore, und war mit seiner nachlässigen Kleidung vollkommen unpassend, zu lang, zu dünn, mit zu langen, ungekämmten Haaren, die Hände zu tief in den Hosentaschen vergraben, mit der Miene von einem, der nicht weiß, wohin mit sich, den Blick auf das Brautpaar gerichtet wie alle, doch ohne eine Spur von Interesse, nur so, um irgendwohin zu schauen. Dieses unerwartete Auftauchen trug sehr zu meiner Gefühlsverwirrung an diesem Tag bei. Wir hatten uns in der Kirche begrüßt, ein Flüstern, mehr nicht, ciao, ciao. Dann hatte Nino sich seiner Schwester und Alfonso angeschlossen, mich hatte Antonio fest am Arm gepackt, und obwohl ich mich sofort losgemacht hatte, war ich doch in der Gesellschaft von Ada, Melina, Pasquale, Carmela und Enzo gelandet. Nun, im Gedränge, während das Brautpaar mit dem Fotografen und dessen Gehilfen in ein großes, weißes Auto stieg, um zum Fototermin in den Parco della Rimembranza zu fahren, kam mir die Befürchtung, Antonios Mutter Melina könnte Nino wiedererkennen, könnte in seinem Gesicht Donatos Züge entdecken. Doch diese Sorge war unbegründet. Lilas Mutter Nunzia zog die Verwirrte zusammen mit Ada und ihren kleineren Geschwistern in ein Auto, das sie wegbrachte.

Tatsächlich erkannte niemand Nino, selbst Gigliola nicht, selbst Carmela nicht, selbst Enzo nicht. Sie bemerkten auch Marisa nicht, obwohl sie noch Ähnlichkeit mit dem kleinen Mädchen hatte, das sie gewesen war. Fürs Erste wurden die zwei Sarratore-Geschwister vollkommen übersehen. Antonio schob mich bereits zu Pasquales altem Auto, mit uns stiegen Carmela und Enzo ein, und schon waren wir startbereit, so dass ich nichts weiter zu sagen wusste als: »Wo sind denn meine Eltern? Hoffentlich kümmert sich jemand um sie.« Enzo antwortete, er habe sie in irgendeinem Auto gesehen, und so war nichts zu machen, wir fuhren los. Ich konnte nur noch einen Blick auf Nino werfen, der nach wie vor gedankenverloren auf dem Kirchplatz stand, zusammen mit Alfonso und Marisa, die sich unterhielten, dann verlor ich ihn aus den Augen.

Ich war gereizt. Antonio, der jede meiner Stimmungsschwankungen registrierte, flüsterte mir ins Ohr:

»Was ist denn los?«

»Nichts.«

»Hat dich irgendwas geärgert?«
»Nein.«
Carmela lachte:
»Sie ärgert sich doch nur, weil Lila geheiratet hat und sie auch gern heiraten würde.«
»Wieso, willst du das denn nicht?«, fragte Enzo.
»Wenn es nach mir ginge, würde ich gleich morgen heiraten.«
»Und wen?«
»Was weiß ich.«
»Halt den Mund«, sagte Pasquale. »Dich nimmt doch sowieso keiner.«
Wir fuhren zur Marina hinunter, Pasquales Fahrstil war aggressiv. Antonio hatte ihm das Auto so gut frisiert, dass er es wie einen Rennwagen fahren konnte. Er raste mit einem Mordsgetöse drauflos, ohne auf die Schlaglöcher der heruntergekommenen Straßen zu achten, fuhr dicht auf die Autos vor ihm auf, wie um sie anzurempeln, bremste wenige Zentimeter vor dem Zusammenstoß scharf und zog vorbei. Wir Mädchen stießen entsetzte Schreie aus und wollten ihn empört zur Vernunft bringen, was ihn köstlich amüsierte und nur anstachelte, es noch schlimmer zu treiben. Antonio und Enzo zuckten mit keiner Wimper, sie machten höchstens einige grobe Bemerkungen über die Sonntagsfahrer, kurbelten das Fenster herunter und brüllten Beleidigungen, während Pasquale überholte.
Auf dieser Fahrt zur Via Orazio begann ich mich deutlich als Fremde zu fühlen, die unter der eigenen

Fremdheit litt. Ich war mit diesen Jungen aufgewachsen, hielt ihr Benehmen für normal, ihre grobe Sprache war meine. Doch ich ging seit nunmehr sechs Jahren einen Weg, über den sie überhaupt nichts wussten, den ich jedoch so hervorragend meisterte, dass ich die Beste war. Bei ihnen konnte ich nichts von dem anwenden, was ich Tag für Tag lernte, ich musste mich zurücknehmen, mich gewissermaßen herabsetzen. Was ich in der Schule war, musste ich hier beiseitelassen oder gegen sie verwenden, um mir Respekt zu verschaffen. Ich fragte mich, was ich in diesem Auto verloren hatte. Da saßen meine Freunde, natürlich, und da saß mein fester Freund, alle auf dem Weg zu Lilas Hochzeitsfeier. Aber gerade dieses Fest besiegelte, dass Lila, der einzige Mensch, der trotz unserer sich voneinander entfernenden Leben noch wichtig für mich war, nicht mehr zu uns gehörte und dass, wenn sie wegblieb, jedes Bindeglied zwischen mir und diesen Jugendlichen, diesem durch die Straßen rasenden Auto verschwand. Warum war ich nicht mit Alfonso zusammen, mit dem ich sowohl die Herkunft als auch die Flucht daraus gemeinsam hatte? Und warum, vor allem, war ich nicht stehen geblieben, um Nino zu sagen: »Bleib doch, komm mit zum Fest, sag mir, wann die Zeitschrift mit meinem Artikel erscheint, lass uns unter vier Augen reden, lass uns einen Unterschlupf graben, fern von Pasquales Fahrstil, fern von seiner Vulgarität, fern von der groben Sprache Carmelas, Enzos und auch – ja, auch – Antonios«?

60

Wir waren die ersten jungen Leute, die in den Festsaal kamen. Meine Laune verschlechterte sich weiter. Silvio und Manuela Solara saßen schon an einem eigenen Tisch, zusammen mit dem Metallhändler, seiner Frau und Stefanos Mutter. Lilas Eltern saßen an einer langen Tafel mit weiteren Verwandten, meinen Eltern, Melina und Ada, die wütend war und Antonio mit ungehaltenen Gesten empfing. Die Kapelle nahm Platz, die Musiker stimmten ihre Instrumente, der Sänger testete das Mikrofon. Verlegen gingen wir herum. Wir wussten nicht, wohin wir uns setzen sollten, keiner von uns traute sich, die Kellner anzusprechen. Antonio wich nicht von meiner Seite und versuchte, mich aufzuheitern.

Meine Mutter rief mich, ich tat so, als hörte ich sie nicht. Sie rief mich erneut, ich reagierte nicht. Da stand sie auf und holte mich mit ihrem hinkenden Schritt ein. Sie wollte, dass ich mich zu ihr setzte. Ich weigerte mich. Sie zischte:

»Warum scharwenzelt Melinas Sohn ständig um dich herum?«

»Niemand scharwenzelt um mich herum, Ma'.«

»Hältst du mich für blöd?«

»Nein.«

»Komm, setz dich zu mir.«

»Nein.«

»Ich hab gesagt, komm! Wir lassen dich doch nicht

zur Schule gehen, damit du dich mit einem Automechaniker ruinierst, dessen Mutter verrückt ist!«

Ich fügte mich, war wütend. Weitere junge Leute trafen ein, alles Freunde von Stefano. Unter ihnen entdeckte ich Gigliola, die mich zu sich winkte. Meine Mutter hielt mich zurück. Schließlich setzten sich Pasquale, Carmela, Enzo und Antonio zu Gigliolas Gruppe. Ada, der es gelungen war, ihre Mutter bei Nunzia abzuladen, kam zu mir und flüsterte mir ins Ohr: »Komm!« Ich wollte aufstehen, doch meine Mutter packte mich ärgerlich am Arm. Ada zog ein enttäuschtes Gesicht und setzte sich zu ihrem Bruder, der mich hin und wieder anschaute, woraufhin ich die Augen zur Decke verdrehte, um zu signalisieren, dass ich gefangen war.

Die Kapelle begann zu spielen. Der Sänger, ein nahezu glatzköpfiger Mann um die vierzig mit sehr zarten Gesichtszügen, trällerte etwas zur Probe. Weitere Gäste trafen ein, der Saal füllte sich. Niemand machte ein Hehl daraus, dass er hungrig war, aber natürlich musste man auf das Brautpaar warten. Wieder versuchte ich, aufzustehen, doch meine Mutter zischte: »Du sollst bei mir bleiben!«

Bei ihr. Ich dachte darüber nach, wie widersprüchlich sie in ihrer Wut und mit ihrem herrischen Benehmen war, ohne dass sie es bemerkte. Sie hatte nicht gewollt, dass ich weiter zur Schule ging, doch nun, da ich es tat, hielt sie mich für etwas Besseres als die Jugendlichen, mit denen ich aufgewachsen war, und stellte fest, dass mein Platz nicht bei ihnen war, wie ich es an diesem Tag selbst auch festgestellt hatte. Sie zwang mich, bei ihr zu bleiben, um mich vor wer weiß welchem stürmischen Meer zu bewahren, vor wer weiß welchem Strudel oder Abgrund, alles Gefahren, die ihrer Ansicht nach in jenem Augenblick durch Antonio verkörpert wurden. Doch bei ihr zu bleiben bedeutete, in ihrer Welt zu bleiben, genauso zu werden wie sie. Und wenn ich genauso wurde wie sie, wer, wenn nicht Antonio, wäre dann gut genug für mich?

Das Brautpaar traf ein, unter begeistertem Applaus. Die Kapelle spielte unverzüglich den Hochzeitsmarsch. Mit meiner Mutter, mit ihrem Körper, verband ich untrennbar das Gefühl der Fremdheit, das immer stärker in mir wurde. Da war Lila, vom Rione gefeiert, sie schien glücklich zu sein. Sie lächelte, elegant, höflich, Hand in Hand mit ihrem Ehemann. Sie war wunderschön. Als kleines Mädchen hatte ich ihr, ihrem Gang, nachgeeifert, um meiner Mutter zu entfliehen. Ich hatte mich geirrt. Lila war dortgeblieben, deutlich an diese Welt gefesselt, aus der sie das Beste herausgeholt zu haben glaubte. Und das Beste war dieser junge Mann, diese Heirat, dieses Fest, das Spiel mit den Schuhen für Rino und ihren Vater. Nichts, was mit meinem Weg eines fleißigen Schulmädchens zu tun gehabt hätte. Ich fühlte mich mutterseelenallein.

Das Hochzeitspaar wurde genötigt, zu tanzen, im Blitzlicht des Fotografen. Mit exakten Bewegungen drehte es sich im Kreis durch den Saal. Ich muss zugeben, dass ich dachte: ›Trotz allem konnte nicht einmal

Lila der Welt meiner Mutter entkommen. Aber ich muss es schaffen, ich darf nicht länger fügsam sein. Ich muss sie wegwischen, so wie Maestra Oliviero es getan hatte, als sie zu uns nach Hause gekommen war, um ihr das Beste für mich aufzuzwingen.‹ Meine Mutter hielt mich am Arm fest, doch ich musste sie ignorieren, musste mich darauf besinnen, dass ich die Beste in Italienisch, Latein und Griechisch war, mich darauf besinnen, dass ich dem Religionslehrer die Stirn geboten hatte, mich darauf besinnen, dass ein Artikel unter meinem Namen in derselben Zeitschrift erscheinen würde, für die auch ein gutaussehender, exzellenter Junge aus der Abiturklasse schrieb.

In diesem Augenblick erschien Nino Sarratore. Ich sah ihn, bevor ich Alfonso und Marisa entdeckte, sah ihn und sprang auf. Meine Mutter versuchte, mich am Zipfel meines Kleides festzuhalten, aber ich riss mich los. Antonio, der mich nicht aus den Augen gelassen hatte, lächelte und warf mir einen einladenden Blick zu. Doch ich ging Lila und Stefano entgegen, die sich gerade auf die Mitte der Tafel zubewegten, um zwischen dem Ehepaar Solara und dem Paar aus Florenz Platz zu nehmen, und steuerte direkt auf die Tür zu, auf Alfonso, Marisa und Nino.

61

Wir suchten uns einen Platz. Ich plauderte unverbindlich mit Alfonso und Marisa und hoffte, Nino würde sich entschließen, mich anzusprechen. Stattdessen kam Antonio, beugte sich von hinten zu mir und flüsterte mir ins Ohr:

»Ich habe dir einen Platz freigehalten.«

Ich zischte:

»Geh weg, meine Mutter hat alles durchschaut.«

Unsicher und sehr eingeschüchtert schaute er sich um. Er kehrte an seinen Tisch zurück.

Im Saal herrschte ein unzufriedenes Raunen. Die missgünstigsten Gäste hatten sofort begonnen alles zu beanstanden, was nicht in Ordnung war. Der Wein habe nicht an allen Tischen die gleiche Qualität. Einige Leute seien bereits beim ersten Hauptgericht, während man anderen noch nicht einmal die Vorspeise serviert habe. Manche Stimmen verkündeten auch schon lauthals, die Bedienung sei dort, wo die Verwandten und Freunde des Bräutigams saßen, besser als dort, wo die Verwandten und Freunde der Braut saßen. Mir waren diese Spannungen, ihr aggressives Anwachsen, gründlich zuwider. Ich fasste mir ein Herz und fing ein Gespräch mit Nino an, bat ihn, mir von seinem Artikel über Neapels Armut zu erzählen, und hatte die Absicht, mich in diesem Zusammenhang sofort nach der nächsten Ausgabe der Zeitschrift und nach meiner halben Seite zu erkundigen. Er begann mit hochinteressanten, faktenreichen

Ausführungen über den Zustand der Stadt. Seine Sicherheit beeindruckte mich. Auf Ischia hatte er noch die Züge eines aufgewühlten kleinen Jungen gehabt, nun erschien er mir beinahe schon zu erwachsen. Wie war es möglich, dass ein Achtzehnjähriger über Armut nicht allgemein und in betrübtem Ton sprach, wie Pasquale es tat, sondern konkret, nüchtern und unter Nennung genauer Tatsachen?

»Woher weißt du das alles?«

»Man braucht nur zu lesen.«

»Was denn?«

»Zeitungen, Zeitschriften, Bücher, die diese Probleme behandeln.«

Ich hatte nie eine Zeitung oder eine Zeitschrift auch nur durchgeblättert, ich las ausschließlich Romane. Auch Lila hatte in der Zeit, als sie noch las, nie etwas anderes gelesen als die alten, zerfledderten Romane aus der Leihbibliothek. Ich hinkte in allem hinterher, Nino könnte mir helfen, aufzuholen.

Ich stellte ihm immer mehr Fragen, und er antwortete. Er antwortete, ja, doch nicht so bezaubernd wie Lila, er hatte nicht ihr Talent, alles in ein verführerisches Licht zu setzen. Er konstruierte seine Reden mit gelehrter Miene, spickte sie mit konkreten Beispielen, und jede meiner Fragen war ein kleiner Anstoß, der eine Lawine auslöste. Er redete in einer Tour, ohne Verzierungen, ohne jede Ironie, hart, schneidend. Alfonso und Marisa fühlten sich bald ausgeschlossen. Marisa sagte: »Madonna, wie langweilig mein Bruder ist!«, und sie begannen sich untereinander zu unterhalten. Auch Nino und ich redeten nun zu zweit weiter. Wir bemerkten nicht, was uns serviert wurde, was wir aßen oder was wir tranken. Ich suchte angestrengt nach Fragen, die ich ihm stellen konnte, und hörte mir artig seinen Redeschwall an. Mir wurde schnell klar, dass seine Ausführungen von nur einem krampfhaften Bemühen geprägt waren, das in jedem Satz zum Ausdruck kam: dem Verzicht auf verschwommene Worte, dem Bedürfnis, Probleme klar zu benennen, praktikable Lösungen zu ersinnen, sich einzumischen. Ich nickte unentwegt, erklärte mich mit allem einverstanden. Ein verblüfftes Gesicht machte ich nur, als er über die Literatur herzog. »Wenn sie sich als Schaumschläger gebärden wollen«, sagte er zwei-, dreimal wutentbrannt über seine Feinde, mit anderen Worten, über jeden, der ein Schaumschläger war, »sollen sie doch Romane schreiben, ich werde sie gern lesen. Will man aber wirklich etwas verändern, muss man andere Töne anschlagen.« Im Grunde – glaubte ich zu verstehen – verwendete er das Wort *Literatur*, um mit denen abzurechnen, die die Köpfe der Leute mit dem verdarben, was er als Geschwafel bezeichnete. Auf meinen schwachen Protest hin antwortete er zum Beispiel: »Lenù, zu viele schlechte Ritterromane bringen einen Don Quijote hervor. Aber bei allem Respekt für Don Quijote, wir hier in Neapel haben was anderes zu tun, als gegen Windmühlen zu kämpfen, das ist nur vergeudeter Mut. Wir brauchen Leute, die wissen, wie Windmühlen funktionieren, und die sie zum Laufen bringen.«

Nach kurzer Zeit wünschte ich mir, jeden Tag mit einem Jungen dieses Niveaus diskutieren zu können. Was hatte ich im Umgang mit ihm alles falsch gemacht; wie dumm war es, ihn gernzuhaben, ihn zu lieben und ihm doch ständig aus dem Weg zu gehen. Sein Vater war schuld. Doch ich auch. Ich, die ich so schlecht auf meine Mutter zu sprechen war, hatte zugelassen, dass der Vater seinen hässlichen Schatten auf den Sohn warf? Ich bereute es, schwelgte in meiner Reue und in dem Roman, in den ich mich versetzt fühlte. Mittlerweile hob ich oft die Stimme, um den Lärm im Saal und die Musik zu übertönen, und er tat es auch. Manchmal spähte ich zu Lilas Tisch hinüber. Sie lachte, aß, plauderte und hatte gar nicht bemerkt, wo ich war, mit wem ich sprach. Zu Antonios Tisch schaute ich nur selten, ich fürchtete, er könnte mich zu sich winken. Trotzdem spürte ich deutlich, dass er mich im Auge behielt, dass er gereizt war und die Wut in ihm aufstieg. ›Na wenn schon‹, dachte ich. ›Mein Entschluss steht sowieso fest, morgen verlasse ich ihn. Ich kann nicht bei ihm bleiben, wir sind zu verschieden.‹ Gewiss, er vergötterte mich, kümmerte sich hingebungsvoll um mich, doch er war wie ein Hündchen. Von Ninos Art, mit mir zu sprechen – ohne jede Unterwürfigkeit –, war ich dagegen hingerissen. Er erläuterte mir seine Zukunft, die Ideen, auf denen er sie aufbauen wollte. Ihm zuzuhören, beflügelte meine Gedanken, fast so wie Lila sie früher beflügelt hatte. Dass er sich mit mir abgab, machte mich größer. Ja, er konnte mich von meiner Mutter befreien, er, der nichts anderes wollte, als sich von seinem Vater befreien.

Jemand tippte mir auf die Schulter, es war wieder Antonio. Er sagte finster:

»Komm, wir tanzen.«

»Meine Mutter will das nicht«, flüsterte ich.

Gereizt und laut antwortete er:

»Alle tanzen, wo ist das Problem?«

Verlegen deutete ich Nino gegenüber ein Lächeln an. Er wusste, dass Antonio mein Freund war. Er sah mich ernst an und wandte sich dann Alfonso zu. Ich ging.

»Halt mich nicht so fest.«

»Ich halte dich nicht fest.«

Es herrschten ein großer Lärm und eine weinselige Ausgelassenheit. Junge, Alte, Kinder tanzten. Doch ich spürte, was hinter der Fassade dieses Festes steckte. Die Verwandten der Braut signalisierten mit verkniffenen Gesichtern eine streitsüchtige Unzufriedenheit. Vor allem die Frauen. Hatten sie sich etwa für das Geschenk, für die Kleider, die sie trugen, in Unkosten gestürzt und sich verschuldet, um nun wie Bettler behandelt zu werden, mit schlechtem Wein und einer unverzeihlich langsamen Bedienung? Warum griff Lila nicht ein, warum beschwerte sie sich nicht bei Stefano? Ich kannte diese Frauen. Sie schluckten ihren Ärger Lila zuliebe herunter, doch am Ende des Festes, wenn Lila gegangen sein würde, um sich umzuziehen, wenn sie im Reisekleid zurückgekehrt sein würde, wenn sie die Hochzeitsmandeln verteilt und mit ihrem Mann hochelegant den Saal verlassen haben würde, dann würde ein Mordskrach losbrechen, der einen monatelangen, jahrelangen Hass nach sich ziehen konnte und Racheakte und Beschimpfungen, die die Ehemänner und die Söhne mit hineinziehen würden – sie alle unter dem Zwang, den Müttern, den Schwestern und den Großmüttern zu beweisen, dass sie wie ganze Männer handeln konnten. Ich kannte sie, Frauen wie Männer. Ich sah die grimmigen Blicke der jungen Männer auf den Sänger und die Musiker, die ihre Bräute ungehörig anstarrten oder sie anspielungsreich ansprachen. Ich sah, wie Enzo und Carmela beim Tanzen miteinander redeten, sah auch Pasquale und Ada, die am Tisch saßen: Es war klar, dass sie sich gegen Ende des Festes zusammentun, sich später verloben und mit aller Wahrscheinlichkeit in einem oder in zehn Jahren heiraten würden. Ich sah Rino und Pinuccia. Bei ihnen würde es schneller gehen. Wenn das Schuhgeschäft Cerullo wirklich in Schwung kommen sollte, würden sie in spätestens einem Jahr ein nicht weniger prunkvolles Hochzeitsfest als dieses hier feiern. Sie tanzten, sahen sich in die Augen, hielten sich eng umschlungen. Liebe und Geschäfte. Salumeria plus Schuhe. Alte Wohnblocks plus Neubauten. War ich wie sie? War ich es noch?

»Wer ist der da?«, fragte Antonio.

»Wer soll das schon sein? Erkennst du ihn nicht?«

»Nein.«

»Das ist Nino, Sarratores ältester Sohn. Und das da ist Marisa, erinnerst du dich an sie?«

Marisa war für ihn nicht der Rede wert, aber Nino durchaus. Gereizt sagte er:

»Erst schleppst du mich zu Sarratore, damit ich ihn bedrohe, und dann quasselst du stundenlang mit seinem Sohn? Habe ich mir einen neuen Anzug machen lassen, um zuzusehen, wie du dich mit dem da amüsierst, der sich nicht mal die Haare hat schneiden lassen und nicht mal eine Krawatte trägt?«

Er ließ mich mitten im Saal stehen und ging schnell auf eine Glastür zu, die zur Terrasse führte.

Einige Sekunden war ich unschlüssig, was ich tun sollte. Zu Antonio gehen. Oder wieder zu Nino gehen. Der Blick meiner Mutter lastete auf mir, auch wenn ihr schielendes Auge scheinbar anderswohin schaute. Auch der Blick meines Vaters lastete auf mir, und es war ein finsterer Blick. Ich dachte: ›Wenn ich wieder zu Nino gehe und nicht zu Antonio auf die Terrasse, wird er mich verlassen, und das ist besser für mich.‹ Ich durchquerte den Saal, während die Kapelle weiterspielte und die Paare weitertanzten. Ich setzte mich auf meinen Platz.

Nino schien keinerlei Notiz von dem Vorfall genommen zu haben. Er sprach in seiner sprudelnden Art nun über Professoressa Galiani. Gerade verteidigte er sie Alfonso gegenüber, von dem ich wusste, dass er sie nicht ausstehen konnte. Nino sagte, auch er lege sich häufig mit ihr an, sie sei zu streng, doch als Lehrerin sei sie etwas Besonderes, sie habe ihn stets ermutigt und seine Lernfähigkeit gefördert. Ich versuchte, mich in das Gespräch einzumischen. Sehnte mich danach, mich wieder von Nino fesseln zu lassen, wollte nicht, dass er nun mit meinem Klassenkameraden auf die gleiche Weise diskutierte wie kurz zuvor mit mir. Um nicht zu Antonio zu laufen und mich mit ihm zu versöhnen, ihm unter Tränen zu sagen: »Ja, du hast recht, ich weiß nicht, wer ich bin und was ich wirklich will, ich benutze dich, und dann werfe ich dich weg, doch es ist nicht meine Schuld, ich bin hin und her gerissen, verzeih mir« – um dies nicht zu tun, brauchte ich es, dass Nino nur mich allein in die Dinge, die er wusste, und in seine Fähigkeiten einweihte; dass er mich als seinesgleichen anerkannte. Darum schnitt ich ihm mehr oder weniger das Wort ab, und während er sich bemühte, den Gesprächsfaden wiederaufzunehmen, zählte ich die Bücher auf, die mir die Professoressa seit Anfang des Jahres geliehen hatte, und die Ratschläge, die sie mir gegeben hatte. Er nickte etwas mürrisch, erinnerte sich, dass die Lehrerin eines dieser Bücher vor einer Weile auch ihm geliehen hatte, und erzählte mir davon. Doch mein Bedürfnis nach einer Anerkennung, die mich von Antonio ablenkte, wurde immer größer, und so fragte ich ihn übergangslos:

»Wann erscheint denn die Zeitschrift?«

Er sah mich unsicher und leicht beunruhigt an.

»Sie ist vor ein paar Wochen erschienen.«

Ich fuhr freudig auf und fragte:

»Wo kann ich sie mir besorgen?«

»Sie wird in der Buchhandlung Guida verkauft. Aber ich kann dir eine mitbringen.«

»Danke.«

Er zögerte, dann sagte er:

»Deinen Artikel haben sie aber nicht abgedruckt, es hat sich herausgestellt, dass kein Platz mehr war.«

Sofort zeigte sich ein erleichtertes Lächeln auf Alfonsos Gesicht, er sagte leise:

»Zum Glück!«

62

Wir waren sechzehn Jahre alt. Ich saß Nino Sarratore, Alfonso und Marisa gegenüber, zwang mich zu einem Lächeln und sagte mit gespielter Unbekümmertheit: »Gut, dann eben ein andermal.« Lila befand sich am anderen Ende des Saales – sie war die Braut, die Königin des Festes –, Stefano flüsterte ihr etwas ins Ohr, sie lächelte.

Das lange, zermürbende Hochzeitsmahl war vorüber. Die Kapelle spielte, der Sänger sang. Antonio stand mit dem Rücken zu mir, fraß den Verdruss, den ich ihm bereitet hatte, in sich hinein und schaute aufs Meer. Enzo raunte Carmela womöglich zu, dass er sie liebte. Rino hatte das Gleiche gewiss schon zu Pinuccia gesagt, die ihm unverwandt in die Augen sah, während sie mit ihm sprach. Pasquale umging dies höchstwahrscheinlich ängstlich, doch Ada würde schon einen Weg finden, um ihm noch vor Ende des Festes die nötigen Worte aus der Nase zu ziehen. Seit einer Weile häuften sich die Trinksprüche voller schlüpfriger Anspielungen, besonders der Metallhändler brillierte in dieser Kunst. Der Fußboden war verschmiert von den Soßenspritzern eines Tellers, der einem Kind heruntergefallen war, und vom Wein, den Stefanos Großvater verschüttet hatte. Ich schluckte meine Tränen herunter. Ich dachte: ›Vielleicht veröffentlichen sie meinen Text ja in der nächsten Ausgabe, vielleicht war Nino nicht hartnäckig genug, vielleicht hätte ich mich lieber selbst darum kümmern sollen.‹ Doch ich sagte nichts, lächelte weiter und fand sogar die Kraft zu der Bemerkung:

»Außerdem habe ich mich ja schon mit dem Priester angelegt, das noch mal zu tun, hätte keinen Zweck.«

»Genau«, sagte Alfonso.

Aber nichts konnte meine Enttäuschung dämpfen. Ich kämpfte verzweifelt gegen den Nebel in meinem Kopf an, gegen einen schmerzhaften Spannungsabfall, doch vergebens. Ich erkannte, dass ich die Veröffentlichung meiner wenigen Zeilen, meinen gedruckten Namen als ein Zeichen dafür betrachtet hatte, dass ich wirklich einen Weg vor mir hatte, dass die Mühen des Lernens unzweifelhaft zu etwas führten, zu irgendetwas, und dass Maestra Oliviero recht daran getan hatte, mich anzuspornen und Lila fallenzulassen. »Weißt du, was die Plebs ist?« – »Ja, Maestra.« Was die Plebs war, der Pöbel, erkannte ich in jenem Augenblick und viel klarer als damals, vor Jahren, als die Oliviero mich danach gefragt hatte. Der Pöbel, das waren wir. Der Pöbel, das war das Gezanke ums Essen und um den

Wein, war das Gestreite darum, wer zuerst und besser bedient wurde, war dieser dreckige Fußboden, auf dem die Kellner hin und her liefen, und die immer vulgärer werdenden Trinksprüche. Der Pöbel war auch meine Mutter, die sich angetrunken mit dem Rücken gegen die Schulter meines ernsten Vaters fallen ließ und mit weit aufgerissenem Mund über die sexuellen Anspielungen des Metallhändlers lachte. Alle lachten, auch Lila, mit der Miene eines Menschen, der in einer Rolle steckt und sie bis zum Ende spielt.

Wahrscheinlich von dem gerade stattfindenden Schauspiel angewidert, stand Nino auf und kündigte an, dass er gehen wolle. Er verabredete sich mit Marisa für den gemeinsamen Heimweg, und Alfonso versprach, sie zur vereinbarten Zeit zum vereinbarten Ort zu bringen. Sie war sichtlich stolz darauf, einen so höflichen Begleiter zu haben. Unsicher fragte ich Nino:

»Willst du dich denn nicht von der Braut verabschieden?«

Er machte eine unbestimmte Geste, nuschelte etwas über seine Kleidung, und ohne einen Händedruck, ohne irgendeinen Gruß für mich oder Alfonso ging er mit seinem schlenkernden Schritt zur Tür. Er konnte den Rione nach Belieben betreten und verlassen, ohne sich anzustecken. Er konnte das, er war dazu in der Lage, vielleicht hatte er es Jahre zuvor während des stürmischen Umzugs gelernt, der ihn fast das Leben gekostet hatte.

Ich bezweifelte, dass ich es schaffen würde. Lernen

half nichts. Ich konnte die Bestnote für meine Hausaufgaben erhalten, aber das war nur Schule. Doch die Leute von der Zeitschrift hatten meinen Bericht – meinen und Lilas Bericht – unter die Lupe genommen und ihn nicht abgedruckt. Nino, ja, der konnte alles. Er hatte das Gesicht, das Auftreten und den Gang eines Menschen, der immer besser werden würde. Als er gegangen war, hatte ich das Gefühl, dass der einzige Mensch im ganzen Saal, der die Kraft hatte, mich da rauszuholen, verschwunden war.

Später war mir, als wäre die Tür des Restaurants nach einem Windstoß zugeschlagen. Dabei hatte es weder Wind noch ein Türenschlagen gegeben. Es war lediglich geschehen, was absehbar gewesen war. Pünktlich zum Anschnitt der Hochzeitstorte und zur Verteilung der Geschenke für die Gäste waren die strahlenden, hocheleganten Solara-Brüder erschienen. Auf ihre herrische, gönnerhafte Art schlenderten sie durch den Saal und begrüßten diesen und jenen. Gigliola schlang ihre Arme um Micheles Nacken und wollte ihn auf einen Stuhl neben sich ziehen. Mit einer plötzlichen Röte am Hals und um die Augen zerrte Lila energisch am Arm ihres Mannes und zischte ihm etwas ins Ohr. Silvio winkte seinen Söhnen träge zu, Manuela betrachtete sie mit mütterlichem Stolz. Der Sänger stimmte *Lazzarella* an und imitierte leidlich Aurelio Fierro. Rino bot Marcello mit einem freundlichen Lächeln einen Platz an. Marcello setzte sich, lockerte seine Krawatte und schlug die Beine übereinander.

Das Unabsehbare offenbarte sich erst in diesem Augenblick. Ich sah, wie die Farbe aus Lilas Gesicht wich, wie sie kreideweiß wurde, so wie sie als kleines Mädchen gewesen war, weißer noch als ihr Brautkleid, und wie ihre Augen sich plötzlich zu zwei Schlitzen verengten. Vor ihr stand eine Weinflasche, und ich hatte Angst, ihr Blick könnte sie in tausend Stücke zerspringen lassen, so dass der Wein durch die Gegend spritzen würde. Doch sie schaute nicht auf die Flasche. Sie schaute weiter, schaute auf Marcello Solaras Schuhe.

Es waren Herrenschuhe der Marke Cerullo. Nicht das erhältliche Modell, nicht das mit der goldfarbenen Schnalle. Marcello trug die Schuhe, die Stefano, ihr Ehemann, vor einer Weile gekauft hatte. Dieses Paar hatte sie gemeinsam mit Rino in monatelanger Tüftelarbeit gefertigt und sich dabei die Hände ruiniert.

Inhalt

Die handelnden Personen
9

PROLOG
Die Spuren verwischen
15

KINDHEIT
Die Geschichte von Don Achille
25

FRÜHE JUGEND
Die Geschichte von den Schuhen
117

Elena Ferrante
Lästige Liebe
Roman
Aus dem Italienischen von
Karin Krieger
Gebunden. 206 Seiten
(978-3-518-42828-3)
Auch als eBook erhältlich

»Einer der fesselndsten, intensivsten Romane über Mütter und Töchter, die es gibt.«
Le Monde

Nach dem mysteriösen Tod der Mutter sucht Delia nach der Wahrheit über ihre Familie. Irgendwo in der Erinnerung sind Hinweise vergraben, und Delia ist entschlossen, ihnen auf den Straßen Neapels – ihrer chaotischen Heimatstadt – nachzugehen. Doch sie ahnt nicht, wie schutzlos sie ist, gegen das Geheimnis ihrer eigenen Kindheit.

Lästige Liebe ist ein psychologisches Meisterwerk von schwindelerregender Genauigkeit: eine Mutter-Tochter-Geschichte über Liebe und Hass und den unlösbaren Knoten aus Eifersucht, Zärtlichkeit und Gewalt, der die beiden aneinander bindet.

»Absolute Pflichtlektüre für alle Fans der Neapolitanischen Saga.« *The Atlantic*

»Beunruhigend tiefsinnig und direkt.« *The New Yorker*

suhrkamp taschenbuch

Weitere Informationen erhalten Sie unter www.suhrkamp.de
oder in Ihrer Buchhandlung.

Elena Ferrante – Die Neapolitanische Saga

»Wirkt wie eine Droge!« *Le Monde*

»Ein epochales literargeschichtliches Ereignis.« *Die Zeit*

»So etwas haben Sie noch nie gelesen.« *The Guardian*

»Elena Ferrante ist für Neapel, was Charles Dickens für London gewesen ist.« *The New Yorker*

»Kraftvoll und fesselnd, voller Abenteuer und überraschender Wendungen – eine unvergessliche Ode an die Freundschaft.« *Le Monde de Livres*

Elena Ferrante
Die Geschichte eines neuen Namens
Jugendjahre
Band 2 der Neapolitanischen Saga

Roman
Aus dem Italienischen von
Karin Krieger
Gebunden. 623 Seiten
(978-3-518-42574-9)
Auch als eBook erhältlich

»**Das beste Portrait einer Frauenfreundschaft in der modernen Literatur.**« *The New York Times*

Es ist das Neapel der sechziger Jahre, und alles scheint im Umbruch. Lila und Elena wollen den beengten Verhältnissen ihres Viertels entfliehen, sie beharren darauf, ihr Leben selbst zu bestimmen – auch wenn der Preis, den sie dafür zahlen müssen, bisweilen brutal ist ...

suhrkamp taschenbuch

Weitere Informationen erhalten Sie unter www.suhrkamp.de
oder in Ihrer Buchhandlung.

Elena Ferrante
Die Geschichte der getrennten Wege
Erwachsenenjahre

Band 3 der Neapolitanischen Saga

Roman
Aus dem Italienischen von
Karin Krieger
Gebunden. 540 Seiten
(978-3-518-42575-6)
Auch als eBook erhältlich

Lila ist Mutter geworden und hat alles hingeworfen, Elena ist nach Norditalien gezogen, hat ein Buch veröffentlicht und scheinbar gewinnend geheiratet. Ganze Welten trennen die Freundinnen, doch gerade in diesen schwierigen Zeiten – es sind die politisch turbulenten Siebziger – sind sie füreinander da. Würde da nur nicht die langjährige Konkurrenz um einen bestimmten Mann immer deutlicher zutage treten …

Elena Ferrante
Die Geschichte des verlorenen Kindes
Reife und Alter

Band 4 der Neapolitanischen Saga

Roman
Aus dem Italienischen von
Karin Krieger
Gebunden. 614 Seiten
(978-3-518-42576-3)
Auch als eBook erhältlich

»Der einzige Makel dieses vierten Bandes ist es, dass er das Ganze zu einem Ende bringt.« *Le Figaro*

Bei allen Verwerfungen und Rivalitäten, die ihre lange gemeinsame Geschichte prägen – Lila und Elena halten einander die Treue, und fast scheint das Glück eine späte Möglichkeit. Aber beide haben sie übersehen, dass ihre hartnäckigsten Verehrer im Lauf der Jahre zu erbitterten Feinden geworden sind …

suhrkamp taschenbuch

Weitere Informationen erhalten Sie unter www.suhrkamp.de
oder in Ihrer Buchhandlung.